METROPOLITAN UNIVERSITY

Through Russia... with love

(По России... с любовью)

A complete course for beginners in Russian

by Natalia Veshneva

D0274507

MELROSE PUBLISHING
10 MELROSE CLOSE, LEE
LONDON SE12 OAL, UK

Acknowledgements

I would like to thank:

Margaret Wallace for her tireless, invaluable editorial work on this book: creative advice, suggestions, corrections, support and encouragement.

Mary Baack for proof reading but mostly for providing me with warm aid and understanding throughout.

Galina Pokras for her indispensable expertise with all the technology involved in the process and unfailing help literally day and night in any weather.

Mila Kos for her unconditional friendship, reliability, help and inspiration throughout.

Natasha Ward for everlasting direct and indirect help, belief and encouragement at all stages of my work and for providing an idea for the storyline.

Alexandr Kofiyan and **Olga Kapitonova** for their loving and endless assistance, hospitality and free and friendly taxi services.

Paula Limbert and **Serafima Byvajlo** for a gruelling job as conscientious proof readers.

Tiffany Clutterbuck, **Zhenya Sysoeva** and **Keith Beschi** for their unpaid work as very reliable couriers.

Tanya and **Zhenya Skvira** for compiling the vocabulary with patience and thoroughness.

Lev Alekseyevich Shilov for providing the recording facilities.

Lubov Ivanovna Sulakova for initiating me into the mystery of polygraphy and providing the fonts for this book.

Paul Barker and **Valentina Ward** for their financial help and support.

Teachers of Russian: **Nadya Poulton, Svetlana Andreeva, Nadya Griffin, Richard Hawkins, Esther Matear, Rachel Smith and Joan Smith** for taking the time to read parts of the book, try it out, comment and give valuable suggestions.

And most of all my family: **my parents** and sons **Anthony** and **Stephen** for their faithful support and love - the real source of strength.

Special thanks to one clever big guinea-pig: **Mark Shandur** and four lovely and lively guinea-pigs for their most important input: suggestions, corrections, enthusiasm and patience.

From left to right:

Katherine Biltoo
Ceyda Kulah
Selina Wickham
Alice Quine

ABOUT THE COURSE

Learning should be fun!

Learning Russian with this course is fun!

- This course is aimed at adults and teenagers working on their own or with a teacher.
- Each lesson starts with a dialogue which introduces the grammar points and the vocabulary dealt with in that lesson. The dialogues are followed by the vocabulary for that lesson, explanations of the grammar and a variety of exercises (more than 500 all together!) for mastery of all four skills: listening, reading, writing and speaking.
- Three main characters create a storyline which takes the student into the depth of Russia and Russian culture, history and contemporary everyday life.
- The explanations of the grammatical terms on page 322 make life easy for those people who have no experience of learning foreign languages.
- The book is accompanied by recordings of the dialogues and listening comprehension exercises recorded in Moscow by professional actors.

- Also available is a Supplementary booklet which contains:
  - the key to exercises
  - a transcript of the listening comprehension exercises
  - notes for teachers
  - instructions for self study

Have an enjoyable journey into the language and culture of Russia!

CONTENTS   СОДЕРЖА́НИЕ

СОДЕРЖАНИЕ

СОДЕРЖАНИЕ

PRONUNCIATION and SPELLING RULES

Pronunciation. The Russian Alphabet is well suited for the Russian language (one letter- one sound) so once you know the alphabet you are able to read Russian words. A recording is available to accompany the Russian Alphabet to help you to master the pronunciation.

Stress. To be able to pronounce Russian words correctly you need to know where the stress is, that is which vowel in the word is pronounced more loudly than the others (that's when the accompanying recordings become especially useful!). You can always check the stress in the vocabulary at the back of this book. The stress is marked with an acute accent ´. Stressed vowels are pronounced the same way as they appear in the alphabet. Unstressed vowels have a 'neutral' sound.
E.g.: Moskvá (Moscow) - [maskvá:]   **'ё'- is always stressed.**

Spelling rules.

Peoples' names and geographical names are spelt with a capital letter.

Certain consonants are never followed in writing by certain vowels. These rules of spelling are shown in the table below; they are reflected in all declensions and conjugations.

	Consonants:	are not followed by:	...use instead
Group 1	ж ш (always hard)	э ы я ю	е и а у
	ч щ (always soft)	э ы я ю	е и а у
	ц (always hard)	э я ю	е а у

The vowel does not affect the hard or soft pronunciation of the preceding consonant
E.g.: женщина pronounced: ж-э-нщина

Group 2	г к х	ё ы я ю	е а у
	(may be hard or soft)		и

The consonant will reflect the hard or soft vowel following it.

Splitting a word at the end of a line. Russian words are split by syllables.
E.g.: Mos-kva

Punctuation. The comma is always used to separate two clauses of the same sentence.

ALPHABET АЛФАВИ́Т

Some of the Russian letters are almost the same as their English equivalents:

printed capital	approximate pronunciation	printed small	written capital	written small
К	k in 'kind'	к	*Ж*	*к*
О	o in 'hot'	о	*О*	*о*
М	m in 'met'	м	*М*	*м*
Е	e in 'vest'	е	*Е*	*е*
Т	t in 'tea'	т	*Т*	*т*
А	a in 'father'	а	*А*	*а*

Try to work out what word they make. There is a picture to help you.
See how this word looks in writing and copy it in the space provided.

комета _____

Now try to read the following words. You will easily guess what they mean.

ма́ма   а́том   кака́о   кот →

Practice writing them

мама _____

атом _____

какао _____

АЛФАВИТ

Some of the letters look so weird that you could never confuse them with the English letters. However, some of them will be familiar from holidays in Greece or from Algebra lessons. Let us call them 'ALIENS'!

| Ф | f in 'fog' | ф | *Ф* | *ф* |

Now read these words: факт   кóфе   фóто   кафé

| Б | b in 'bet' | б | *Б* | *б* |

бóмба   табáк

Now we come to the 'FALSE FRIENDS'. These are the ones to beware of, because they look like one English letter but sound like a different one!

| С | s in 'sit' | с | *С* | *с* |

факс   тост   текст   кассéта

кассета _____

| Р | trilled 'rr' as in Scottish | р | *Р* | *р* |

бар   краб   корт   брат   теáтр   метрó   стрéсс   сестрá   секрéт
террóр   террáса   комфóрт   катастрóфа

катастрофа _____

| И | ee in 'meet' | и | *И* | *и* |

óфис   таксú   киóск   фúрма   артúст   крúтик   таксúст
ассортú   актрúса   матемáтик   аристокрáт

математик _____

| П | p in 'park' | п | *П* | *п* |

пáпа   парк   порт   спорт   óпера   пакéт   компóт   пáспорт
оптимúст   профéссор   пессимúст   фотоаппарáт

фотоаппарат _____

АЛФАВИТ

Н *One more 'FALSE FRIEND' to beware of!*

n in 'net'	Н	*Н*	*н*

банк кино́ бана́н аре́на банке́т барме́н фонта́н
те́ннис аспири́н пиани́ст кабине́т рестора́н интере́с
мини́стр интерне́т саксофо́н конта́кт контине́нт
капита́н микрофо́н тра́нспорт панора́ма

транспорт _____

Г

g in 'good'	Г	*Г*	*г*

гра́мм гита́ра ми́тинг сигаре́та програ́мма

программа _____

Д

d in 'dot'	Д	*D*	*g*

диск а́дрес идеа́л дие́та ра́дио дипло́м креди́т десе́рт
до́ктор коридо́р стадио́н мето́дика дире́ктор дискоте́ка
администра́тор

администратор _____

Л

l in 'left'	Л	*Л*	*л*

лото́ ли́фт пла́н лимо́н фли́рт пило́т омле́т кла́сс
бале́т а́тлас сала́т ла́мпа биле́т балко́н до́ллар
блокно́т реали́ст лимона́д като́лик телефо́н колле́га
поли́тик балери́на леге́нда миллионе́р табле́тка
пробле́ма материали́ст Ло́ндон

телефон _____

лимонад _____

проблема _____

АЛФАВИТ

Beware! Another 'FALSE FRIEND'!

| В | v in 'van' | В | *В* | *в* |

вино́ ваго́н ви́ски во́дка ви́део сви́тер витами́н
космона́вт аге́нтство Во́лга Москва́

Москва _____

| З | z in 'zero' | з | *З* | *з* |

ви́за зо́на база́р сезо́н про́за газе́та кузи́на зоопа́рк
телеви́зор президе́нт компози́тор бизнесме́н
патриоти́зм

телевизор _____

| Ж | zh as in 'plea<u>su</u>re' | Ж | *Ж* | *ж* |

бага́ж джи́н гара́ж масса́ж пижа́ма пассажи́р
ме́неджер Пари́ж

Париж _____

| У | oo in 'boot' | у | *У* | *у* |

суп курс буке́т фрукт буфе́т па́уза са́уна тури́ст
гру́ппа журна́л туале́т студе́нт авто́бус проду́кт футбо́л
фигу́ра аргуме́нт футболи́ст институ́т журнали́ст
инструме́нт коммуни́ст университе́т температу́ра

университет _____

температура _____

| Х | kh as the sound ch in Scottish 'loch' | х | *Х* | *х* |

холл хи́мик те́хника хара́ктер

характер _____

15

АЛФАВИТ

Й y in 'boy' **й** *Й* *й*

рейс герóй музéй флéйта хоккéй волейбóл трамвáй троллéйбус Йорк

Я ya in 'yard' **я** *Я* *я*

стýдия Áнглия истóрия галерéя комéдия биолóгия профéссия кулинарúя Россúя

*Áнглия*_____ *Россúя*_____

Ш sh in 'ship' **ш** *Ш* *ш*

фúниш галóши шарáда шоколáд шарлатáн шампáнское

*шоколад*_____ *шампанское*_____

Ч ch in 'chest' **ч** *Ч* *ч*

матч чемпиóн

Ц ts in 'bits' **ц** *Ц* *ц*

центр принц концéрт лéкция стáнция традúция медицúна коммéрция декларáция конферéнция информáция администрáция

*администрация*_____

Ю u in 'unit' **ю** *Ю* *ю*

меню́ плюс бюрó люкс ю́мор сюрпрúз костю́м рюкзáк брошю́ра парашю́т стюардéсса

*стюардесса*_____

16

АЛФАВИТ

Ё   yo in 'yob'   ё   *Ё*   *ё*

Горбачёв

Щ   shch in 'fre<u>sh ch</u>eese'   Щ   *Щ*   *щ*

Хрущёв

Э   e in 'met'   э   *Э*   *э*

поэ́т эгои́ст экза́мен аэропо́рт эне́ргия эколо́гия
аэро́бика эмигра́нт эскала́тор энтузиа́зм экску́рсия
эконо́мика эквивале́нт энциклопе́дия

*энциклопедия*_____

None of the following three letters is ever written as a capital since they are never used to start a word.

Ы   i in 'rip'   ы   *ы*   *ы*

му́зыка музыка́нт

*музыкант*_____

The last two letters have no sound, but they are important because:

Ь   'soft sound'*makes the preceding letter sound 'softer'*   *ь*

роль фильм бино́кль бульдо́г контро́ль культу́ра
интервью́ календа́рь интерье́р компью́тер результа́т
секрета́рь калькуля́тор специа́льность

*специальность*_____

Ъ   'hard sign' *separates the two letters*   *ъ*

объе́кт

Это Москва.
Это аэропорт.

Это Олег Петрович Белов.
Он профессор.

Это Катя.
Она студентка.

кафе

туалет

Это Майкл Кронин.
Он журналист.
Олег тоже
журналист.
Они коллеги.

урок № 1 "Москва моя…"

At the airport Oleg and Katya are meeting Michael who is arriving in Moscow.

Катя: Олег Петрович, **где вы**?
Олег: **Я здесь**.
Катя: А, **вот** вы где!
Олег: Катя, **что** это?
Катя: Это **лимонад**. А где Майкл?
Олег: Да, где Майкл?

Meanwhile, Michael is going through customs.

Official: Вы Кронин?
Майкл: Да, я Кронин.
Official: Вы **турист**?
Майкл: Да, я турист.
Official: Где **ваш паспорт**?
Майкл: Вот, **пожалуйста, мой** паспорт. Это **моя виза**.
Official: Где **ваша декларация**?
Майкл: Вот она.
Official: И где ваш **билет**?
Майкл: Вот он.
Official: **Хорошо**. Это ваш **багаж**?
Майкл: Да, мой.
Official: Это что?
Майкл: Это **гитара**.
Official: Что здесь?
Майкл: Здесь: **фотоаппарат, телефон, журнал, вино, шоколад**.
Official: Хорошо, **спасибо**. Вот ваш паспорт и ваш билет.

In the waiting area Oleg and Katya are looking for Michael.

Катя: Это Майкл?
Олег: Нет, это **не** Майкл.
Катя: А Майкл - тоже профессор?
Олег: **Нет**, Майкл - не профессор. Он журналист, **музыкант** и **оптимист**.
Катя: Оптимист - это хорошо! Я тоже оптимистка. А он не **шпион**?

20

Олег: Нет, Майкл не шпион. А вот и он. Майкл! Мы здесь!
Майкл: Олег Петрович!
Олег: Майкл, это Катя - моя студентка.

Word stress is given in the vocabulary below. Try to memorise it as you learn each word: unfortunately it is unpredictable.

уро́к	lesson	па́спорт	passport
э́то	this is	пожа́луйста	please
он	he/it *(see Notes)*	мой	my/mine
профе́ссор*	professor	моя́	my/mine
и	and	ви́за	visa
журнали́ст/ка	journalist	ва́ша	your/yours
то́же	also	декла́рация	declaration
она́	she/it	биле́т	ticket
студе́нт/ка	student	хорошо́	good
они́	they	бага́ж	luggage
колле́ги	colleagues	гита́ра	guitar
аэропо́рт	airport	фотоаппара́т	camera
Москва́	Moscow	телефо́н	telephone
где	where	журна́л	magazine
вы	you	вино́	wine
я	I	шокола́д	chocolate
здесь	here	спаси́бо	thank you
вот	there	нет	no
что	what	не	not
лимона́д	lemonade	музыка́нт*	musician
да	yes	оптими́ст/ка	optimist
тури́ст/ка	tourist	шпио́н/ка	spy
ваш	your/yours	мы	we

LEEDS METROPOLITAN UNIVERSITY LEARNING CENTRE

*Not all professions have a feminine form.

 When you see this symbol, listen to the dialogues on tape 1

 When you see this symbol, listen to the exercises on tape 2

♪♫♫♫ *When you see this symbol, listen to the song on tape 3*

урок № 1   "Москва моя…"

Notes:

1. **студент**- male student   студент**ка**- female student

2. **пожалуйста** means 'please' and it also means 'you are welcome'.
   It is used as a response to 'спасибо'

> E.g.: - Вот, пожалуйста, мой паспорт.
> - Спасибо.
> - Пожалуйста.

3. **NAMES**: Every Russian has three names:

first name - **имя**

middle name - **отчество** (patronymic) which is derived from the father's first name

surname - **фамилия**

> E.g.: Олег Петрович Белов
> Олег - имя
> Петрович - отчество, which means that Oleg's father
> was called Пётр
> **-ович** or **-евич** is added to form male patronymics
> **-овна** or **-евна** is added to form female patronymics
> Белов - фамилия

Oleg's sister is called: Елена Петровна Белов**а**
(-a is added to form a female surname)

One more character in this book: Катя
Her full name is: Екатерина Ивановна Калашникова
This means that her father is called Иван

Екатерина Ивановна
Калашникова

Олег Петрович Белов

Грамматика Grammar

1. There are no articles* 'the' and 'a' in Russian.

> E.g.: a tourist   турист
> the tourist   турист

2. **VERB**. There is no verb* 'to be' in the Present tense

> E.g.: Я турист   I am a tourist
> Мы здесь   We are here
> Это гитара   This is a guitar
> Где Катя?   Where is Katya?
> Вот такси   Here is a taxi

3. **NOUN**. Russian nouns* have a gender*
There are three genders in Russian: masculine, feminine, neuter.
You can work out the gender of the noun by looking at its ending.
Masculine nouns end in a consonant*

> E.g.: студен**т**   бага**ж**   журна**л** лимона**д**

Feminine nouns end in **-а** or **-я**

> E.g.: гитар**а** деклараци**я** студентк**а**

Neuter nouns end in **-о** or **-е**

> E.g.: вин**о** каф**е**

4. **PERSONAL PRONOUNS*** он/она (he/she) also mean 'it' when referring to things:

> E.g.: Где багаж?   Where is the luggage?   Вот <u>он</u>.   Here <u>it</u> is.
> Где виза?   Where is the visa?   Вот <u>она</u>.   Here it is.

5. **POSSESSIVE PRONOUNS** match their gender with the gender of the noun they describe: мой/ваш - masculine   моя/ваша - feminine

> E.g.: Это мой багаж   This is my luggage
> Вот ваша гитара   Here is your guitar

6. **Word order** in Russian is not as strict as in English. It is the same for both questions and statements which you have to distinguish only by intonation.

> E.g.: Это ваш багаж.   This is your luggage.
>   (all three words stressed equally) - statement.
> Это ваш багаж?   Is this your luggage?
>   (accent on 'ваш') - question.

* For an explanation of grammatical terms see page 322

1 *Listen to the dialogues, then tick the right answers to the following statements:*

Катя - спортсменка да/нет
Катя - студентка да/нет
Катя - оптимистка да/нет
Олег - пессимист да/нет
Олег - профессор да/нет
Олег - журналист да/нет
Майкл - турист да/нет
Майкл - студент да/нет
Майкл - шпион да/нет

2 *Tick the right statement.*

А
это - вино да/нет
это - гитара да/нет
это - водка да/нет

Б
это - багаж да/нет
это - виза да/нет
это - билет да/нет

В
это - шоколад да/нет
это - сигарета да/нет
это - паспорт да/нет

3 *Look at the things in the suitcase and identify them, then ask and answer the questions as in the following example:*

Question: (1) Это багаж?
Answer: Нет, это не багаж.
Question: Что это?
Answer: Это вино.
Question: Это вино?
Answer: Да, это вино.

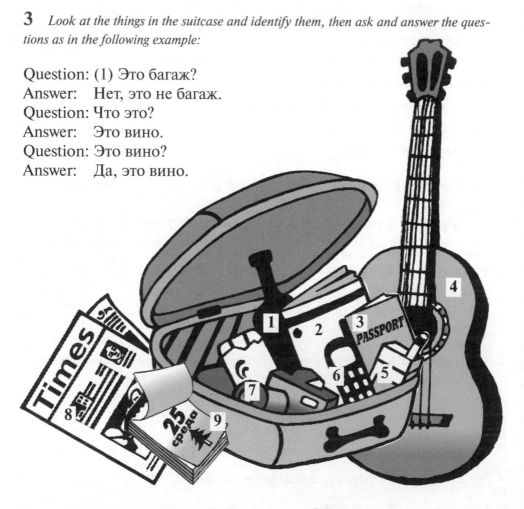

24

4 *Write the names and professions of the three characters you meet in this book.*

_____

_____

_____

5 а *Listen to the tape and write out the answers and questions about the heroes of this book as on the tape:*

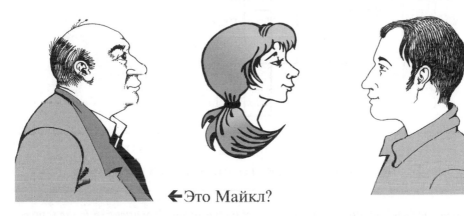

←Это Майкл?

5 б *Who are the famous people below? Ask similar questions about them.*

5 в ***Communication game.*** *Get to know your fellow students better by taking turns asking each other similar questions. Use the words given in the box below.*

пессимист/ка ● идеалист/ка ● материалист/ка
марксист/ка ● коммунист/ка ● троцкист/ка ● инженер
студент/ка ● спортсмен/ка ● бизнесмен ● миллионер

6 *Oleg likes crosswords. Help him to solve one. Fit the names printed below the crossword into the appropriate categories, and you will find where Oleg's major interest lies.*

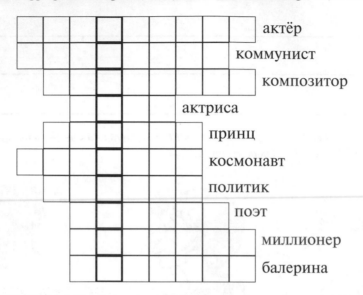

актёр

коммунист

композитор

актриса

принц

космонавт

политик

поэт

миллионер

балерина

Бетхо́вен ● Те́тчер ● Чарльз ● Пу́шкин ● Ча́плин
Бра́нсон ● Па́влова ● Ле́нин ● Денч ● Гага́рин

7 *Complete Oleg's family tree from the list of names below. Pay attention to the fathers' names which form patronymics.*

Беловы (family tree)   = means married to

[ ] = Нина Алексеевна

Анна Николаевна   [ ] = Вера Павловна

Михаил Ильич = [ ]   [ ]

Иван Иванович = [ ]   Виктор Михайлович

[ ]

1. Ольга Михайловна   4. Олег Петрович
2. Елена Петровна   5. Пётр Николаевич
3. Екатерина Ивановна   6. Николай Сергеевич

8 *Listen to the conversation between the customs officer and a traveller and list the items from the traveller's luggage mentioned in the conversation.*

9 *Among other things Michael has the following items in his luggage. Which of these items in your view will interest the customs officer? Tick them.*

> журна́л ● газе́та "Дейли Экспресс" ● аспири́н ● а́тлас
> сигаре́ты ● вино́ ● шокола́д ● ви́ски ● шампа́нское ● гита́ра
> календа́рь ● ра́дио ● компью́тер ● ко́фе
> фотоаппара́т ● до́ллары ● телефо́н

10 *The passengers by the carrousel are trying to identify their possessions. Listen to the tape, and then re-enact their conversation using the words given in the box below.*

> бага́ж ● гита́ра ● журна́л ● деклара́ция ● телефо́н
> компью́тер ● сигаре́та ● фотоаппара́т ● газе́та

11 *Michael is going through passport control. Listen to the conversation and answer the questions below:*

1. Which two items are requested by the passport control official for inspection?
2. What was the purpose of Michael's trip according to his answer?
3. What cities did Michael visit during his previous trip to Russia?
4. What was Michael's mistake?

12 *Fit the towns beneath the grid into the spaces next to their countries and you will find out where Michael lives.*

Ита́лия

Кана́да

Ирла́ндия

Испа́ния

Росси́я

Аме́рика

> Вашингто́н ● Шено́н ● Торо́нто
> Волгогра́д ● Мила́н ● Мадри́д

13 *While queuing for lemonade, Katya overhears people asking for different items (a list in the box below). Listen to the tape and ask for these items yourself.*

шокола́д ● кассе́та ● журна́л ● газе́та "Таймс"
аспири́н ● во́дка ● лимона́д

---

14 *Listen to the two airport announcements and answer the following questions:*

1. What is the destination of the flight being announced for checking in?
2. What company is flying there?
3. What airline company did Michael fly with?

15 *Katya is given this free advertisement at the airport. Read it and answer the questions below.*

1. What sort of firm is advertising its services?
2. When will you see it?   4. How will you get there?
3. Where is the firm situated?   5. Name the cities mentioned in this ad.

ТУРИСТИЧЕСКОЕ АГЕНТСТВО

ВАШ ПЕРСОНАЛЬНЫЙ ГИД

АВИАБИЛЕТЫ

Москва - Лондон - Москва

*МАНЧЕСТЕР — БЕЛФАСТ — БИРМИНГЕМ
БРИСТОЛЬ — КАРДИФФ — ДУБЛИН
ЭДИНБУРГ — ГЛАЗГО*

*АДРЕС: Москва, Арбат, БИЗНЕС-ЦЕНТР
Метро „Арбатская"*

---

16 *While waiting for Michael, Oleg overhears people making enquires at the information desk. Listen to the enquiry and answer the questions:*

1. What sort of enquiry is made?
2. What surprises the customer?
3. How does one get to the centre?
4. What choice is made?

17 *Michael wants to know where they can find a taxi. Tick the correct answer.*

1. What does he say?	*2. Katya knows where it is:*	*3. Michael is grateful:*
Что это?	Нет такси.	Хорошо.
Вот такси.	Здесь такси.	Пожалуйста.
Где такси?	Это не такси.	Спасибо.
Это такси?	Вот такси.	Тоже.

18 *Oleg overhears this conversation between a taxi driver and a passenger. Put the responses of the passenger in the right order. One of the questions is asked by the passenger!*

Taxi driver:	*Passenger:*
- Вы Петров?	- Где такси?
- Вы турист?	- Да, я Петров.
- Где ваш багаж?	- Вот он.
- Это ваш компьютер?	- Спасибо.
- Вот такси.	- Нет, я бизнесмен.
- Пожалуйста.	- Да, мой.

19 *Katya picks up a strange postcard which Michael dropped when he was getting into a taxi. Most of it is in English! Read it.*

> Диэ Майкл,
> Ай эм хэвинг э вондерфул тайм.
> Тумороу из дэ ласт концерт. Ай вил
> би бэк ин Лондон он 15 ов Фебруари.
> Ви вил ден дискас аур импортант
> бизнес. Эз южиал ай эм вери грэйтфул
> ту ю, мой фрэнд.
> Си ю сун.
> Ваш мистер Блэк.

20 a) *Listen to the recording and fill in the gaps.*

b) ***Communication game***. *Hopefully by now you know* "кто *is* кто" *in your group. Examine your fellow students' "knowledge" by asking in turn similar questions.*

Question: .... Майкл?	Question: .... Вера?
Answer: ...., это .... Майкл.	Answer: Нет, ... не Вера.
Question: .... это?	Я ....
Answer: .... Олег.	Question: Вы ....?
Question: .... Майкл?	Answer: ...., я ....
Answer: .... Майкл.	
Question: Майкл ....?	
Answer: ...., Майкл не .... Майкл	

21 *How well do you know famous Russians? Among them there are:*

поэтесса ● поэт ● композитор ● космонавт ● балерина

Анна Андреевна Ахматова
Галина Павловна Вишневская
Юрий Алексеевич Гагарин
Раиса Максимовна Горбачёва
Дмитрий Иванович Менделеев
Анна Павловна Павлова
Александр Сергеевич Пушкин
Валентина Владимировна Терешкова
Лев Николаевич Толстой
Марина Ивановна Цветаева
Пётр Ильич Чайковский
Антон Павлович Чехов
Дмитрий Дмитриевич Шостакович

Г. П. Вишневская

Say whose fathers were called:

Илья
Иван
Павел
Сергей
Андрей
Максим
Алексей
Николай
Дмитрий
Владимир

Д. И. Менделеев

А. А. Ахматова

А. П. Чехов

КРОССВОРД

По горизонтали:

4. Это Олег Петрович Белов. ... профессор.
5. Вот, ..., мой паспорт.
6. Это Майкл и Олег. ... коллеги.
7. "Майкл! ... здесь!"
9. Это не виски, это ... .
10. Вот моя виза, а вот мой ... .
11. Это ваш багаж? ..., мой.
13. Я журналист. Вот мой ...
14. Майкл ... шпион.

По вертикали:

1. ... это? Это виза.
2. Вот ваш лимонад. ... .
3. Это ... багаж

4. Майкл ...!
8. Майкл не ... .
9. Это лимонад? Нет, это ... .
12. ... ваша гитара?

Moscow at night

31

В кафе "Луна".

← Это **университет**. Он **находится в** Москве. Олег Петрович **работает** в университете.

Michael is in his hotel room in Moscow.

Майкл: Где **же телефон**? А вот он: **4 2 5 7 1 9 8 .**
Катя: **Алло, я слушаю**.
Майкл: Катя, это Майкл.
Катя: Майкл, **здравствуйте**. **Как дела**?
Майкл: Хорошо, спасибо. Катя, я **приглашаю вас в кафе**.
Катя: В кафе? **Очень** хорошо, спасибо.
Майкл: Вы знаете кафе "Луна"?
Катя: Кафе "Луна"? Нет, не знаю. Где **оно** находится?
Майкл: Кафе "Луна" находится в **центре**, **на улице** Арбат, **дом 10**.
Катя: А, знаю. Хорошо.

Later that day in кафе "Луна".

Майкл: Катя, где вы работаете?
Катя: Я не работаю, я студентка.
Майкл: **Ах**, да, **извините**, вы студентка.
Катя: А вы где работаете?
Майкл: Я работаю в **газете** "Дейли Экспресс" в Лондоне.
Катя: А что вы **делаете** в Москве?
Майкл: В Москве? Это **секрет**!

Later that evening Katya phones Oleg.

Катя: 3 8 2 4 6 0 9
Олег: Слушаю.
Катя: Олег Петрович, здравствуйте. Это Катя.
Олег: Здравствуй, Катя. Как дела?
Катя: Хорошо, спасибо. **(пауза)**

В кафе "Луна". урок № 2

Олег: **В чём дело**, Катя?

Катя: Олег Петрович, вы не знаете, что Майкл делает в Москве?

Олег: Что Майкл делает в Москве? **Я думаю**, что он турист. А **почему ты спрашиваешь**?

Катя: Вы думаете, **что** он турист? А **кто такой** мистер Блэк, вы знаете?

Олег: Мистер Блэк? Нет, не знаю.

университéт	university	центр	centre
нахóдится	is situated	на	at/on
в	in/at/to	ýлица	street
рабóтать	to work	дом	house
же	*(see Notes)*	ах	*(see Notes)*
телефóн	telephone	извинúте	sorry
аллó	allo (when answering the phone)	газéта	newspaper
		дéлать	to do
слýшать	to listen	секрéт	secret
здрáвствуй/те	hello	пáуза	pause
Как делá?	How are you?	В чём дéло?	What's the matter?
приглашáю вас	I am inviting you	дýмать	to think
приглашáть	to invite	почемý	why
кафé	cafe	ты	you *(see Notes)*
óчень	very	спрáшивать	to ask
знáть	to know	что	that
онó	it *(see Grammar)*	Кто такóй?	Who is it?

0 ноль		
1 одúн	6 шесть	
2 два	7 семь	
3 три	8 вóсемь	
4 четы́ре	9 дéвять	
5 пять	10 дéсять	

Read and solve these problems in Russian:

+ плюс   - мúнус

10 - 1 =   8 + 1 =   5 + 2 =   6 - 2 =   4 + 3 =   0 + 4 =

33

Notes:

1. **Ты** and **вы** forms.

There are two forms of 'you' in Russian: 'ты' and 'вы' like 'thee' and 'thou' in Old English or in French. It is advisable to use the 'ты' form when talking to children and 'вы' (polite form) when talking to adults, unless they invite you to change to the 'ты' form. Notice how Oleg addresses Katya with 'ты', but Katya is on 'вы' terms with Oleg. Find more about it in the next lesson.

plural	singular	
ваш (masc.)	твой	your/yours
ваша (fem.)	твоя	your/yours

See page 23 [5]

> E.g.: Вот твой журнал и твоя газета?   Here is your magazine and your newspaper

● In letter writing 'вы' and 'ваш' are written with a capital letter.

2. **же ах а**

Russian has emphatic little words which do not have any meaning of their own, but are used in speech to add more emphasis.

> E.g.: Где же вы?   Where on earth are you?
> Ах, да!   Oh, yes!
> А что вы делаете в Москве?   What áre you doing in Moscow?

3. When enquiring, rather than saying 'вы знаете?' you can use the more polite form 'вы не знаете?'

ПЛОХО - badly

This cartoon is from газета 'Аргументы и Факты'.

Грамматика

1. NOUN. CASES.

Russian nouns change their endings according to their function in the sentence. The patterns in which they change are called Cases. There are six cases in Russian. The whole system of cases is called **Declension**. So far we have come across the **Nominative case** (the one you will find in a dictionary).

2. PREPOSITIONAL CASE.

When the noun is used to denote a place (location) and answers the question '**где**?' - where?, then the Prepositional case is used with prepositions '**в**' or '**на**' (see Notes [3] on page 78)

Ending: **-е**

masculine nouns **add -е**

feminine nouns **replace** the last letter with **-е**

E.g.: **Где** находится кафе? Where is the cafe situated?

Кафе находится в центр**е** на улиц**е** Арбат.

It is in the centre, in Arbat street.

Good news! Some nouns of foreign origin NEVER change their endings. Among them are the words you have already come across:

Exception:	кафé таксú рáдио кóфе метрó вúски

3. VERB. CONJUGATION.

Verbs also change their endings according to the person or thing which performs the action. There are two patterns of change which are called **Conjugations.**

4. CONJUGATION I

зн**ать** - to know (infinitive)

я зна**ю** он зна**ет** ты зна**ешь** вы зна**ете**

E.g.: Я слушаю. I am listening.

Майкл работает в газете Michael works for a newspaper.

Почему ты спрашиваешь? Why are you asking?

Вы знаете кафе 'Луна'? Do you know cafe Luna?

5. VERB. IMPERATIVE MOOD:

(giving orders, instructions, greetings etc.) Verbs in the Imperative mood have the endings: **- и** or **- й** in the singular

- ите or **- йте** in the plural

E.g.: Олег: Катя, слушай. Katya, listen.

Катя: Слушайте, Олег Петрович. Listen, Oleg Petrovich.

6. PERSONAL PRONOUN.

The neuter personal pronoun is: '**оно**'

E.g.: Где кафе? Вот оно. Where is the cafe? Here it is.

1 *Listen to the dialogues on the tape and answer the questions below.*

1. Где находится кафе "Луна"?
2. Катя знает, где кафе "Луна"?
3. Катя работает?
4. Кто работает в университете?
5. Где находится университет?
6. Почему Катя не работает?
7. Где Майкл работает?
8. Катя знает, что Майкл делает в Москве?
9. Олег знает, кто такой мистер Блэк?
10. Как вы думаете, кто такой мистер Блэк? *(Answer in English)*

2 *Write down how to dial the fire brigade, the police or an ambulance in Russia.*

How would you dial the same services in England?

3 *Before meeting Michael, Katya phones her friend. Sort out their conversation and write it out.*

Надя:
- Нет, извини, не знаю. Думаю, оно в центре. А почему ты спрашиваешь?
- Да? Это хорошо!
- Я работаю, а ты?
- Алло, я слушаю.
- Да, это я.

Катя:
- Я слушаю радио. Надя, ты не знаешь, где находится кафе "Луна"?
- Надя, это ты?
- Ты знаешь, Майкл приглашает меня в это кафе.
- Здравствуй. Что ты делаешь?

4 а *Michael is phoning the enquiry service. Listen to the recording and write down the relevant telephone numbers in pencil.*

Большо́й теа́тр _____

Музе́й Пу́шкина _____

Аэропо́рт _____

Стадио́н "Дина́мо" _____

Рестора́н "Метропо́ль" _____

Кафе́ "Луна́" _____

Макдо́налдс _____

Пи́цца Хат _____

4 б **Communication game**. *Rub out the telephone numbers you heard on the tape and make up your own ones for these places, then dictate them to the rest of the class and check if they are correct.*

5 *Write the numbers in and you will find out how old Oleg is. For 'три' write your own numbers if you can.*

д	в	а	+	ч	е	т	ы	р	е	=	ш	е	с	т	ь
с	е	м	ь	+	н	о	л	ь	=		с	е	м	ь
п	я	т	ь	+	т	р	и	=		в	о	с	е	м	ь
									=	т	р	и		
д	в	а	-	д	в	а	=		н	о	л	ь		
ч	е	т	ы	р	е	-	д	в	а	=	д	в	а
ш	е	с	т	ь	+	т	р	и	=		д	е	в	я	т	ь
т	р	и	+	с	е	м	ь	=		д	е	в	я	т	ь
п	я	т	ь	+	н	о	л	ь	=		п	я	т	ь
о	д	и	н	+	т	р	и	=		ч	е	т	ы	р	е

6 *Michael invites Katya:* "Катя, я приглашаю вас в кафе".

Now you invite anyone you like to the following places, first in writing ...

Communication game. *... and then personally as in the example.*

кафе́ • парк • рестора́н • теа́тр • музе́й • зоопа́рк • бар

7 а *Katya has bought two lottery tickets. Help her to fill them in (do it in pencil) then listen to the recording and see if the numbers have come up.*

Лотерейный билет

1

2

7 б *Communication game. Rub out the numbers. Write any number from 0 to 10 in each square. Appoint one of the students to be the 'caller'. Let the 'caller' call out the numbers. The winner takes over from the 'caller'.*

8 *Fill in the gaps and you will find out what sort of literature Katya prefers to read.*

1. Что вы ... в Москве?

2. Майкл работает в ... .

3. Где вы ... ?

4. Ты ..., где кафе?

5. ... такой мистер Блэк?

6. Я не ... , я студентка.

7. Я ... вас в кафе.

8. Почему ... вы спрашиваете?

Это - Кремль. Он находится в Москве, в центре.

В кафе "Луна"   урок № 2

9 *Katya has found the torn remains of a letter Michael wrote but then threw away. Add the missing letters, read it and answer the questions below.*

> Здравствуйте мистер Блэк,
> Я в Москв
> Здесь в центр
> я дума
>   она зна
> Ваш дом на улиц
> Забелина, находится тоже в центр
>   очень хорошо.

1. Who is this letter to?
2. Where is the street Michael is looking for?
3. Why do you think Michael is looking for this street?

10 a *Michael overhears this conversation. Listen to the recording and fill in the gaps.*

Woman:	Извините, ..., вы <u>журналист</u>?
Man:	Нет, я не ....
Woman:	А .... вы?
Man:	Я ....
Woman:	Вы .... здесь?
Man:	.... Я .... в <u>банке</u>.
Woman:	.... находится .... <u>банк</u>?
Man:	Он в ....

10 б **Role play.** *Re-enact the conversation in exercise 10 a, replacing the underlined words with the ones in the box below: a, b, c and d.*

a) банки́р?	музыка́нт	орке́стр	теа́тр
b) журнали́ст?	актёр	теа́тр	парк
c) до́ктор?	профе́ссор	университе́т	центр
d) футболи́ст?	журнали́ст	газе́та	университе́т

11   *Look at this advertisement and answer the questions below.*

кафе "Луна"

приглашает вас

Кафе работает ежедневно с 10 до 23 часов
Наш адрес: Москва, центр, улица Арбат, дом 10.
Телефон: 246 05 98
Метро "Арбатская"

1. Where is this cafe situated?
2. What is this cafe called?
3. How can you get to this cafe?
4. How can you book a table?

12 а   *This time somebody stops Michael by mistake. Listen to the recording and write down the conversation you hear.*

12 б   *Communication game. From the list and the map below, choose yourself a name, a profession, and a town where you work.*
Then ask your fellow students questions like these: Вы Пётр?

Вы журналист?

Где вы работаете?

Then ask these questions: Вы не знаете, кто Пётр?

Кто знает, где Пётр работает?

Find out the assumed identities of all the students in your group. The sentences you heard in the recording (12 a) will help you with your answers.

Пётр ● Па́вел ● Никола́й ● Андре́й ● Еле́на ● Гали́на ● Светла́на

музыка́нт ● до́ктор ● мини́стр ● бизнесме́н ● инжене́р ● банки́р

13 *Read the conversation Katya has with her friend and write the correct form of the verbs in brackets.*

Надя: Где Майкл (работать)?

Катя: Он (работать) в газете "Дейли Экспресс"

Надя: А, он журналист! Он в Москве (работать) как журналист?

Катя: Нет, В Москве он не (работать).

Надя: А что он здесь (делать)?

Катя: Я не (знать). А почему ты (спрашивать)? Ты тоже не (думать), что он турист?

Надя: Я тоже не (знать). А что (думать) Олег Петрович? Он (знать), что Майкл (делать) в Москве?

Катя: Он (думать), что Майкл турист. А я не (думать)!

14 а *Give these people names and write what they are doing as in the example:*

В доме номер один - Николай. Он думает.

Use the verbs in the box below.

| знать ● слушать ● рабо́тать ● спра́шивать ● ду́мать ● приглаша́ть |

14 б *Communication game. Ask other students questions like:*

Кто в доме номер один? Что он делает?

Use the verbs in the box above.

В кафе "Луна"

15 а *A few people including Michael are trying to find their way around town. Listen to the recording and fill in the blanks on the plan with the places in the box below. (Do it with a pencil)*

план

университет

улица Университетская

улица Театральная

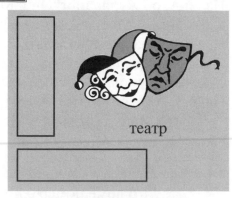

театр

улица Парковая

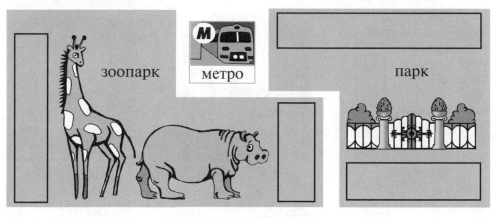

зоопарк | метро | парк

рестора́н ● музе́й ● кафе́ ● бар ● кио́ск ● буфе́т ● туале́т

---

15 б *Write where all these places are as in the example:*

E.g.: Ресторан находится в парке.

15 в *Communication game. Rub out the pencil entries and working independently, fill in the blanks on the plan again; this time site the same places somewhere else.*

By asking each other the questions as in the example:

E.g.: Где находится ресторан?

find out where the other students chose to site those places.

16 а *During the lunch hour between lectures Katya and her friends are killing time by playing bingo (лото). Listen to the recording, write down the numbers being called and say which of the six boards 'have won'.*

А		
4		7
	2	
10	9	
	5	3

Б	ЛОТО	
1	10	
		9
	6	7
4		8

В		
1		8
	2	0
5	7	
		3

Г		
4		
	10	5
1	3	6
	8	

Д		
	1	2
	4	0
6	9	
	10	

Е		
0		3
	5	6
7		8
	9	

16 б *Communication game. One of the students calls out the numbers from one of the cards above. The rest of the group have to guess which bingo card is being called.*

17 *Katya's friends annoy her with their silly questions. Help Katya to find the answers to the questions.*

Questions:

1. Что находится на улице Арбат?
2. Где работает Олег Петрович?
3. Почему Майкл в Москве?
4. Кто такой Майкл?
5. Как дела?

Answers:

а) Он - турист.
б) Кафе "Луна".
в) Он - журналист.
г) Хорошо, спасибо.
д) Он работает в университете.

18   *Read the text, ignoring the grammar, and answer the questions.*

Московский университет очень <u>большой</u>. big
<u>Основал</u> университет в 1755 <u>году</u> М.В. founded   year
Ломоносов - <u>русский учёный</u>, физик, химик, Russian scientist
поэт. <u>Поэтому</u> университет <u>носит его</u> имя. that's why   bears his
(Московский государственный университет
имени Ломоносова <u>или</u> <u>сокращённо</u> - МГУ). or   abbreviated

   <u>Старое здание</u> университета находится в old building
центре Москвы на улице Охотный ряд.
<u>Рядом</u> находятся Кремль, Исторический next to
музей и <u>гостиница</u> "Националь". В <u>этом</u> hotel   this
здании находится филологический
факультет, где работает Олег Петрович и
<u>учится</u> Катя. studies

   <u>Новое</u>, <u>высотное</u> здание университета new   skyscraper
находится на <u>юго-западе</u>. Оно <u>было</u> South-West
<u>построено</u> в 1953 году. was

1. Why is Moscow University named after Lomonosov?
2. How many buildings does Moscow University have?
3. What is situated near the old university building?
4. Where is the new university building?
5. In which building does Katya study?
6. Which Moscow University building is in the photo above?
7. Где работает Олег Петрович?

кроссворд

кроссворд

По горизонтали:

2. Алло, алло, я слушаю. (...) Алло, кто это? Что такое?
6. Я гитарист. Это моя ... .
9. Я фотокорреспондент. Это мой ... .
13. Вы журналист. Журналистика - это ваша ... .
15. Как дела? ... хорошо, спасибо.

По вертикали:

1. Майкл журналист и Олег тоже журналист. ... коллеги.
3. ..., я слушаю.
4. Это ваша виза, а где ваш ...?
5. Это ... дом?
7. Вот, пожалуйста. ... .
8. Кафе находится ... улице Арбат.
10. Где ваш билет? Вот .. .
11. Это моя водка, а это ваше ... .
12. Один плюс два = ...
14. Десять минус семь = ...

45

Michael phones Katya.

Катя: Алло, я слушаю.

Майкл: Катя, здравствуйте. Это Майкл.

Катя: Здравствуйте, Майкл. Как **у вас** дела?

Майкл: Хорошо, спасибо. А **скажите**, Катя, что вы делаете сегодня **вечером**? **У вас есть планы**?

Катя: Сегодня вечером? **Пока** не знаю. А почему вы спрашиваете?

Майкл: Я спрашиваю, **потому что** здесь в **гостинице есть бар** и сегодня вечером в баре **играет одна поп-группа**.

Катя: **Как** она **называется**?

Майкл: Она называется "**Плюс Пять**"

Катя: А, знаю-знаю. Да, сегодня вечером у меня есть **время**. А билеты у вас есть?

Майкл: **Конечно**. Два билета. Один билет **для** вас.

Катя: А **программа концерта** у вас есть?

Майкл: Нет, программы у меня нет.

After the concert Michael buys drinks at the bar.

Майкл: У вас есть **джин и тоник**?

Бармен: Нет, джина нет.

Майкл: А что у вас есть?

Бармен: **У нас всё** есть: **пиво**, водка, вино, виски...

Майкл: **Минеральная вода** у вас есть?

Бармен: Нет, воды тоже нет.

Майкл: А лимонад есть?

Бармен: Лимонад есть.

Майкл: Хорошо. Один лимонад, и **одно** пиво.

* * *

Майкл: Вот, пожалуйста, это ваш лимонад, а это **моё** пиво.

Катя: Спасибо, Майкл. Знаешь что, **давай на 'ты'**?

Майкл: **Давай**. Катя ты играешь на гитаре?

Катя: Играю, **но** очень **плохо**, потому что у меня нет времени. Я очень **много читаю**. Но на **компьютере** я играю очень хорошо.

Майкл: У тебя есть компьютер?

Катя: Нет, у меня нет компьютера, но у нас в университете есть компьютер. А ты **на чём** играешь?

Майкл: Я играю на гитаре.

Катя: Ах да! Ты же музыкант. Хорошо, что мы **одни**. А скажи, Майкл, кто такой мистер Блэк?

Майкл: Мистер Блэк? Я не знаю.

Катя: Не знаешь? А я думаю, ты знаешь. Это твоя **открытка**?

Майкл: Да, моя. А почему моя открытка у тебя?

у вас	by you	програ́мма	programme
скажи́те	tell me	конце́рт	concert
сего́дня	today	джин и то́ник	gin and tonic
ве́чером	in the evening	у нас	we have
у вас есть	you have	всё	everything
план/ы	plan/s	пи́во	beer
пока́	yet/while	минера́льная	mineral
потому́ что	because	вода́	water
гости́ница	hotel	одно́	one
есть	to have	моё	my/mine (neuter)
бар	bar	дава́й на 'ты'	(see Notes)
игра́ть	to play	дава́й	let us
одна́	one	но	but
поп-гру́ппа	pop group	пло́хо	badly
как	how	мно́го	a lot
называ́ется	is called	чита́ть	to read
плюс	plus	компью́тер	computer
вре́мя	time	на чём	(see Notes)
коне́чно	of course	одни́	alone
для	for	откры́тка	postcard

В баре есть:

У вас есть ...?

Notes:

1. **Давай на 'ты'** is the usual way of inviting somebody to change from the more formal way of addressing people. Young people as a rule are on 'ты' terms with each other, as are children and parents.

2. **кофе** is a masculine noun, although it has a neuter ending. This aberration happened when the original spelling 'кофей' was replaced by the more common European spelling 'кофе' while annoyingly retaining the original grammatical characteristic. There is a campaign amongst some Russians to adopt the neuter gender for 'кофе'.

3. The Russian word 'one' **один** has a gender!

masculine: один   один лимонад
feminine: одна   одна открытка
neuter: одно   одно пиво
and it has a plural: одни   which means 'alone'

E.g.: Хорошо, что мы одни. It is good that we are alone.

4. The Russian word 'two' **два** has two genders.

masculine: два   два билета   два пива
feminine: две   две открытки

5. **На чём** (on what?)

E.g.: На чём вы играете?   What do you play (on)?
Я играю на гитаре.   I play the guitar.

← Балалайка - традиционный, русский музыкальный инструмент.

ПРИГЛАШАЮ НА ЧАЙ

Грамматика

1. NOUN. The GENITIVE CASE of nouns.

	masculine	neuter	feminine
Endings:	add	replace the last letter with	
	-а (-я)*	**-а (-я)***	**-ы, -и** (after **к**)*

It is used: a) to signify possession or wherever English requires 'of' or apostrophe " 's"

E.g.: программа концерт**а**   concert programme

b) indicating absence, used with '**нет**'

E.g.: В баре <u>нет</u> джин**а** и вод**ы**. There is no gin and tonic water in the bar.

Exception:	нет врем**ени** no time

c) with numbers 2, 3, 4

E.g.: <u>два</u> билет**а**   two tickets

d) with prepositions 'у' and 'для'

E.g.: <u>У</u> Майкл**а** есть билет <u>для</u> Кат**и**.
Michael has a ticket for Katya.

2. PRONOUN.

PERSONAL PRONOUNS in the Genitive case: **меня́ тебя́ вас нас**

the Nominative case: **я   ты   вы   мы**

3. у меня/у меня есть

у меня literally means 'by me'. у меня есть means 'I have'.

Also: у тебя/вас/нас есть   means: you/we have

E.g.: У нас есть всё. We have everything.

у меня/тебя/вас/нас etc can mean: at my/your/our etc place.

E.g.: Ваша гитара у меня. Your guitar is at my place or I have your guitar.

4. NOUN in PLURAL ends in -ы (-и)*

E.g.: У меня есть билеты и открытки.
I have the tickets and the postcards.

5. POSSESSIVE PRONOUNS in masculine: **мой   твой   ваш   наш**

neuter: **моё   твоё   ва́ше   на́ше**

feminine: **моя́   твоя́   ва́ша   на́ша**

E.g.: мо**ё** пив**о** и ваш**а** вод**а**   my beer and your water

* see spelling rules on page 11

урок № 3   У вас есть …?

1 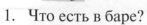 *Listen to the dialogues on the tape and answer the questions below.*

1. Что есть в баре?
2. На чём играет Катя?
3. Кто играет на гитаре?
4. Где играет поп-группа?
5. У Кати есть компьютер?
6. Как называется поп-группа?
7. Почему Катя плохо играет на гитаре?
8. Вы не знаете, кто такой мистер Блэк?
9. Почему открытка Майкла у Кати? *(Answer in English)*
10. Как вы думаете, кто такой мистер Блэк? *(Answer in English)*

2   *This is the hotel where Michael is staying.*

Look at the план гостиницы *and answer the questions below.*

ГОСТИНИЦА "Русь"

план гостиницы

ресторан "Сюрприз"	холл	лифт
туалет		бар "Экспресс"
киоск "Сувениры"	бюро информации телефон	кафе "Феникс"

1. В гостинице есть бюро информации, сауна?
2. В киоске есть газеты, журналы, открытки?
3. Как называется гостиница?
4. Как называется ресторан?
5. В гостинице есть киоск?
6. Что находится в холле?
7. Как называется кафе?
8. Где находится туалет?
9. Как называется бар?
10. Где находится лифт?

50

3 *Katya is killing time waiting for Michael in the hotel lobby. Some people have just arrived at the hotel (box below on the right). Help Katya to decide which items (box below on the left) belong to whom as in the example:* гитара гитариста
Write them down with their English equivalent.

гита́ра • телефо́н • маши́на шокола́д • фотоаппара́т сувени́ры • сигаре́ты журна́л • газе́та • вино́

музыка́нт • спортсме́нка такси́ст • тури́ст • барме́н балери́на • профе́ссор студе́нтка • бизнесме́н

4 а *a. The titles of some Russian newspapers found in the hotel lobby.*
b. The people who might read them. Decide who reads what.

b бизнесме́н • спортсме́н • поли́тик • актри́са • журнали́ст

А что читают Катя, Олег и Майкл? Как вы думаете?

4 б *Communication game. Ask your fellow students what they read.*

5 а *Listen to the conversation Katya overheard and tick the items which Rodion boasts having.*

АНКЕТА	☐ ДОМ	☐ РА́ДИО	☐ КОМПЬЮ́ТЕР
	☐ ГАРА́Ж	☐ ТЕЛЕФО́Н	☐ ТЕЛЕВИ́ЗОР
	☐ АВТОМОБИ́ЛЬ	☐ ГИТА́РА	☐ ВИ́ДЕО

5 б *Communication game. Ask as many of your fellow students as you can whether they have the items in the box above and tick the ones they have, then report your findings back to the group.*

урок № 3   У вас есть ...?

6 🎧 *Listen to the recording and fill in the gaps in the following conversation which took place before the concert.*

Борис: Таня, что вы .... сегодня ....?
Таня: Я .... не знаю.
Борис: Я .... вас в бар.
Таня: Спасибо. А вы .... знаете этот ....?
Борис: Нет, но я ...., что в .... очень хорошо.
Таня: Почему вы так ....?
Борис: Потому .... в баре .... напитков.

бар "Экспресс"

у нас вам всегда будет хорошо

приятная атмосфера

большой ассортимент напитков

традиционный русский декор

работает дискотека

в программе вечера ансамбль "Плюс Пять"

Наш адрес: Москва 117 312, улица Вятская, дом 8, гостиница "Русь"
Телефон: 159 34 87

7 а   *Look at this advertisement and answer the questions below:*

1. Где находится бар?
2. Как называется бар?
3. Что в баре работает?
4. В баре играет поп-группа? Как она называется?
5. What are the five points being advertised?

7 б   *Communication game. Invite your fellow students to this bar and if they are reluctant to join you, convince them by mentioning the points you have read in the advertisement above.*

8 *Michael is late because he is annoyed with a young girl who is following him around; supply his exaggerated answers as in the example:*

Girl: У вас есть фотоаппарат? (4)

Michael: Да, у меня есть четыре фотоаппарата.

1. У вас есть гитара? (3)
2. У вас есть машина? (3)
3. У вас есть компьютер? (2)
4. В гостинице есть туалет? (4)

9 *Katya is losing patience waiting for Michael. She is in a bad mood when a young man tries to chat her up. All her answers are negative. Supply her answers as in the example.*

Коля: У вас есть телефон?

Катя: Нет, у меня нет телефона.

1. Это ваше вино?
2. Вы играете на гитаре?
3. У вас есть фотоаппарат?
4. У вас сегодня есть время?
5. Вы читаете журнал "Натали"?
6. Вы работаете в университете?
7. В ресторане "Метрополь" есть бар?
8. В Москве есть Театр оперы и балета?
9. Вы знаете, где находится Музей Пушкина?

10 а *Earlier that day Michael was very unsuccessful in buying certain things. Listen to the tape and write down all the items Michael wanted to buy.*

10 б *Role-play. You also want to buy these things and you are equally unsuccessful. Ask for these items.*

11 *Katya is very unhappy. Now she complains she hasn't got enough of anything to her friend Nadya. Nadya suggests where to find more. Complete the sentences as in the example.*

Катя: У меня один журнал.
Надя: Вот у меня есть ещё журналы.
Катя: У тебя .... газета.
Надя: Вот здесь есть ещё ....

Катя: Здесь .... телефон.
Надя: В гостинице есть ещё ....
Катя: У нас .... сигарета.

Надя: У Виктора есть ещё ....
Катя: У меня .... открытка.
Надя: В киоске есть ещё ....

12 *Supply the missing words from conversations Katya overhears at the hotel booking office while waiting for Michael. (The missing words are in the box below. One word is used twice)*

Коля: Скажите, ..., сегодня ....играет группа
            "Плюс Пять"?
билетёр: Да, играет.
Коля: А где?
билетёр: В .... "Экспресс".
Коля: А билеты ....?
билетёр: Есть.
Коля: Три ...., пожалуйста.
билетёр: Вот, пожалуйста.
Коля: Спасибо.

———————

Виктор: Вера, здравствуйте.
Вера: ...., Виктор.
Виктор: Вера, вот, пожалуйста *(handing over an envelope)*
Вера: .... это?
Виктор: Это сюрприз!
Вера: *(opens the envelope)* Билет на концерт и программа ....
        Как хорошо!
Виктор: .... вечером.
Вера: Сегодня? Это очень плохо, ... сегодня вечером
        у меня .... времени.

———————

Саша: У .... есть билеты на концерт сегодня вечером?
билетёр: Нет.
Виктор: Извините, ... У .... есть один билет.
Саша: Только .... билет?! Что же делать? Ну, хорошо, где он?
Виктор: ...., пожалуйста.

> потому что ● вас ● концерта ● вот ● сегодня ● есть ● меня
> билета ● что ● вечером ● один ● здравствуйте ● баре ● нет
> пожалуйста

13 *Somebody has dropped this piece of paper. Katya picks it up. Look at it and answer the following questions:*

1. What is it?
2. Is it still valid?
3. What city is this establishment in?
4. Would you be interested in going there and why?

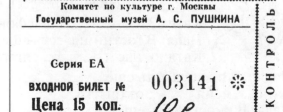

54

14 а *Look at the menu below and answer the following questions:*

1. Как называется бар А?
2. В баре А есть вино и пепси-кола?
3. Где есть пиво?

14 б *Listen to the recording and write down what people ordered.*

14 в *Role-play.*

i.. *One person works in a bar, another one is a customer and orders five different drinks for his/her friends. Write out their dialogue and then re-enact it with your partner.*
ii. *Now change roles and menus and start again.*

А

бар „Экспресс"

пи́во
вино́
во́дка
ви́ски
бре́нди
лимона́д
шампа́нское
минера́льная вода́

ко́фе
чай

Б

кофе
чай

минеральная вода
шампанское
пепси-кола
коньяк
бренди
виски
вино

бар „Экспресс"

15 *Katya picks up an envelope with a strange sender's address on it which Michael dropped in the cafe. Read it and write in English the sender's name and address.*

Мистер Блэк, Лорэлз, Риджэнси Парэйд, Блэкхит,
Лондон, Великобритания.

16   *Read the text, ignoring the grammar, and answer the questions.*

Большой театр - <u>так</u> называется <u>самый</u> <u>большой</u> театр оперы и балета в России.	that is how / the biggest
Он находится в центре Москвы, <u>недалеко от</u> Кремля, на Театральной <u>площади</u>. Это очень <u>красивое здание</u> в классическом стиле <u>было</u> <u>построено</u> в 1824 <u>году</u> архитектором О.И.Бове.	not far from / square / beautiful building was / built year
Большой театр <u>рассчитан на</u> 2 <u>тысячи</u> <u>зрителей</u>. Здесь <u>идут</u> классические и <u>современные</u>, русские и <u>зарубежные</u> оперы и балеты <u>известных</u> композиторов. На <u>сцене</u> Большого театра <u>выступали</u> и <u>выступают</u> <u>великие</u> русские артисты, <u>такие, как</u> Ф.И.Шаляпин, Г.П.Вишневская, М.М.Плисецкая и <u>многие другие</u>.	cater for thousands / spectators are on / modern foreign / famous stage / performed/ are performing / great such as / many more
Олег Петрович очень <u>любит</u> Большой театр, а Катя <u>предпочитает</u> поп-музыку.	loves / prefers

1. Where is the Bolshoi theatre?   2. When was it built?
3. What sort of performances can you expect to see at the Bolshoi?

кроссворд

кроссворд

кроссворд

кроссворд

кроссворд

По горизонтали:

1. Поп-группа называется "… Пять".
2. У Майкла - …, а у Кати - лимонад.
5. Катя: Майкл, … на 'ты'!
7. В баре … джина и тоника.
10. Катя … знает, где находится бар.
11. Катя: У тебя есть билеты?
    Майкл: …, есть.
14. Катя: Это твоя открытка?
    Майкл: …, моя.
15. Катя: Я …, группа играет хорошо.
18. Два журнала и … газета.
19. Минеральная … .

По вертикали:

1. … гостиницы.
3. Катя: Хорошо, что мы … .
4. … чём Майкл играет?
6. Сегодня … в баре гостиницы концерт.
8. Кто … мистер Блэк?
9. Катя … читает.
12. Один лимонад и … пиво.
13. Как … ?
15. У Майкла … билета на концерт.
16. … Кати нет программы концерта.
17. Катя играет на гитаре, … не очень хорошо.

Москва, центр,
Исторический музей

урок № 3   У вас есть …?

There are twenty two Russian words in this wordsearch. Find them. Their English translation is below.

ь	р	э	г	з	ы	к	о	н	е	ч	н	о	ъ	н	х	ж	н
ф	й	ц	о	ё	д	ъ	ж	д	ч	г	ь	ю	у	а	э	б	а
б	щ	ь	с	г	о	с	к	а	ж	и	т	е	щ	з	ь	ш	х
у	ч	и	т	а	ю	з	ы	у	д	ж	э	ы	ъ	ы	м	ё	о
ё	ж	ш	и	щ	х	э	ъ	ц	й	с	в	т	м	в	р	ч	д
и	х	ъ	н	з	ж	с	л	у	ш	а	т	ь	ф	а	ж	ц	и
з	щ	ц	и	й	ь	п	г	ю	э	ё	ь	щ	й	е	ц	ъ	т
в	ы	я	ц	ч	д	р	щ	ж	о	т	к	р	ы	т	к	а	с
и	г	р	а	ю	б	а	л	ё	й	ы	ь	г	щ	с	х	ъ	я
н	б	ч	з	ы	э	ш	ф	ъ	э	п	б	в	р	я	л	н	и
и	ц	ж	о	п	р	и	г	л	а	ш	а	е	т	ь	б	ю	к
т	й	п	л	ы	ё	в	р	е	м	я	й	ё	н	м	в	й	у
е	ъ	р	с	ж	й	а	с	я	ф	п	д	ъ	з	э	х	з	щ
у	л	д	е	ф	т	е	ы	ъ	ш	д	о	м	н	о	г	о	б
э	в	ж	г	ц	й	т	ё	м	в	л	ж	ш	а	щ	з	х	ъ
р	а	б	о	т	а	е	ш	ь	а	п	р	о	ю	л	д	ж	э
я	ч	с	д	м	и	т	б	ю	ж	э	л	х	ё	й	ц	п	ц
н	г	ш	н	щ	з	х	ъ	й	я	ц	в	е	ч	е	р	о	м
ч	с	и	я	т	п	л	о	х	о	ь	б	ю	ж	э	ъ	ч	ы
ь	т	ч	ы	ё	й	ц	у	к	е	н	г	ш	щ	з	х	е	ф
с	б	з	д	р	а	в	с	т	в	у	й	т	е	б	п	м	й
ф	ц	п	ы	в	х	л	ы	ё	о	ф	з	м	я	г	м	у	к

postcard ● I read ● you ask ● hello ● you work ● I know ● he invites to listen ● is called ● in the evening ● hotel ● today ● tell me ● a lot I play ● badly ● time ● sorry ● is situated ● why ● of course ● house

КОНТРОЛЬНАЯ РАБОТА   TEST

Put a tick in the box by the correct word.

1. Майкл ☐ работать   ☐ газета
☐ работает   в   ☐ газеты   "Дейли Экспресс"
☐ работаем   ☐ газете

2. Катя ☐ думаете   ☐ шпион
☐ думаю   что Майкл   ☐ шпиона
☐ думает   ☐ шпионы

3. Олег не ☐ знать   ☐ что
☐ знает   ☐ как   такой мистер Блэк
☐ знаете   ☐ кто

4. У ☐ Катя   ☐ телефона   ☐ гостиница
☐ Кати   нет   ☐ телефоны   ☐ гостиницы
☐ Кате   ☐ телефон   ☐ гостинице

5. В ☐ гостиница   ☐ один   ☐ баре
☐ гостиницы   есть ☐ одна   ресторан и два ☐ бары
☐ гостинице   ☐ одни   ☐ бара

6. И Катя, и Олег ☐ знают   ☐ называется
☐ знаете   где ☐ находится   кафе "Луна"
☐ знаем   ☐ извините

7. У ☐ Олег   ☐ Кати   ☐ сюрприз
☐ Олега   есть для   ☐ Катя   ☐ сюрприза
☐ Олеге   ☐ Кате   ☐ сюрпризы

8. Кафе ☐ называется   ☐ центр   ☐ улице
☐ приглашает   в ☐ центра   на ☐ улица   Арбат
☐ находится   ☐ центре   ☐ улицы

9. Я ☐ приглашать   ☐ вас   ☐ ресторан
☐ приглашает   ☐ ваш   в   ☐ ресторане
☐ приглашаю   ☐ ваша   ☐ ресторана

Score: .... out of 23

59

Michael and Katya are still in the bar after the concert.

Майкл: Катя, ты **куришь**?

Катя: Курю. Ты тоже куришь? **Какие** у тебя **сигареты**? "Кент"? Это **мои любимые** сигареты. А это шоколад для тебя. Так кто же такой мистер Блэк?

Майкл: Мистер Блэк? **Его зовут** Александр Борисович Чернов.

Катя: Он **русский или англичанин**?

Майкл: **Трудно сказать**. Он и русский, и англичанин.

Катя: Не **понимаю**.

Майкл: Он русский **эмигрант**, и **у него английское гражданство**.

Катя: **Теперь** понимаю. А почему он Блэк?

Майкл: Потому что **'чёрный' по-английски** 'блэк'.

Катя: А ты не русский эмигрант?

Майкл: Нет, я англичанин. А почему ты спрашиваешь?

Катя: Потому что ты очень хорошо **говоришь** по-русски.

Майкл: Спасибо, Катя. У меня **мама** русская.

Катя: **Так** твоё русское **имя** Михаил?

Майкл: Да, по-русски **меня зовут** Михаил Степанович Кронин.

Катя: А **если** ты англичанин, почему у тебя русская **фамилия**? У тебя **папа** тоже русский?

Майкл: Нет, он англичанин, и Кронин - это английская фамилия. **А тебя как зовут**? Мисс Марпл или **может быть**, Мата Хари?

Катя: Нет, я не Мата Хари. Я всё время спрашиваю, потому что **я просто люблю** всё знать. А зовут меня Екатерина Ивановна Калашникова. А твой мистер Блэк кто **по профессии**?

Майкл: Он музыкант - очень **известный пианист**.

Катя: А, понимаю.

Next day Katya sees Oleg after the lecture.

Катя: Олег Петрович, вы знаете, кто такой Александр Чернов?

Олег: Я думаю, это очень известный пианист Шура Чернов, **правильно**?

Катя: Правильно, это он - мистер Блэк.

Как его зовут?

Michael phones Oleg the next morning.

Олег: Алло, я слушаю.

Майкл: Олег Петрович, здравствуйте. Это Майкл говорит.

Олег: Майкл! Как дела?

Майкл: Всё хорошо, спасибо. Олег Петрович, у вас есть сегодня вечером **свободное** время?

Олег: Думаю, сегодня вечером у меня есть свободное время.

Майкл: Очень хорошо. У меня есть очень **важное дело**.

Олег: **Ах вот что!** Вы **поэтому** в Москве!?

курить	to smoke	мама	Mum
какие	what sort	так	so
сигарета	cigarette	имя	name
мой	my/mine *(plural)*	меня зовут	my name is
любимые	favourite	если	if
его зовут	his name is	фамилия	surname
русский	Russian	папа	Dad
или	or	Как тебя зовут?	What's your name?
англичанин	Englishman	может быть	maybe
трудно	difficult	просто	simply
сказать	to say	любить	to love
понимать	to understand	по профессии	by profession
эмигрант	emigrant	известный	well known
у него	he has	пианист	pianist
английское	English	правильно	correct
гражданство	citizenship	свободное	free
теперь	now	важное	important
чёрный	black	дело	matter/business
по-английски	in English	Ах вот что!	Oh, I see!
говорить	to speak	поэтому	that is why

Как его зовут?

Notes:

Nationalities and adjectives formed from them are written with small letters.

The word for a Russian man or woman ру́сский/ру́сская coincides with the adjective. It is the only one to do so.

The word for a Welsh man or woman вали́ец/вали́йка is formed from the archaic spelling of Wales: Ва́ллис - Уэ́льс

The word for a German man or woman не́мец/не́мка goes back to the 11th century when Russians and other Slav nations called people of foreign origin 'немый' - meaning difficult to comprehend.

страна́ - country	национа́льность - nationality	adjective
Росси́я	ру́сский/русская/русские	ру́сский
А́нглия	англича́нин/англичанка/англичане	англи́йский
Шотла́ндия	шотла́ндец/шотландка/шотландцы	шотла́ндский
Уэ́льс	вали́ец/валийка/валийцы	уэ́льский
Ирла́ндия	ирла́ндец/ирландка/ирландцы	ирла́ндский
Фра́нция	францу́з/француженка/французы	францу́зский
Ита́лия	италья́нец/итальянка/итальянцы	италья́нский
Испа́ния	испа́нец/испанка/испанцы	испа́нский
Герма́ния	не́мец/немка/немцы	неме́цкий
Аме́рика	америка́нец/американка/американцы	америка́нский

контине́нты: Евро́па (европе́ец) ◆А́зия (азиа́т)
А́фрика (африка́нец) ◆Австра́лия (австрали́ец)

испа́нка   не́мец   ру́сская   шотла́ндец

Грамматика

1. VERB. **CONJUGATION II** говор**ить** - to speak
Endings:

я говор**ю** ты говор**ишь** он говор**ит** вы говор**ите** мы говор**им**

Other verbs belonging to this conjugation: **курить люб**ить

любить (NB an extra letter in я люб**лю**)

E.g.: Катя любит курить. Katya likes smoking.

2. ADJECTIVES answer the questions **какой/какое/какая/какие?** which? what
sort of? They describe objects, people (nouns). An adjective agrees with the noun
it describes in gender, number and case.

Endings:	masculine	neuter	feminine	plural
Nominative case	**-ый (-ий -ой)**	**-ое (-ее)**	**-ая (-яя)**	**-ые (-ие)**

E.g.: известный пианист famous pianist
русская мама Russian mother
английское гражданство English citizenship
любимые сигареты favourite cigarettes

3. ADVERBS answer the questions **как**? how? **сколько**? how many? They describe
action, the manner in which the verb is performing.

Good news! Adverbs do not change their endings.

хорошо много очень плохо трудно просто
так правильно по-русски по-английски

E.g.: говорить по-английски to speak English
трудно сказать difficult to say
Майкл хорошо играет на гитаре Michael plays the guitar well

Often adverbs can be formed from adjectives by replacing the adjectival endings
with **-о**

E.g.: свободное время free time
свободно говорить по-русски to speak Russian fluently

4. меня зовут - my name is

Nominative case:	я	ты	он	она	мы	вы	они
Genitive case:	**меня́**	**тебя́**	**его́**	**её**	**нас**	**вас**	**их**

E.g.: Её зовут Джейн. Her name is Jane.

NB: add '**н**' to его/её/их when they are preceded by a preposition.

E.g.: У **н**его английская фамилия He has an English surname

Как его зовут?

1 🎧 *Listen to the dialogues on the tape and answer the questions below.*

1. Кто такой Михаил?
2. Что Майкл курит?
3. Александр Чернов русский или англичанин?
4. Почему Катя думает, что Майкл русский?
5. Почему Майкл хорошо говорит по-русски?
6. Кто по профессии Александр Чернов ● Майкл ● Олег?
7. Почему Катя всё время спрашивает?
8. Почему Олег знает, кто такой Чернов?
9. **Когда** (when) у Олега есть свободное время?
10. Как вы думаете, почему Майкл в Москве? *(Answer in English)*

2 🎧 *When checking into the hotel Michael dictates his English address to the hotel receptionist. Listen to the recording and write down Michael's address in English.*

3 *Michael has to fill in this form in Russian to check into the hotel. Imagine you are Michael and fill in the form.*

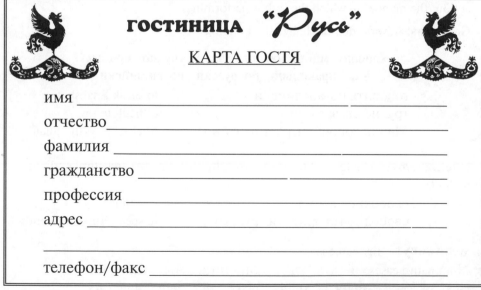

ГОСТИНИЦА "Русь"

КАРТА ГОСТЯ

имя _____ _____

отчество_____

фамилия _____

гражданство _____

профессия _____

адрес _____

_____

телефон/факс _____

4 🎧 *Listen to the recording and answer the following questions:*

1. What is Michael's enquiry all about?
2. How will he get there?

5 *After the concert in the bar Katya is entertaining Michael by telling him about the trivia of her life in Moscow. Match the adjectives to the nouns and make sentences as in the example:* В центре Москвы есть <u>спортивный стадион</u>.

туристическое	вода
компьютерная	дело
музыкальный	корт
минеральная	<u>стадион</u>
<u>спортивный</u>	автомат
английское	агентство
теннисный	сигареты
игровой	инструмент
важное	гражданство

← Это хороший гитарист, но сегодня он очень плохо играет на гитаре.

6 *While Michael goes to get more drinks, a young man chats Katya up.*
Fill in the gaps in their conversation and translate it.

Василий	Вы любите театр?	трудно
Катя	.... сказать.	трудный
Василий	Как вы думаете, гитарист сегодня .... играет?	хорошо хороший
Катя	Думаю, что сегодня он играет	плохо
Василий	Как его фамилия?	плохой
Катя	Вы не знаете? Это очень .... гитарист.	известно
Василий	Вы его знаете?	известный
Катя	Йес!	
Василий	О! Вы говорите по-английски.	
Катя	Да, я по-английски говорю очень .... А вы говорите по-английски?	неплохо неплохой
Василий	Нет, но я очень .... говорю по-русски.	свободно свободный

7   *Michael is back with the drinks and Katya tells him something. Read it and give Michael's reaction.*

Катя	'Анекдо́т' - по-английски 'joke'. Слушай анекдот. Знаешь, кто такой пессимист?
Майкл	Кто?
Катя	Пессимист - это хорошо информи́рованный оптимист.
Майкл	....

8   *This time it is Michael's turn to entertain Katya. Read what he says to her and translate it.*

Майкл: Катя, ты знаешь, что такое **кита́йская гра́мота**? Это <u>что-то</u> непонятное. <u>Например</u>, очень трудный русский текст для англичанина, <u>который</u> плохо знает русский язык, - это китайская грамота. <u>Когда</u> русские говорят: "Это - китайская грамота", англичане говорят: "That's double Dutch". А знаешь, что такое **тибетская медицина**? Когда русские говорят "тибетская медицина", англичане говорят "альтернативная медицина".

(margin notes:) something / for example / who / when

9   *More entertainment! Katya calls an adjective (from the box on the right) Michael has to think of something (from the box on the left) which gives 'a set expression' as in the example:*   французское вино
Now you try it and write out the English equivalents.

опера
ковбой
пирамиды
рулетка
виски ● юмор
принц
Ривьера
сеттер
танго
сигары
<u>вино</u>

<u>французское</u>
Уэльский
шотдандское
ирландский
французская
русская
аргентинское
гаванские
американский
итальянская
египетские
английский

10 а 🎧 *Katya thinks of another game to play! By asking the questions suggested below on the left, Michael has to guess what famous character she is thinking about. Listen to their game on the recording and guess (from the list below) what famous person is decribed.*

10 б   **Communication game.** *Now you try this game.*

Мерлин Монро

Кто это?

Мария Кюри

Агата Кристи

Чарли Чаплин

Мухамед Али

Маргарет Тэтчер

принц Чарльз

Елизавета Виндзор

Дмитрий Шостакович

генерал деГоль

Чарльз Диккенс

Юрий Гагарин

Лев Толстой

Ивлин Во

Вильям Шекспир

Уинстон Черчиль

Антон Чехов

Анастасия Романова

Александр Пушкин

Это он или она?
Он/она известный/ая?
Кто он/она по профессии?
Он/она говорит по-русски?
Он/она англичанин/англичанка?
Что он/она любит делать в свободное время?
Как его/её зовут?

Сергей Рахманинов

Фёдор Достоевский

Пётр Чайковский

Карл Маркс

11   *Katya wants to know more about* Шура Чернов. *Michael gives her bits from Chernov's family tree. There are three generations there. Put them right, paying attention to the patronymics and masculine and feminine endings. Start with the singles at the bottom.*

☐Николай Сергеевич =☐Нина Алексеевна
☐Алексей Андреевич =☐Марина Владимировна
☐Борис Алексеевич = ☐Ирина Александровна
☐Анна Николаевна
☐Александр Борисович
☐Пётр Николаевич

```
┌─┐ ┌─┐
│1│=│2│
└─┘ └─┘
┌─┐ ┌─┐   ┌─┐ ┌─┐
│3│=│4│   │5│=│6│
└─┘ └─┘   └─┘ └─┘
┌─┐ ┌─┐     ┌─┐
│7│ │8│     │9│
└─┘ └─┘     └─┘
```

| = means 'married to' |

67

урок № 4   **Как его зовут?**

12 а *Katya wants to know more about Michael. She asks him to answer the questionnaire below. Listen to Michael's answers and fill in the questionnaire with a pencil.*

12 б *Now answer the questions yourself and then carry out a survey.*

Pair work: *Find out about the interests of one of your fellow students...*

Group work: *... and report it back to the class.*

Имя_____

Вы говорите по-французски? ☐ нет ☐ да
Да? Вы говорите по-французски...

свободно ☐ да ☐ нет
очень хорошо ☐ да ☐ нет
правильно ☐ да ☐ нет
не очень хорошо ☐ да ☐ нет
плохо ☐ да ☐ нет

Вы читаете газеты? ☐ нет ☐ да
Да? Какие газеты вы читаете?_____

Вы работаете на компьюторе? ☐ нет ☐ да
Да? Как называется ваш компьютер?_____

Вы любите театр? ☐ да ☐ нет
музей ☐ да ☐ нет
балет ☐ да ☐ нет
спорт ☐ да ☐ нет
Да? Какой спорт вы любите?_____

Вы играете на гитаре? ☐ да ☐ нет
саксофоне ☐ да ☐ нет
балалайке ☐ да ☐ нет

Вы курите? ☐ нет ☐ да
Да? Что вы курите?_____

---

13 *Michael is back in his hotel room. Listen to the recording and answer the following questions:*

1. What was delivered?   2. What was Michael's reaction?

68

14 *This is a smudged postcard which Michael has received. Restore it and read it.*

Майкл, как дела?

Извините, что я всё время спрашива▮ Вы же понима▮, как всё это важн▮ для меня!

Сегодня вечером в Барбикан▮ концерт: музыка Шостакович▮, играет Ростропович. У меня есть пригласительн▮ билет. Я дума▮, что Ростропович очень хорош▮ понима▮ музыку Шостакович▮. А вы зна▮, как я его любл▮.

Ваш мистер Блэк.

15 *Michael is about to send a telegram. Write the words in the right order. Each sentence starts with a capital letter.*

Ваш	в	Блэк	очень	Как	делать

знаю,	вас	Майкл	"Русь"	дела?	у

хорошо!	Мистер	что	Москве,	Я	Здесь

в	гостинице	не	Пока

ТЕЛЕГРАММА

16   *It's time for action! Michael has made some enquiries and picked some useful cards. Look at the cards and answer the following questions:*

транспортное агентство *"ТУРИСТ"*

Виктор Иванович
Светлов
директор

Адрес: Москва,
ул. Пушкина, 5
телефон: 947 63 52

Европейский Банк
Светлана Андреевна Попова
менеджер

АВИАБИЛЕТЫ

Елена Николаевна Седова
КОНСУЛЬТАНТ

Москва 117 242, ул. Лестева, 8
телефон: 593 10 54

1. Имя, отчество, фамилия.
2. Какая у него/неё профессия?
3. Как называется фирма?
4. Где находится фирма?

Answer the last three questions in English.

5. Какие у Майкла планы?
6. Что Майкл делает в центре Москвы?
7. Why do you think Michael took these cards?

17   *Now create similar cards for* Олег, Катя, Майкл *and yourself.*

18   *Michael has made some enquiries. Write down his questions and the replies he received.*

Майкл:
- Скажите, пожалуйста, где находится банк?
- Как называется ваш банк?
- Извините, вы здесь работаете?
- Почему вы сегодня не работаете?
- Здесь говорят по-английски?
- Что же мне делать?

- Я не знаю.
- "Европейский".
- Потому что у нас не работает компьютер.
- На улице Полянка.
- Нет, только по-русски.
- Да, сегодня мы не работаем.

19 *Meanwhile Katya is helping her friend Nadya to match up some lonely hearts. See if you can do it.*

Анастасия
Я - инженер.
Курю, играю на саксофоне, люблю футбол, кино, телевизор.
Тел.: 04739864792

Станислав
Я - пианист.
Люблю классическую музыку, оперу, балет, театр.
Хорошо говорю по-английски.
Тел.: 0957493048

Меня зовут Муза
Я - балерина.
Люблю: спорт, туризм, балет, театр, оперу, кино.
Играю на флейте.
Факс: 075649305478

Александр
Мои интересы: дискотека, кино, туризм, рестораны, футбол, журнал "Америка".
Я - журналист.
Мой телефон: 578 49 71

Евдокия
У меня есть машина.
Я - хорошая спортсменка.
Мои хобби: туризм, рестораны, дискотека.
Факс: 094760321

Игорь Я - футболист.
В свободное время люблю слушать поп-музыку и курить сигареты "Мальборо"
Мой телефон: 694 04 89

20 *Now help them to fill in the form for the dateline agency.*

Клуб "**КОНТАКТ**"

имя, фамилия _____

профессия _____

интересы _____

_____

телефон/факс _____

Как его зовут?

21 *Tick the boxes with the statements appropriate to you, then count the points and read the conclusion below.*

Тест "Кто вы?"

☐ 0 вы не любите читать
☐ 1 вы читаете газеты
☐ 2 вы не читаете журналы

☐ 1 вы курите сигареты
☐ 2 вы курите сигары
☐ 3 вы не курите

вы хорошо говорите
☐ 1 по-английски
☐ 2 по-французски
☐ 3 по-русски

вы любите вы не любите
☐ 1 пиво ☐ 6
☐ 2 вино ☐ 5
☐ 3 водку ☐ 4

вы знаете вы не знаете
что такое
☐ 6 модем ☐ 3
☐ 5 принтер ☐ 2
☐ 4 монитор ☐ 1

вы играете на
☐ 0 гитаре
☐ 1 пианино
☐ 2 флейте

вы любите
☐ 1 рестораны
☐ 2 кино
☐ 3 театр

вы говорите
☐ 1 по-немецки
☐ 2 по-испански
☐ 3 по-итальянски

вы знаете,
где находится
☐ 1 Владивосток
☐ 2 Самара
☐ 3 Рыбинск

Вы
0 - 9 пессимист/ка
9 - 16 материалист/ка
16 - 37 оптимист/ка
37 - 60 идеалист/ка

22 *Katya's friend Anna is intrigued and curious about Michael. On a separate piece of paper complete Katya's letter to her friend telling her everything you know about Michael.*

Здравствуй Анна,

23 *Read the text, ignoring the grammar, and answer the questions.*

М. Л. Ростропович · Д. Д. Шостакович

Дмитрий Дмитриевич Шостакович (1906 - 1975) - <u>выдающийся</u> русский композитор, хорошо известный <u>во всём мире</u>. Автор симфоний, концертов для фортепиано <u>с</u> оркестром, квартетов, музыки <u>к</u> кинофильмам и, конечно, <u>всемирно</u> известной оперы "Катерина Измайлова".	outstanding in the whole world with for wold-wide
Его <u>сын</u>, Максим - <u>дирижёр</u>, а <u>внук</u> - пианист. Музыка Шостаковича <u>звучит во всех</u> концертных <u>залах</u> мира. Он любимый композитор Шуры Чернова.	son conductor grandson is heard in all halls
Мстислав Леопольдович Ростропович - известный музыкант - <u>виолончелист</u> и дирижёр. Он <u>постоянно выступает</u> с концертами в <u>разных странах</u> мира. Он хорошо <u>знал</u> и любил Шостаковича.	cellist invariably performs various countries knew
Шура Чернов <u>часто бывает</u> на концертах Ростроповича в Барбикане, в Лондоне.	often goes

1. Кто такой Шостакович?
2. Как его имя и отчество?
3. What sort of music did he write?

4. What do you know about his family?
5. Кто Ростропович по профессии?
6. Why do you think Shostakovich's music is so special to Rostropovich?

Как его зовут?

There are twenty four Russian words in this wordsearch. Find them. Their English translation is below.

а	р	э	ь	з	ы	ч	о	н	п	р	н	о	р	а	х	ж	в
н	й	ц	о	ё	д	ъ	ж	ц	о	г	ь	ю	у	н	э	б	а
г	щ	ь	с	в	о	б	о	д	н	о	е	ё	с	ы	ь	ш	п
л	ф	и	м	х	ю	к	а	к	и	е	п	е	с	л	и	ё	о
и	ж	ш	и	щ	д	э	ъ	ц	м	с	р	т	к	в	р	ч	щ
ч	х	т	е	п	е	р	ь	у	а	к	а	ь	и	л	и	ц	я
а	щ	ц	и	й	л	п	л	ю	е	ё	в	щ	й	р	ц	ъ	д
н	ы	я	ц	ч	о	р	ю	ж	т	р	у	д	н	ы	й	а	с
и	г	р	ъ	в	б	й	б	ё	е	ы	л	г	щ	ф	х	ъ	ж
н	б	ч	з	ы	э	ш	л	ъ	э	п	р	о	с	т	о	н	и
л	ц	г	о	в	о	р	ю	у	г	ш	н	е	т	а	б	ю	к
д	й	п	л	к	ё	р	в	о	а	я	с	ё	н	м	в	г	у
е	ъ	в	а	ж	н	о	е	я	ф	п	к	у	р	и	т	р	щ
у	л	д	е	ф	т	е	ы	ъ	ш	д	а	к	н	ы	г	а	б
п	р	о	ф	е	с	с	и	я	в	л	з	ш	а	щ	з	ж	ъ
к	а	и	д	т	а	л	ш	ь	а	п	а	н	ю	л	д	д	э
я	ч	с	и	м	я	ю	б	п	о	э	т	о	м	у	ц	а	ц
н	г	ш	н	щ	з	б	ъ	й	з	ц	ь	м	з	и	у	н	м
ч	ё	р	н	ы	й	и	з	в	е	с	т	н	ы	й	ъ	с	ы
ь	т	ч	ы	ё	ъ	м	у	к	в	н	г	ш	щ	з	х	т	ф
с	б	м	о	п	г	а	с	х	у	ъ	й	т	е	б	п	в	й
ф	а	м	и	л	и	я	ы	п	р	а	в	и	л	ь	н	о	к

**that is why ● black ● surname ● now ● he smokes ● simply ● correct
I speak ● favourite ● Englishman ● free ● what sort ● difficult ● if
citizenship ● well known ● name ● to say ● important ● you understand
● profession ● I love ● business ● or**

Как его зовут? урок № 4

Москва, гостиница "Россия".

По горизонтали:

1. У меня ... вас есть шоколад.
2. ... вас зовут Михаил?
5. Фамилия Олега Петровича.
7. Майкл: Катя, я ... приглашаю вас в кафе.
10. Я ... на гитаре.
13. Махаил - это русское ... .
14. Не понимаю, ... вы говорите.

По вертикали:

1. Катя: Майкл, у вас в Лондоне большой ...?
3. ... вас зовут?
4. Я по-английски ... говорю.
6. Где ... журнал?
8. Это вино ... виски?
9. Где ... сигареты?
11. ... вот что!
12. ... зовут Шура Чернов.

Москва, Красная площадь.

Дайте, пожалуйста...

Oleg and Michael are in cafe "Luna".

Майкл:	Это моё любимое кафе в Москве.
Олег:	Кафе очень хорошее. Спасибо **за приглашение**, Майкл.
Официантка:	Я слушаю вас.
Майкл:	**Можно меню?**
Официантка:	Вот, пожалуйста.
Олег:	**Дайте нам**, пожалуйста, **бутылку** водки и минеральную воду. Майкл, вы какую водку любите?
Майкл:	**Мне всё равно**. Дайте **мне**, пожалуйста, **на закуску - салат, на первое - уху, на второе - пиццу** и **на десерт - фруктовый** салат.
Олег:	А мне дайте, пожалуйста, на закуску - **рыбное ассорти**, на первое - **борщ**, на второе **рыбу**...
Официантка:	Рыбы нет.
Олег:	**Тогда** дайте на второе **сибирские пельмени** и на третье - **компот**.

***

Майкл:	Какой сегодня **день**?
Олег:	Вы не знаете, какой сегодня день, потому что вы не работаете. Знаете русскую **пословицу** "Счастливые **часов** не **наблюдают**"? Сегодня **суббота**.
Майкл:	В **среду** я **еду** в **город** Рыбинск на **Волге**.
Олег:	Почему? У вас **там** тоже важное дело? Так какое это дело?
Майкл:	Вы знаете пианиста Шуру Чернова?
Олег:	Да, конечно, **все** его знают - он очень известный пианист.
Майкл:	Он мой очень хороший **знакомый**.
Олег:	Ах вот как!? Но, по-моему, он очень **старый**.
Майкл:	Да, это **правда**. Он очень старый, и у него нет **наследника**.
Олег:	Теперь всё понимаю. Вы здесь **ищите** его наследника или **наследницу**. А как вы едете в Рыбинск?
Майкл:	Еду на **поезде**. Билет на поезд у меня есть.
Олег:	А **куда** в Рыбинск вы едете? У вас есть **адрес**?

Дайте, пожалуйста... урок № 5

Майкл: Да, есть. Вы знаете Рыбинск?

Олег: Знаю, **но** не очень хорошо. Можно **посмотреть** адрес?

Майкл: Вот, пожалуйста, улица Лесная, дом 4.

Олег: Как **интересно**! **Кажется**, я знаю этот дом. А может быть, и нет.

за	for	я éду	I go/travel
приглашéние	invitation	гóрод	town
мóжно	may I	Вóлга	Volga
меню́	menu	все	everybody
дáйте	give	знакóмый*	acquaintance
нам	to us	стáрый	old
буты́лка	bottle	прáвда	truth
мне	to me	наслéдни/к/ца	heir
всё равнó	all the same	искáть	to search/look for
закýска	starters	пóезд	train
салáт	salad	кудá	where to
пéрвое	first	áдрес	address
ухá	fish soup	но	but
вторóе	second	посмотрéть	to have a look
пи́цца	pizza	интерéсно	interesting
десéрт	dessert	кáжется	it seems
фруктóвый	fruit *(adjective)*		
ры́бный	fish *(adjective)*		
ассорти́	assortment		
бóрщ	beetroot soup		
ры́ба	fish		
тогдá	then		
сиби́рский	Siberian		
пельмéни	ravioli		
компóт	compote		
дснь	day		
послóвица	proverb		
счастли́вый	happy		
час	hour		
наблюдáть	watch		
суббóта	Saturday		
средá	Wednesday		

*NB: The noun 'знакóмый' has an adjectival ending.

77

урок № 5   Дайте, пожалуйста...

Notes:

1. Шура - has a feminine ending

Some male names ending in –а or –я have feminine endings.

> E.g.: Шур**ы** нет в Москве.   Shura is not in Moscow.
> Все знают Шур**у**.   Everyone knows Shura.

2.

Дни недели	Days of the week
понеде́льник	Monday
вто́рник	Tuesday
среда́	Wednesday
четве́рг	Thursday
пя́тница	Friday
суббо́та	Saturday
воскресе́нье	Sunday

3. Most nouns are used with the preposition 'в' in the Prepositional case, denoting place, and answering the question где? -where?

> **Где?** На работе или дома?

> E.g.: Где Олег? Олег в университете.
> Where is Oleg? Oleg is at the University.

● and the Accusative case expressing movement toward something, answering the question куда? -where to?

> **Куда?** На работу или домой?

E.g.: Куда Олег едет? Он
едет в университет.
Where is Oleg going to? He is
going to the University.

But the following nouns we have come across so far are used with the preposition 'на':

REMEMBER!

Prepositional case	Accusative case
где?	куда?
на стадионе	на стадион
на балете	на балет
на концерте	на концерт
на матче	на матч
на улице	на улицу
на работе	на работу
Exception: до́ма	домо́й

Дайте, пожалуйста... урок № 5

Грамматика

1. NOUN. The ACCUSATIVE CASE.

Endings: masculine/neuter   feminine
          do not change   **-у (-ю)**

It is used:

a) to denote the direct object of a sentence and can be used with the verbs we have already come across   **любить знать искать приглашать слушать смотреть делать**

E.g.: Майкл любит спорт и музыку.   Michael likes sport and music.

b) with the expression '**дайте мне**' give me

E.g.: Дайте мне салат, рыбу и вино.   Give me salad, fish and wine.

c) with the **days of the week**, answering the question '**когда?**' - when?

E.g.: В субботу Олег работает.   Oleg works on Saturday.

d) with the expression '**спасибо за**' thank you for

E.g.: Спасибо за сигарету и вино.   Thanks for the cigarette and the wine

e) with the expression '**билет в/на**' a ticket for

E.g.: Это билет в театр или на оперу? Is this a theatre or an opera ticket?

f) with the verb '**ехать**' to go by transport, answering the question 'куда?' where to?

E.g.: Куда вы едете?   Where are you going?
       Я еду в Москву и в Рыбинск.   I am going to Moscow and Rybinsk

---

Exception:

masculine animate nouns (people and animals) add the ending **-а (-я)**
E.g.: Все знают пианист**а** Чернов**а**

---

2. ADJECTIVES. The ACCUSATIVE CASE.

Endings: masculine/neuter   feminine
          do not change   **-ую (-юю)**

E.g.: Дайте фруктовый салат и минеральную воду
       Give me fruit salad and mineral water.

3. VERBS: '**ехать**' to go by transport/to travel   '**искать**' to search/ to look for

я еду	мы едем		я ищу	мы ищем
ты едешь	вы едете		ты ищешь	вы ищете
он едет	они едут		он ищет	они ищут

79

Дайте, пожалуйста...

1  *Listen to the dialogues on the tape and answer the questions below.*

1. Где находится любимое кафе Майкла?
2. Как называется это кафе?
3. Кто любит рыбу?
4. Почему у Олега на второе пельмени?
5. Куда едет Майкл в среду?
6. Почему он едет в **этот** (this) город?
7. Вы знаете, где находится Рыбинск?
8. Как Майкл едет в Рыбинск?
9. Почему все знают Чернова?
10. Олег знает город Рыбинск?

2 *From the list below, write down everything Oleg, Katya and Michael like and dislike in your opinion, as in the example.*

Олег очень любит классическую музыку.
Майкл тоже любит классическую музыку.
Катя не любит классическую музыку.

спорт ● поп-му́зыка ● бале́т ● о́пера ● теа́тр ● футбо́л
кино́ ● ру́сская литерату́ра ● лимона́д ● во́дка ● шокола́д

3 а *Earlier that day Michael was unlucky!*
Listen to the recording, and list the tickets Michael tried to buy.

3 б *Communication game. Ask for tickets for the places or events in the box below beginning each sentence with* "Дайте, пожалуйста..."
(Consult Notes [3] on page 78 for the prepositions)

музе́й ● стадио́н ● о́пера ● теа́тр ● музыка́льный конце́рт
бале́т ● футбо́льный матч ● кино́ ● по́езд ● авто́бус

4 Посмотрите на билет и скажите, куда он. Как вы думаете, почему этот билет очень старый?

Дайте, пожалуйста... урок № 5

5 а *This is Oleg's diary for one week. Listen to the recording and fill it in. Fill in the free entries yourself.*

5 б **Communication game.** *Ask your fellow students what Oleg does on different days of the week.*

понедельник	четверг
вторник	**пятница**
среда	**суббота**
воскресенье	

6 а *Katya invites Oleg out. Listen to the recording and repeat their conversation.*

6 б **Communication game.** *Ask each other what you do on different days of the week, then invite each other out and if you cannot accept the invitation give an excuse.*

Places to invite:	**в**	кино ● теáтр ● ресторáн ● парк ● музéй ● кафé ● зоопáрк
use prepositions:	**на**	балéт ● óпера ● музыкáльный концéрт футбóльный матч ● стадиóн

Excuses:	слýшать рáдио ● éхать в аэропóрт ● рабóтать игрáть на балалáйке ● смотрéть телевúзор *... or think of any other excuse you can give in **Russian**!*

81

7 а 🎧 *Listen to the recording and say what Michael is grateful for and who he thanks.*

7 б   ***Communication game.*** *Ask your fellow students for the items in the list below and on receiving each one, thank them for it, as in the example in the recording.*

план метро́ ● програ́мма конце́рта ● биле́т в теа́тр
но́мер телефо́на ● гита́ра ● а́дрес стадио́на ● откры́тка
англи́йские сигаре́ты ● ру́сский календа́рь ● буты́лка вина́
фотоаппара́т ● америка́нский журна́л

---

8 а 🎧 *Listen to the recording and write down the dishes people at the neighbouring table to Michael order.*

8 б   ***Communication game***. *Order a three course meal and a drink for two of your friends in Michael's favourite cafe.*

кафе "Луна"

МЕНЮ

Заку́ска
сала́т
винегре́т
чёрная икра́
ры́бное ассорти́

Пе́рвые блю́да
уха́
борщ
бульо́н
тома́тный суп

Гарни́р
рис
пюре́
макаро́ны
вермише́ль

Вторы́е блю́да
бефстро́ганов
бифште́кс
сарди́ны
ры́ба (карп)
пельме́ни
котле́ты
пи́цца
омле́т

Десе́рт
фрукто́вый сала́т
ри́совый пу́динг
бана́новое желе́
моро́женое
шокола́д
компо́т

Напи́тки
пи́во
вино́
во́дка
фа́нта
конья́к
лимона́д
кока-ко́ла
пе́пси-ко́ла
минера́льная вода́
фрукто́вый кокте́йль

Горя́чие напи́тки
кака́о
ко́фе
чай

Дайте, пожалуйста... урок № 5

9 *Oleg has 'one of those days', he keeps on losing everything. Katya helps him to find things. Supply their lines as in the example:*

E.g.: Катя: Олег Петрович, что вы ищите?
Олег: Я ищу адрес театра.
Катя: Вот он.
Олег: Спасибо, моя хорошая.

телефон гостиницы ● приглашение на лекцию
бутылка воды ● телефонный номер студента
билет на концерт ● литературная газета
старый календарь ● английский атлас
музыкальный журнал ● кроссворд

---

10 *Write an invitation to a concert, a match or anything else you can think of, to one of your fellow students. (Mention what? where? when?)*

ПРИГЛАШЕНИЕ

_____

_____

_____

11 а *Do you know these Russians? Listen to the recording and repeat the questions and answers.*

Алекса́ндр Пу́шкин ● Валенти́на Терешко́ва
Анто́н Че́хов ● Светла́на Ста́лина
Влади́мир Ле́нин ● Раи́са Горбачёва
Мстисла́в Ростропо́вич ● А́нна Ахма́това

---

11 б *Communication game. Now ask your fellow students similar questions.*

12 а 🎧 *Before meeting Oleg in the cafe Michael informs him of his movements. Listen to the recording, look at the map below and name the number or the letter indicating Michael's whereabouts.*

12 б *Communication game. Michael has to visit all the places on the map below. He travels by taxi* на такси ----------➤ *or by bus* на автобусе ————➤

When he is in the place marked by a number he is on his way to...
    E.g.: (13) он едет в кафе на автобусе

When he is in the place marked by a letter he is at the place
    E.g.: (Ж) он в кафе

In turns call either a letter or a number and ask your fellow students accordingly:
    E.g.: Куда Майкл едет? (13)   Он едет в кафе.
           Как он **туда** *(there)* едет?   Он едет на такси.
           Где Майкл? (Ж)   Он в кафе.

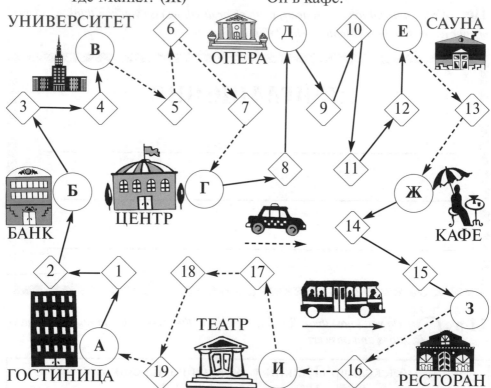

13 *Look at this ticket and answer the following questions:*

1. Куда этот билет?
2. Какой это город?

Государственный историко-культурный музей-заповедник
« МОСКОВСКИЙ КРЕМЛЬ »

Дайте, пожалуйста... урок № 5

14 а *In the evening Katya is tired and in a bad mood yet again! Her friend is trying to please her. Listen to the recording and fill in the gaps in their conversation.*

Катя: Что это?

Надя: Это ....

Катя: Я не люблю .... Дай мне, пожалуйста,

....

Надя: .... нет.

Катя: Тогда дай мне ....

Надя: Вот, пожалуйста ....

14 б *In the dialogue above replace the missing words with the ones in the box below.*

> минера́льная вода́ - шокола́д - моро́женое
> лимона́д - во́дка - фа́нта ● заку́ска - икра́ - сала́т
> кака́о - компо́т - желе́ ● уха́ - борщ - пи́цца
> суп - ры́ба - омле́т

15 *To cheer Katya up Nadya invites her to the cafe. Supply the missing words in their conversation (box below) and translate it.*

Катя: Надя, спасибо за ....

Надя: Правда здесь хорошо? Это моё .... кафе.

Катя: Моё любимое кафе .... "Салют".

Надя: Где оно .... ?

Катя: На .... Забелина.

официант: Слушаю вас.

Катя: Дайте, пожалуйста,........................... .

официант: .... нет.

Катя: Мне ...., а тебе что?

Надя: .... есть?

официант: Есть.

Надя: Мне, пожалуйста, ...

официант: Хорошо.

> пепси-кола ● фанты ● лимонад ● находится ● любимое
> приглашение ● называется ● фанту ● пепси-колу ● улице

15 *Read the text, ignoring the grammar, and answer the questions.*

Александр Сергеевич Грибоедов
(1795-1829)

"Счастливые часы не наблюдают" (happy people don't watch clocks) - цитата из комедии Грибоедова, которая стала пословицей.
quotation	form
which become	

Александр Сергеевич Грибоедов - известный русский писатель, современник Пушкина, написал несколько водевилей и стихов.
writer	contemporary	
wrote	several	poems

Самое известное произведение - пьеса-комедия в стихах называется "Горе от ума" (The misfortunes of a thinking man) о жизни московской аристократии XIX века.
the most	work	play
about life		
century		

Молодой человек, которого зовут Александр Андреевич Чацкий, возвращается в Москву из путешествий по свету и смотрит на знакомую с детства московскую жизнь критически.
young man		who
returns		
from travel abroad	looks	

Комедия полна правдивых, реалистичных, метких, и что самое удивительное, до сих пор современных наблюдений. Поэтому многие цитаты вошли в русский язык как пословицы и поговорки.
full	
accurate	astonishing
up to now	observation
entered	language
sayings	

Это произведение занимает важное место в русской классической литературе.
occupies	place

Недавно комедия была в очередной раз переведена на английский. Переводчицу зовут Мэри Хобсон. Она англичанка, но блестяще знает русский язык и отлично знает и понимает русскую литературу.
recently	was once again
translated	translator
brilliantly	excellently

1. Как зовут автора комедии?
2. Как зовут героя комедии?
3. Почему мы говорим "счастливые часы не наблюдают"? *(Answer in English)*
4. Почему эта комедия очень известная? *(Answer in English)*

КРОССВОРД

By Nicholas Markov

По горизонтали:

1. В гостинице есть ..., где играет поп-группа.
2. Катя любит ... знать.
4. ... находится город Рыбинск?
8. Шура Чернов русский или англичанин? ... сказать.
9. Играть на балалайке не трудно, а ... .
10. Олег Петрович работает в университете. Он ... .
13. У Майкла есть ..., потому что он гитарист.
14. Он работает в банке.
15. Майкл и Олег коллеги. ... журналисты.
16. Катя спрашивает: Олег Петрович, это ... журнал?
17. ... вы любите на десерт?

По вертикали:

1. Очень известный русский суп называется ... .
3. Катя не работает, потому что она ... .
5. У Олега нет компьютера, а у Майкла он ... .
6. Катя на десерт любит ... . Он есть в кафе "Луна".
7. Олег говорит Майклу: ... за приглашение.
11. В меню есть всё: водка, виски, коньяк и ... .
12. Катя любит лимонад, а Майкл любит ... .

урок № 6   Когда это было?

A week later at Oleg's flat in Moscow.

Олег: Вы **вчера приехали из** Рыбинска? **Расскажите о поездке**.

Майкл: Поездка **была** интересная, но **бесполезная**.

Олег: **Сколько дней** вы **провели** в Рыбинске и где вы **жили**?

Майкл: Я жил четыре дня в гостинице "Волга". Вы говорили, что знаете Рыбинск. Вы **давно** там были?

Олег: Очень давно. Расскажите, как вы провели время. Какая была погода? Что вы там делали, что посмотрели? Мне всё очень интересно.

Майкл: **Когда погода** была хорошая, я **осматривал** город, **ходил смотреть** на Волгу. Когда погода была плохая, ходил в **кино**, в **музей**. Когда телевизор в гостинице работал, смотрел **телевизор**; а когда он не работал, читал **местные** газеты и журналы.

Олег: Вы говорите, что поездка была бесполезная? Почему? Вы **нашли** Лесную улицу?

Майкл: Лесную улицу я нашёл, но там **сейчас** живёт **другая семья**. **Мне сказали**, что **женщина**, **которую** я ищу, очень давно **переехала** в **деревню** Коприно. **Там** я **ещё** не был.

Олег: Вы знаете, где находится Коприно?

Майкл: Мне сказали, что Коприно тоже находится на Волге. Но где, я не знаю. У вас есть **карта** Волги?

Олег: У меня была очень хорошая карта. **К сожалению**, я не знаю, где она. **Надо** посмотреть на работе.

Майкл: Вы знаете, **ни** в гостинице, **ни** в **киоске**, к сожалению, не было карты Волги.

Олег: Какие у вас **теперь** планы?

Майкл: Олег, пожалуйста, **помогите** мне найти наследницу.

Олег: **С удовольствием**. Но **сначала** расскажите мне о Шуре Чернове и о женщине, которую вы ищете. **Как говорится** в **песне**: "Кто ищет, **тот всегда** найдёт".

Когда это было?

вчера́	yesterday	сейча́с	now
прие́хать	come back	друго́й	another
из	from	семья́	family
рассказа́ть	tell	мне сказа́ли	I was told
о	about	же́нщина	woman
пое́здка	trip	кото́рый	which/who
была́	was	перее́хать	to move house
бесполе́зный	useless	дере́вня	village
ско́лько	how many	там	there
де́нь	day	ещё	yet
провести́	to spend	ка́рта	map
жить	to live	к сожале́нию	unfortunately
давно́	long ago	на́до	need to
когда́	when	ни, ...ни	neither... nor
пого́да	weather	кио́ск	kiosk
осма́тривать	to look round	тепе́рь	now
ходи́ть	to walk	помога́ть	help
смотре́ть	to look	с удово́льствием	with pleasure
кино́	cinema	снача́ла	first
музе́й	museum	как говори́тся	as they say
телеви́зор	television	пе́сня	song
ме́стный	local	тот	that one
найти́	to find	всегда́	always

семь **Я** - семья

Когда это было?

Notes:

1. один день   два дня   пять дней

> E.g.: **Сколько дней надо ехать из Москвы в Рыбинск?**
> How long is the journey from Moscow to Rybinsk?
> **Из Москвы в Рыбинск надо ехать один день.**
> The journey from Moscow to Rybinsk takes a day.

2. жить - to live

я живу	мы живём
ты живёшь	вы живёте
он живёт	они живут

Word building:

один   время

одновременно - simultaneously

E.g.: Олег любит одновременно читать и слушать музыку.
Oleg likes to read and to listen to music simultaneously

Кинотеатр "Центральный" в центре города Рыбинска.

Когда это было? урок № 6

Грамматика

1. **VERB. The PAST TENSE** is formed differently from the Present tense.

a) **Good news!** The endings change according to gender.

Replace the infinitive ending **-ть** with the following endings:

	masculine	neuter	feminine	plural
Endings:	**-л**	**-ла**	**-ло**	**-ли**

E.g.: Телевизор не работа**л**.   The TV set did not work

Где вы жи**ли**?   Where did you live?

Женщина переехa**ла**.   The woman has moved house.

Irregularities:				
найти́	нашёл	нашло́	нашла́	нашли́
провести́	провёл	провело́	провела́	провели́

б) The verb 'to be' - **быть** is used in the Past tense:

masculine	neuter	femininc	plural
был	**было**	**была**	**были**

E.g.: Майкл сейчас в гостинице, а вчера вечером он был в театре.

Michael is at the hotel now, but last night he was at the theatre.

c) To express possession (to have) у меня/вас etc. есть in the
Past tense, replace the word 'есть' with был, было, была,
были, and agree the verb with the object in possession.

E.g.: У Олега бы**ла** карт**а** Волги.   Oleg had a map of the Volga.

У Кати был старый телевизор.   Katya had an old TV set.

d) To express non-possession or absence, **replace** the word '**нет**'
with '**не было**', retaining the Genitive case.

E.g.: У Майкла не было карты.   Michael did not have a map.

У Кати не было телефона.   Katya did not have a telephone.

2. **Который** - who, which (relative pronoun) separates two clauses and is therefore
preceded by a comma. It agrees in gender and number with the noun it replaces,
but its case depends on its role in the clause it starts.

E.g.: Женщина, которую Майкл ищет, живёт в деревне.

Michael is looking for a woman who lives in a village.

1st clause: женщина живёт в деревне

2nd clause: Майкл ищет женщину (Acc. case) replaced by 'которую'

3. **PREPOSITIONS** '**о**'- about   takes the Prepositional case

'**из**'- from   takes theGenitive.

E.g.: Расскажите о женщине из деревни.

Tell me about the woman from the village.

урок № 6   Когда это было?

1   *Listen to the dialogues on the tape and answer the questions below.*

1. Когда Майкл приехал из Рыбинска?
2. Как называется гостиница, где жил Майкл?
3. Как Майкл провёл время в Рыбинске?
4. Что Майкл делал, когда телевизор не работал?
5. Какая была погода?
6. Куда Майкл ходил?
7. Почему Майкл говорит, что поездка была бесполезная?
8. Где теперь надо искать наследницу Шуры Чернова?
9. Почему у Майкла нет карты Волги?
10. Как вы думаете, Майкл найдёт женщину, которую он ищет? Почему вы так думаете?

2   *Complete and translate the conversation Michael has with a woman in Lesnaya street. The missing words are in the box below.*
Michael knocks at the door of number 4, Lesnaya street:

Майкл: Можно?

Женщина: Пожалуйста.

Майкл: Извините, пожалуйста, здесь ... Анна Николаевна Чернова?

Женщина: Нет, Анна Николаевна ... здесь не живёт. Теперь мы здесь ... . Она ... .

Майкл: Вы не скажите, ... она сейчас живёт?

Женщина: Я не ... , где она сейчас живёт. Мне говорили, что она переехала жить в ..., но это было очень давно.

Майкл: Как называется ..., в которую она переехала?

Женщина: Деревня ... Коприно.

Майкл: Вы не ..., где находится Коприно?

Женщина: Думаю, недалеко, ... Волге. Вы её ...? Почему ... её ищите?

Майкл: Мне очень ... её найти. Большое спасибо вам ... всё. До свидания.

называется ● где ● на ● вы ● надо ● за ● давно
живёт ● деревню ● деревня ● знаю ● знаете
живём ● знакомый ● переехала

Когда это было?

3 а *At the hotel Michael is enquiring what is there to see in Rybinsk. Listen to the conversation and fill in the gaps*

Майкл: Что можно .... в Рыбинске?

Администратор: Вы были в ....?

Майкл: Нет ещё.

Администратор: Вам .... посмотреть ....

3 б *Re-enact Michael's conversation with the official, supplying the official's replies to Michael as in the example in the recording. Suggested places of interest are in the box.*

теа́тр ● музе́й ● кинотеа́тр ● парк ● карти́нная галере́я

4 а *Listen to the recording and fill in Michael's diary with the activities.*

понедельник:	*четверг:*
вторник:	*пятница:*
среда:	*суббота:*
воскресенье:	

4 б *Communication game. Ask each other what Michael did on different days of the week. Then ask each other what you were doing on those days of the week and then report back to the class.*

5 а *Meanwhile in Moscow Katya goes to a fortune teller and is impressed when the clairvoyant tells her what she was up to last week. Use your imagination and write down what you think the clairvoyant tells her.*

Где она была в понедельник?   Куда она ходила в четверг?

Что она делала во вторник?   Где она провела пятницу?

Что она читала в среду?   Кто и куда её приглашал в субботу?

Какой фильм она смотрела в воскресенье?

5 б *Communication game. Now share your thoughts with the group and see what the others wrote. Discuss why you agree or disagree with them.*

урок № 6 — Когда это было?

6 а *Back in Rybinsk Michael wants to buy a few items from the kiosk. Listen to the conversation with the shop assistant and try to memorise it.*

6 б *Role-play.* *None of the items in the box below are available today. Re-enact Michael's conversation with the shop assistant.*

> журна́л "Тури́ст" ● газе́та "Пра́вда" ● а́тлас
> план го́рода ● ка́рта Во́лги ● шокола́д ● биле́т в кино́

6 с *Role-play.* *The next day Michael asks for the same items yet again and this time he is lucky! Supply the shop assistant's replies as in the example in the recording.*

7 *In the hotel lobby Michael befriends a pleasant young man. Change their conversation as in the example and translate it.*

E.g.: Майкл: Извините, пожалуйста, это ваша гитара?
     Павел: Нет, это гитара, (её я нашёл в холле гостиницы)

     Павел: Нет, это гитара, которую я нашёл в холле гостиницы.

Майкл: Это моя гитара.
Павел: Это вы англичанин, (он приехал вчера в Рыбинск)?
Майкл: Да, меня зовут Майкл.
Павел: А меня зовут Павел. А что вы делаете в Рыбинске?
Майкл: Я ищу женщину, (она жила в Рыбинске).
Павел: А сейчас она здесь не живёт?
Майкл: Женщина, (она теперь живёт в её доме) сказала, что она
        переехала.
Павел: Куда?
Майкл: В деревню, (она называется Коприно). Вы не знаете, где
        можно найти карту Волги?
Павел: Я думаю в киоске, (он находится здесь в гостинице).

8 а *Listen to Michael's conversation with his new friend and try to memorise it.*

8 б *Communication game.* *Ask your fellow students which countries they have visited.*

Когда это было?

9 a *Oleg's address book is full of outdated addresses. Find these places on the map and say where these people have moved to as in the example.*

E.g.: Симонов Игорь Борисович жил в Москве. Теперь он живёт в Волгограде. Он переехал из Москвы в Волгоград.

↓ старые адреса ↘

	Поляков Степан Андреевич *Волгоград, ул. Пушкина, д.5, кв.1*
Симонов Игорь Борисович *Москва, ул. Вавилова, д.10, кв.5*	Лазарева Дарья Фёдоровна *Вологда, ул. Разина, д.9, кв.3*
Игнатьев Михаил Ильич *Смоленск, ул. Жукова, д.7, кв.2*	Смирнова Татьяна Сергеевна *Краснодар, ул. Победы, д.4, кв.2*
Миронова Елена Степановна *Самара, ул. Городская, д.8, кв.10*	**↓ новые адреса ↓**

Игнатьев М.И. *г. Одесса, ул. Власова, дом 1.* Лазарева Д.Ф. *г. Кострома, ул Свободы, дом 6.* Миронова Е.С. *г. Оренбург, ул. Майская, дом 9.*	Поляков С.А. *г. Киев, ул Волкова, д.8, кв.9* Симонов И.Б. *г. Воронеж, ул Лестева, дом 6* Смирнова Т.С. *г. Тамбов, ул Лётная, д.10, кв.3*

9 б *Communication game. Ask your fellow students if they have moved house and where to.*

10 *On the way to the university Katya overhears bits of conversations. Choose the right summary of these conversations below.*

- Ты вчера был на стадионе?
- Конечно. А ты не был? **(А)**
  Вчера был очень важный матч.
- Я знаю. Я слушал радио.

- Почему тебя вчера не было на работе? **(Б)**
- Мы вчера не работали, потому что у нас в офисе не работали компьютеры.

- Где ты была в среду вечером?
- Я ходила на концерт.
- Что ты слушала? **(В)**
- Моцарта, Баха, Вивальди.
- Кто играл?
- Петров.

- Что ты делала в субботу? **(Г)**
- В субботу мы все ходили в парк.
- Я не помню, какая в субботу была погода?
- Погода была очень хорошая!

- Что ты сейчас читаешь?
- "Гамлет" Шекспира. **(Д)**
- Ты читаешь по-русски или по-английски?
- Конечно, по-русски. Ты же знаешь, как трудно читать Шекспира в оригинале!

- Ты нашёл телефон Маши?
- У меня есть только старый её телефон. Ты знаешь, что она переехала?
- Конечно, не знаю. Куда? У тебя нет её адреса? **(Е)**

Коллеги говорят о проблеме на работе.	Говорят два спортсмена.	Как семья провела свободное время?
Две женщины говорят о музыке.	Говорят об английской литературе.	Говорят о женщине, которая переехала.

11 *Katya talks to her friend. Supply her friend's answers as in the example. The 'reason' or a key is in the brackets.*

E.g.: Катя: Почему ты не читала газету "Правда"?

Надя: (газета) Потому что у меня не было газеты.

Катя: Почему ты не ходила на концерт в четверг?

Надя: (билет)

Катя: Почему ты не играла на гитаре вчера?

Надя: (гитара)

Катя: Почему ты не смотрела фильм "Ностальгия"?

Надя: (видео)

Катя: Почему ты не смотрела футбол в среду?

Надя: (телевизор)

Катя: Почему ты не ходила в кино в субботу?

Надя: (время)

Когда это было? урок № 6

12 *Restore Michael's letter (the missing words are in the box below) and translate it.*

Дорогой Мистер Блэк,

как у вас дела?

Я сейчас в поезде, еду в Москву из Рыбинска. Анну Николаевну, к сожалению, пока не ▨▨▨ В доме Анны Николаевны живет другая семья. Мне ▨▨ что Анна Николаевна ▨▨ в деревню, которая называется Коприно. В деревне я еще не ▨▨ у меня не ▨▨ времени. К сожалению, у меня ▨▨ карты Волги, поэтому я не ▨▨ где находится Коприно. Когда погода в Рыбинске, хорошая, я ▨▨ город, ▨▨ смотреть на Волгу. Это очень интересно! Как давно Вы ▨▨ на Волге? Теперь я Вас понимаю!

Ваш Майкл.

был ● была ● были ● было ● не было
осматривал ● сказали ● ходил ● нашёл ● переехала ● знал

---

13 *Katya phones Oleg. Supply Oleg's answers to Katya's questions. Sometimes you can find a clue to the answer in the next question.*

Олег: Алло, я слушаю.

Катя: Олег Петрович, здравствуйте.

Олег: Здравствуй, Катюша.

Катя: Олег Петрович, вы не знаете, где сейчас Майкл?

Олег:
Катя: А где он был в четверг?
Олег:
Катя: Что он делал в Рыбинске?
Олег:
Катя: Как её зовут?
Олег:
Катя: Он её нашёл?
Олег:
Катя: Куда она переехала?
Олег:
Катя: Почему он её искал?
Олег: *(Answer in English)*

14   ЧАЙНВОРД

1. У Майкла есть только старый .... Анны Николаевны Черновой.
2. Майкл на закуску любит ....
3. Майкл нашёл Лесную улицу, но сейчас .... живёт другая семья
4. Как вы думаете, Майкл найдёт Анну Николаевну или .... быть это очень трудно?
5. В холле гостиницы, где живёт Майкл, нет ....

15   *Read the text and translate it.*

"Кто ищет - тот всегда найдёт" - это <u>слова</u>	words	
из <u>припева</u> одной <u>советской</u> песни, которая	refrain	Soviet
называется "<u>Весёлый ветер</u>".	happy wind	
Вот <u>весь</u> припев:	whole	
Кто <u>привык за победу бороться</u>,	used to fight for victory	
<u>С нами вместе пускай запоёт</u>.	let him sing with us	
Кто <u>весел</u> - тот <u>смеётся</u>,	happy	laughs
Кто <u>хочет</u> - тот <u>добьётся</u>,	wants	accomplish
Кто ищет - тот всегда найдёт!		
Эта типичная советская песня <u>полна</u>	full	
энтузиазма, патриотизма и оптимизма, как		
все советские песни.		
На <u>странице</u> 382 вы найдёте слова этой	page	
песни.		
<u>Если</u> у вас в группе есть гитарист, он <u>может</u>	if	can
играть на гитаре, а вы можете <u>петь</u>.	sing	

Когда это было?　　урок № 6

16　*Communication game:*

Each student takes a piece of paper and on it ...
- *writes the name of one of the students from the group*
- *then folds the paper in such a way, that no one can see what is written on it and passes it to the student sitting on the right.*
- *On the paper passed from the left writes the place 'to which one went yesterday', then folds the paper again and passes it on.*
- *Passing on each time, continues with writting:*
  - *what he/she did there*
  - *when (time with minutes)*
  - *why*
- *Finally unfolds the paper and reads it aloud.*

17　*There are twenty one Russian words in this wordsearch.*
Find them. Their English translation is below.

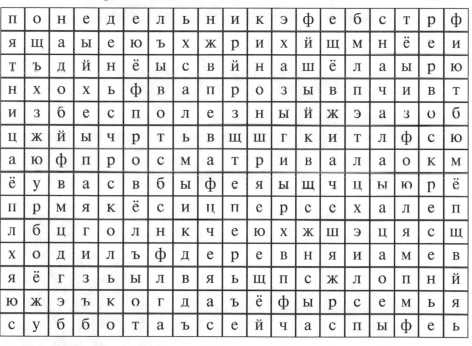

п	о	н	е	д	е	л	ь	н	и	к	э	ф	е	б	с	т	р	ф
я	щ	а	ы	е	ю	ъ	х	ж	р	и	х	й	щ	м	н	ё	е	и
т	ъ	д	й	н	ё	ы	с	в	й	н	а	ш	ё	л	а	ы	р	ю
н	х	о	х	ь	ф	в	а	п	р	о	з	ы	в	п	ч	и	в	т
и	з	б	е	с	п	о	л	е	з	н	ы	й	ж	э	а	з	о	б
ц	ж	й	ы	ч	р	т	ь	в	щ	ш	г	к	и	т	л	ф	с	ю
а	ю	ф	п	р	о	с	м	а	т	р	и	в	а	л	а	о	к	м
ё	у	в	а	с	в	б	ы	ф	е	я	ы	щ	ч	ц	ы	ю	р	ё
п	р	м	я	к	ё	с	и	ц	п	е	р	с	е	х	а	л	е	п
л	б	ц	г	о	л	н	к	ч	е	ю	х	ж	ш	э	ц	я	с	щ
х	о	д	и	л	ъ	ф	д	е	р	е	в	н	я	и	а	м	е	в
я	ё	г	з	ь	ы	л	в	я	ь	щ	п	с	ж	л	о	п	н	й
ю	ж	э	ъ	к	о	г	д	а	ъ	ё	ф	ы	р	с	е	м	ь	я
с	у	б	б	о	т	а	ъ	с	е	й	ч	а	с	п	ы	ф	е	ь

now ● Sunday ● day ● useless ● she looked round ● Monday
need to ● he found ● village ● how many ● Friday ● Saturday ● when he
spent ● family ● first ● yet ● cinema ● he moved house ● he went

кроссворд

кроссворд *кроссворд*

кроссворд

По горизонтали:

1. Олег говорит: Я с ... помогу вам искать наследницу Чернова.
2. Майкл спрашивает: Олег, вы ... на гитаре?
5. Майкл вчера приехал ... Рыбинска.
6. Десять минус семь = ...
7. В ... говорится "Кто ищет, тот всегда найдёт".
8. Здесь есть газеты, журналы, карты, открытки.
9. Шесть минус четыре = ...
10. Катя и Майкл на '...' .
11. В номере у Майкла есть ... .
12. В центре Рыбинска есть ... комплекс.

По вертикали:

1. Здесь работает Олег Петрович.
2. День недели.
3. Майкл приглашает Катю на ... концерт.
7. Олег и Катя очень хорошо ... воскресенье.

100

Когда это было? урок № 6

КОНТРОЛЬНАЯ РАБОТА

Put a tick in the box by the correct word.

1. Майкл ☐ любит ☐ классическую ☐ музыка ☐ спорта
☐ любите ☐ классический ☐ музыку и ☐ спотре
☐ любит ☐ классическая ☐ музыки ☐ спорт

2. Майкл ☐ приехать ☐ из ☐ Рыбинск ☐ поезд
☐ приехал ☐ на ☐ Рыбинске на ☐ поезде
☐ приехала ☐ для ☐ Рыбинска ☐ поезда

3. Майкл очень ☐ хороший ☐ говорит ☐ русский
☐ хорошую ☐ говорите ☐ по-русски
☐ хорошо ☐ говорят ☐ русская

4. В ☐ Рыбинск ☐ ходил ☐ день
☐ Рыбинска Майкл ☐ провёл пять ☐ дня
☐ Рыбинске ☐ осматривал ☐ дней

5. ☐ К ☐ нашли ☐ женщина
☐ В сожалению, Майкл не ☐ нашла ☐ женщину
☐ О ☐ нашёл ☐ женщине

☐ которую ☐ жить ☐ о ☐ деревня ☐ из ☐ Волге
☐ которая ☐ жила ☐ в ☐ деревню ☐ за ☐ Волгу
☐ который ☐ живёт ☐ к ☐ деревне ☐ на ☐ Волги

☐ потому ☐ его ☐ был ☐ карту ☐ Волге
☐ потому что у ☐ него не ☐ была ☐ карты ☐ Волгу
☐ когда ☐ он ☐ было ☐ карта ☐ Волги

6. ☐ На ☐ четверг ☐ ходил ☐ театр
☐ В ☐ четверга Олег и Катя ☐ ходила в ☐ театра
☐ У ☐ четверге ☐ ходили ☐ театре

7. Все ☐ знаем ☐ музыкант ☐ Шура ☐ Чернов
☐ знаю ☐ музыканта ☐ Шуры ☐ Чернова
☐ знают ☐ музыканты ☐ Шуру ☐ Чернову

Score: .... out of 36

101

Still in Oleg's room.

Олег: Расскажите о семье Шуры Чернова. Он очень старый? Сколько **ему лет**?

Майкл: **Кому**? Шуре Чернову? Ему 87 лет, но он не любит **об этом** говорить. У него нет ни **брата**, ни **сестры**. **Родители умерли**, когда ему было три **года**, и он **их** не **помнит**.

Олег: У него есть **жена**?

Майкл: Нет. Почему он не **женился**, я не знаю. Моя мама говорила, что в России у него есть **кузина**. Много лет он **писал** ей **письма**, но **во время войны** она переехала, и **невозможно** было её найти.

Олег: Так вы её ищите? Как её зовут?

Майкл: Её зовут Анна Николаевна.

Олег: Вам надо **узнать** её адрес в **справочном бюро**. Сегодня **поздно**, а **завтра** суббота. К сожалению, по субботам и воскресеньям справочное не работает.

Майкл: Можно узнать по телефону или **Интернету**. У вас есть телефонный справочник или компьютер?

Олег: Нет, у меня нет компьютера. У нас в университете есть компьютер. Катя **большой специалист** по компьютерам и Интернету. Майкл, вам **чай** или **кофе**?

Майкл: Мне чай, пожалуйста. Я кофе не **пью** по вечерам. У вас очень хорошие **книги** по **музыке**. Олег Петрович, кто эта **молодая, красивая девушка**?

Олег: Это моя любимая сестра - Елена. Она умерла, когда ей было только 32 года. Это большая **трагедия**. А это её **дети**: **дочь** Ольга и **сын** Виктор. На этой фотографии Ольге 13 лет, а Виктору 2 года.

Майкл: А это, **по-моему**, Катя. Почему у вас **фотография** Кати?

Олег: Всё вам надо знать, молодой **человек**! Как говорится в русской пословице: "Много **будешь знать** - **скоро состаришься**."

Майкл: Олег Петрович, не надо, мне **всё равно**.

Олег: Что теперь делать! Здесь **секрета** нет: Катюша - моя **внучатая племянница**.

Майкл: Что это **значит**?

Олег: Это значит, что она дочь Ольги, а Ольга - моя племянница.

Семья

ему́	to him	специали́ст	specialist
лет	(see Grammar)	чай	tea
кому́	to whom	ко́фе	coffee
об э́том	about it	пить/ я пью	to drink/I drink
брат	brother	кни́га	book
сестра́	sister	му́зыка	music
роди́тели	parents	молода́я	young
умере́ть	to die	краси́вая	beautiful
год	year	де́вушка	young lady
их	them	траге́дия	tragedy
по́мнить	to remember	де́ти	children
жена́	wife	дочь	daughter
жени́ться	to get married	сын	son
кузи́на	cousin (female)	по-мо́ему	I think
писа́ть	to write	фотогра́фия	photo
письмо́	letter	челове́к	man/person
во вре́мя	during	бу́дешь знать	will know
война́	war	ско́ро	soon
невозмо́жно	impossible	соста́ришься	get old
узна́ть	to find out	всё равно́	all the same
спра́вочное бюро́	information bureau	секре́т	secret
по́здно	late	вну́чка	granddaughter
за́втра	tomorrow	племя́нница	niece
Интерне́т	internet	зна́чит	it means
большо́й	big		

Посмотрите на фотографии из альбома Олега Петровича и скажите, как кого зовут и сколько им лет.

103

Notes:

to get married:

1.

        жениться на (+Prepositional case) for a man

    E.g.: Иван женился на Елене.   Ivan married Helen.

        выйти замуж за (+Accusative case) for a woman

    E.g.: Елена вышла замуж за Ивана.   Helen married Ivan.

2.   **Семья:**

ма́ма (мать)	Mum (mother)	племя́нник	nephew
па́па (оте́ц)	Dad (father)	внук	grandson
муж	husband	кузе́н	cousin (male)
ба́бушка	grandmother	*or more commonly*	
де́душка	grandfather	*Russians say:*	
дя́дя	uncle	двою́родный брат	cousin
тётя	aunt	двою́родная сестра́	cousin

Exception:

The following words: **мужчи́на** - man **па́па де́душка дя́дя колле́га**
and some male names ending in -а or -я (Шура, Миша, Алёша, Илья etc.)
have feminine endings!

    E.g.: Билет у папы.   (genitive)   Dad has the ticket
    Дайте билет дедушке.   (dative)   Give the ticket to granddad.
    Как зовут дядю?   (accusative)   What is uncle's name?
    Она думает о мужчине.   (prepositional)   She thinks about a man.

---

3. Russians are keen on diminutives. To name just a few:

Екатерина: Катя Катюша Катенька

Александр: Саша, Шура, Сашенька

Михаил: Миша, Мишка, Мишенька

4.

11 одиннадцать	18 восемнадцать	60	шестьдесят
12 двенадцать	19 девятнадцать	70	семьдесят
13 тринадцать	20 двадцать	80	восемьдесят
14 четырнадцать	21 двадцать один	90	девяносто
15 пятнадцать	30 тридцать	100	сто
16 шестнадцать	40 сорок	101	сто один
17 семнадцать	50 пятьдесят	145	сто сорок пять

Remember!

Сколько вам/тебе лет?

год	1 год			21 год	101 год
года	2 года	3 года	4 года	22 года	104 года
лет	5 лет	10 лет	14 лет	25 лет	100 лет

Семья   урок № 7

Грамматика

1. NOUN. The DATIVE CASE.

Endings: masculine/neuter   feminine   plural

      -у (-ю)   **-е (-и)**   **-ам (-ям)**

It is used:

     a) when answering the question 'to whom?' - кому? and with verbs of giving, telling, showing, writing to somebody.

E.g.:   Майкл писал письмо пианист**у** Чернову.

      Michael wrote a letter to the pianist Chernov.

      Он рассказал Кат**е** о Чернове.   He told Katya about Chernov.

     b) with the modal verbs 'надо'- must

E.g.:   Кат**е** надо много читать.   Katya must read a lot.

     c) to indicate age

E.g.:   Сколько лет Олег**у** и Кат**е**?   How old are Oleg and Katya?

     d) with preposition '**по**' - on

E.g.:   книга по музык**е**   a book on music
        говорить по телефон**у**   to talk on the phone
        специалист по Интернет**у**   an internet specialist
        музыкант по професси**и**   musician by profession
        работать по понедельник**ам**   to work on Mondays
        слушать радио по вечер**ам**   to listen to the radio in the evenings

2. PERSONAL PRONOUNS. The DATIVE CASE: мне тебе ему ей нам вам им

                        The Nominative case: я   ты   он она мы вы они

E.g.:   Дайте **мне** журнал.   Give me a magazine.

      Сколько **ему** лет?   How old is she?

3. ADJECTIVES. The PREPOSITIONAL CASE.

Endings: masculine/neuter   feminine

      -ом (-ем)   **-ой (-ей)**

E.g.:   в справочн**ом** бюро   in an information bureau

      думать о красив**ой** девушке   to think about a beautiful girl

4. DEMONSTRATIVE PRONOUN 'эта' and 'этот'- this should be distinguished from 'это' - this is. They have the same endings as adjectives. For declention see page 335 of the Grammar Reference.   Compare: Это - девушка.   This is a girl.

                                     эт**а** девушка   this girl

E.g.:   Он не говорит об эт**ом**.   He doesn't speak about this.

      Кто на эт**ой** фотографии?   Who is on this photo?

урок № 7   Семья

1  *Listen to the dialogues on the tape and answer the questions below.*

1. Как вы думаете, Шура Чернов очень старый? Почему вы так думаете?
2. Какая у него семья?
3. Почему Шура не женился?
4. Как зовут женщину, которую ищет Майкл?
5. Почему он её ищет?
6. Где можно найти информацию о человеке?
7. Какая у Олега Петровича трагедия?
8. Почему у Олега Петровича фотография Кати?
9. Что значит внучатая племянница?
10. Как вы думаете, Олег Петрович любит Катю? Почему вы так думаете?

2 а *This is the Belov family tree which we have already come across once. Look at it, listen to the tape (Oleg shows Michael more photographs) and answer the questions below. Not all the answers are on the tape.*

Беловы (family tree)   = means married to

Пётр Николаевич = Вера Павловна

Михаил Ильич = Елена Петровна   Олег Петрович

Иван Иванович = Ольга Михайловна   Виктор Михайлович

Екатерина Ивановна

Сколько лет Кате?	Сколько лет племяннице Олега?
Сколько лет Майклу?	Сколько лет Анне Николаевне?
Сколько лет сыну Елены?	Сколько лет Олегу Петровичу?
Сколько лет Шуре Чернову?	Сколько лет маме Кати?
Сколько лет сестре Майкла?	Сколько вам лет?

2 б *Communication game. Try to work out their ages according to the information you have so far, and tell the group what you think.*

106

2 в *Say how all the people from Belov's family relate to each other as in the example. Use all the words in the box below.*

E.g.: Пётр Николаевич муж Веры Павловны
     Вера Павловна жена Петра Николаевича.

мать ● отец ● дочь ● сын ● брат ● сестра ● муж ● жена ● дядя
тётя ● бабушка ● дедушка ● племянник ● племянница
внук ● внучка ● кузен ● кузина

---

2 г *Oleg is showing this family tree to Michael and explains how they all relate to him. What does he say?*

3 *This is what Oleg tells Michael. Read it.*

<u>Ро́дственники жены и мужа</u>   in-laws
В русском <u>языке</u> для <u>всех</u> <u>родственников</u>   language/all/relatives
жены и мужа есть названия. <u>Например:</u> брат   for example
жены - де́верь
брат мужа - шу́рин
сестра жены - неве́стка
сестра мужа - золо́вка
мать жены - тёща
мать мужа - свекро́вь
отец мужа - свёкр
отец жены - тесть и так далее. В России <u>мало</u>   few
кто знает, как называются все родственники
жены и мужа, потому что это очень трудно
<u>запомнить</u>.   to remember

4 *Oleg sets Michael a **riddle** (загадка). See if you know the answer.*

Олег: В детстве у меня была любимая загадка: "Сколько
        человек: две мамы, две дочки, бабушка и внучка?"
Майкл: Мне кажется, я знаю. ... Правильно?
Олег: Правильно.

5 *Answer these questions in writing:*

1. У вас большая семья?
2. Где живут ваши родители?
3. У вас есть брат, сестра, муж, жена, тётя, дядя, бабушка, дедушка, дочь, сын?
4. Как его/её зовут?
5. Сколько ему/ей лет?
6. Где он/она живёт?
7. Где он/она работает?
8. Что он/она любит делать в свободное время?

6 Вы помните, как Олег Петрович говорит Майклу "Много будешь знать - скоро состаришься"? Как вы думаете, что это значит? Вы **согласны с** *(agree with)* этой пословицей? В английском языке есть **похожая** *(similar)* пословица?

7 *Michael makes some enquiries in the* справочное бюро *and is given the following* телефонные номера. *Read them aloud and then write them down as in the example.*

E.g.: 151 - 20 - 45 сто пятьдесят один,   двадцать, сорок пять

120 - 67 - 90	135 - 40 - 31	109 - 13 - 81
137 - 59 - 34	182 - 58 - 19	163 - 47 - 20
194 - 35 - 13	199 - 73 - 15	159 - 06 - 60
150 - 04 - 10	114 - 20 - 09	140 - 94 - 16
101 - 08 - 12	125 - 83 - 76	104 - 68 - 71
170 - 11 - 50	149 - 70 - 14	180 - 19 - 12

РОДСТВЕННИКИ ЗА ГРАНИЦЕЙ

iностранец №9 (316)

ВВЕДЕНИЕ В НАСЛЕДСТВО

«Инюрколлегия» ищет наследников:

родственники relatives   **за границей** abroad

8 *Michael is making a few phone calls. Sort out one of his conversations.*

Незнако́мка:

- Конечно, пожалуйста.
- Алло, я слушаю.
- Но у меня нст и не было кузена по имени Александр.
- Сейчас. Мама, это тебя. (пауза) Алло, Анна Николаевна у телефона.

Майкл:

- Извините, пожалуйста.
- Анна Николаевна, здравствуйте. Вы меня не знаете. Меня зовут Майкл Кронин. Я приехал из Лондона. Я ищу Анну Николаевну Чернову, кузину Александра Борисовича Чернова, который живёт в Лондоне.
- Извините, пожалуйста, можно Анну Николаевну?

9 *Michael has also sent several letters with the same content. Read the letter and answer the questions below.*

> Уважаемая Анна Николаевна,
> Ваш адрес я узнал в справочном бюро. Я пишу Вам от имени Александра Борисовича Чернова.
> На фотографии, которая в этом письме, 3 детей: Шура Чернов, его кузен Петя и кузина Аня. Здесь Шуре 4 года, Пете 6 лет, а Ане 8 лет. Если Вы узнаете этих детей, пожалуйста, напишите мне по адресу:
> Москва П 121 ул. Вавилова, дом 4, кв. 109
> Белову Олегу Петровичу (для Кронина)
> С уважением,
> Майкл Кронин.

1. Где Майкл узнал адрес Анны Николаевны?
2. Почему Майкл пишет это письмо?
3. Сколько лет детям на этой фотографии?
4. Как зовут этих детей?
5. Где живёт Олег Петрович?

10   *Rewrite Michael's letter restoring all the endings and then translate it.*

Дорогой Блэк,

Вчера я приехал из Рыбинск__. К сожалению, я не нашел там Анн__ Николаевн__. В дом__ на Лесн__ улиц__, где она жила, сейчас живет друг__ семь__: муж и жена по фамилии Петровы. Они сказали, что очень хорошо помнят Анн__ Николаевн__. Во время войн__ она переехала в деревн__ Коприно, которая тоже находится на Волг__. В Рыбинск__ у меня не было врем__ искать деревн__ Коприно.

В пятниц__ я опять еду в Рыбинск__, но теперь я еду не один. Помните, я говорил Вам, что у меня в Москв__ есть один очень хорош__ знаком__? Он профессор и работает в Московск__ университет__. __ зовут Олег Петрович Белов. Он помогает мне искать Анн__ Николаевн__. Он любит говорить: "Кто ищет – тот всегда найдет". Может быть, это очень оптимистично?

Как __ думаете?

Ваш Майкл.

11   *Michael is thinking of applying for a job in Russia. He has to give a few details about himself, before the employer sends him an application form. Fill in the form below for Michael.*

БИОГРАФИЧЕСКАЯ СПРАВКА

Фамилия: _____

Имя, отчество: _____

Адрес: _____

_____

Семейное **положение** (status): _____

Профессия: _____

12  *Meanwhile Katya is studying hard* в университете.

Она, конечно, читала все эти книги *(list below on the left)*, потому что она студентка факультета журналистики в Московском университете. А вы знаете, кто автор? *(list below on the right)*. Если не знаете, слушайте кассету.

Это - русская классика!

Мать	Достоевский
Дядя Ваня	Тургенев
Три сестры	Пушкин
Отцы и дети	Горький
Капитанская дочка	Чехов
Братья Карамазовы	

13 а *During the boring lecture Katya and her friends are playing "battleships". Listen to the recording and shade in the squares mentioned. What Russian letter do the shaded squares make?*

	29	30	40	50	60	70	80	90	100	125
11										
12										
13										
14										
15										
16										
17										
18										
19										
20										

13 б *Communication game. One person draws a geometrical figure covering a few squares on the board. The rest of the group randomly name the squares in turn trying to "hit" the target. The person who hits most squares, wins.*

Семья

14 а *Listen to the conversation Katya overhears* в университетском буфете *and fill in the gaps below.*

Нина: Егор, ... вам ....?
Егор: .... 21 ....
Нина: Зоя, как ты ...., Егор .... правду .... нет?
Зоя: ...., он говорит неправду. Я думаю............ 30 ....
Нина: Так сколько же ...., Егор?
Егор: Зоя .... правду; .... 34 . А .... , Нина сколько
.... ?
Нина: Не скажу!

14 б *Communication game. Ask your fellow students how young they are as in the example on the recording. You do not have to be truthful with your answers.*

15 а *Katya is making plans. Here are the pages from her diary. Listen to the recording and fill in some of her engagements.*

понедельник	четверг
журналистика	*компьютерная техника*
вторник	пятница
русская литература	*русская грамматика*
среда	суббота
английская литература	*гитара*
воскресенье	
дискотека	

15 б *Pair work or group work.* **Part A**

Some of the information about Katya's engagements you already have. Your partner knows the rest. Fill in the blank pages by asking your partner.
Part B (for your partner) is on the next page.

15 б *Pair work or group work.*   **Part B**

Some of the information about Katya's engagements you already have. Your partner knows the rest. Fill in the blank pages by asking your partner.
Part A (for your partner) is on the previous page.

понедельник	четверг
английский язык (language)	*русская литература*
вторник	**пятница**
история литературы	*русская литература*
среда	**суббота**
поэзия	*аэробика*
воскресенье	
английский язык	

15 в *Communication game. Now ask your fellow students what they do on these days and then report back to the group.*

16 а *While waiting for a bus on her way home, Katya watches all these people (list below) who are lacking essential items. Decide who needs what as Katya does:*

        E.g.: У таксиста нет машины

and write it down.   Дайте таксисту (*or* ему) машину.

←это со́товый или мобильный телефон

журналистка	роль
спортсмен	багаж
бизнесмен	гитара
студентка	компьютер
музыкант	фотоаппарат
гитарист	билет в театр
актриса	сотовый телефон
турист	спортивный костюм

16 б *Communication game. Ask your fellow students what they need from the list above and ask somebody from the group to give it to them.*

урок № 7   Семья

17 а  *Listen to the recording and write down the relevant telephone numbers in pencil.*

Большой театр _____

Музей Пушкина _____

Аэропорт _____

Стадион "Динамо" _____

Ресторан "Метрополь" _____

Кафе "Луна" _____

Макдоналдс _____

Пицца Хат _____

17 б   ***Communication game.*** *Rub out the telephone numbers you heard in the recording and make up your own for these places, then dictate them to the rest of the group and check if they are correct.*

18   *To accompany her essay Katya has to give some biographical information about the subject of her work. Read it and answer the questions.*

Александр Сергеевич Пушкин <u>родился</u> в Москве в 1799 году в семье русского аристократа. Отца <u>звали</u> Сергей Львович, мать - Надежда Осиповна. У Александра Сергеевича были брат и сестра. Сестру звали Ольга Сергеевна, брата звали Лев Сергеевич.	was born was called
В 12 лет Александр <u>поступил учиться</u> в Царскосельский лицей, который находился <u>недалеко от</u> Перербурга.	enrolled to study not far from
В 1812 году <u>началась</u> война с Наполеоном. <u>Первое стихотворение</u>, которое <u>принесло</u> Пушкину <u>успех</u>, было <u>посвящено</u> этой войне.	began first poem brought success dedicated
<u>Первое большое произведение</u> - <u>поэму</u>, которая называется "Руслан и Людмила", Пушкин писал три года. <u>Закончена</u> она была в 1820 году, когда поэту было 21 год.	work story in verse finished
В <u>общей сложности</u> Пушкин <u>написал сотни</u> стихотворений, более 15 поэм и произведений в прозе.	on the whole/wrote/hundreds

В 1831 году, когда Пушкину было 32 года, он <u>решил</u> жениться на очень красивой девушке, которую звали Наталия Николаевна Гончарова. — decided

<u>Осенью</u> 1831 года Александр Сергеевич жил три <u>месяца</u> в деревне Болдино. В это время был карантин <u>из-за</u> эпидемии холеры, и Пушкин <u>не мог</u> <u>поехать</u> к <u>своей</u> <u>невесте</u>. Этот период <u>творчества</u> поэта называется "Болдинская осень". В Болдине Пушкин написал много стихов, "Маленькие трагедии", прозу и закончил <u>роман</u> в стихах "Евгений Онегин". Русский литературный критик Белинский <u>назвал</u> этот роман "энциклопедией русской <u>жизни</u>". — in autumn / months / due to / could not ... go / his bride creation / novel / called / life

У Александра Сергеевича было 4 детей: две дочери и два сына.

Пушкин <u>погиб</u> на дуэли, когда ему было 37 лет. — умер

1. Как звали родитслсй, брата и сестру Александра Сергеевича Пушкина?
2. Как называется первая большая работа Пушкина?
3. Сколько времени он её писал?
4. Сколько лет было Александру Сергеевичу, когда он женился?
5. Как звали его жену?
6. Сколько времени и почему Александр Сергеевич жил в деревне Болдино?
7. Почему "Евгений Онегин" очень важное произведение?
8. Сколько детей было у Пушкина?   9. Как Пушкин умер?

Александр Сергеевич Пушкин   Наталия Николаевна Пушкина

Семья

There are thirty Russian words in this wordsearch. Find them. Their English translation is below.

п	р	э	ь	з	ы	ч	о	н	п	р	н	о	р	а	х	ж	в
а	й	ц	д	е	т	и	ж	е	б	о	л	ь	ш	о	й	к	а
ь	п	ь	о	в	о	б	о	в	н	о	е	ё	с	ы	ь	н	п
л	о	и	ч	х	ю	к	р	о	д	и	т	е	л	и	ж	и	о
и	з	ш	ь	щ	д	э	ъ	з	н	а	ч	и	т	в	р	г	щ
р	д	т	е	п	е	р	ь	м	а	к	а	ь	п	л	и	а	я
а	н	ц	и	й	ф	о	т	о	г	р	а	ф	и	я	ц	ъ	д
м	о	л	о	д	о	й	ю	ж	т	ю	у	д	с	ы	п	а	с
и	г	р	ъ	в	б	й	б	н	е	ы	л	г	ь	ф	л	ъ	ж
н	б	ч	в	ы	э	ш	л	о	э	п	р	о	м	т	е	н	е
л	ц	п	о	м	н	и	т	ь	с	к	о	р	о	а	м	ю	н
д	ж	и	й	к	ё	р	в	о	а	я	с	ё	н	м	я	г	и
е	ъ	с	н	ж	н	в	н	у	ч	к	а	у	р	и	н	р	т
у	л	а	а	ф	т	е	ы	м	ш	д	р	з	в	ы	н	а	ь
п	р	т	ф	е	г	о	д	е	в	л	з	а	к	щ	и	ж	с
к	а	ь	ж	д	а	л	к	р	а	с	и	в	ы	й	ц	д	я
я	ч	с	ч	е	л	о	в	е	к	э	ю	т	с	м	а	р	ц
н	г	ш	н	в	з	б	ъ	т	з	ц	ь	р	и	у	н	н	м
ч	с	ы	н	у	й	з	и	ь	е	м	т	а	ы	й	ъ	б	ы
ь	т	ч	ы	ш	ъ	р	у	к	в	н	г	ш	щ	з	х	р	ф
с	б	м	о	к	г	а	с	х	у	ъ	й	т	ж	е	н	а	й
ф	у	з	н	а	т	ь	ы	п	ь	ю	в	ч	а	й	н	т	к

**children ● granddaughter ● niece ● brother ● wife ● son ● parents ● big
daughter ● to get married ● man ● young lady ● beautiful ● soon ● tea
impossible ● late ● book ● young ● to remember ● photograph ● I drink
to die ● to find out ● tomorrow ● war ● letter ● to write ● it means ● year**

По горизонтали:
1. Олег думает, что Катя большой ... по компьютерам.
3. Шура Чернов думает, что в Рыбинске живёт его ... .
5. Майкл был в Рыбинске, ... Анну Николаевну там не нашёл.
6. Девяносто семь, девяносто восемь, девяносто девять, ...
7. ... Майкл приехал из Рыбинска.
8. В Рыбинске Майкл нашёл ... на Лесной улице.
10. Шура Чернов ... помнит свою семью.
11. ... суп называется уха.
16. Сегодня Майклу надо писать ... Шуре Чернову.
17. Майкл не пьёт кофе ... вечерам.
18. Майклу двадцать пять ... .
19. Любимая ... Олега - "Война и мир" Льва Толстого.
20. Майкл думает, что Кате двадцать один ... .
22. Майкл и Катя уже давно на '...'.
23. Майклу надо ... адрес Анны Николаевны в Коприно.
24. Во время войны ... было найти Анну Николаевну.

По вертикали:
1. У Олега Петровича была ... , которую звали Елена.
2. В понедельник Майклу надо найти ... бюро.
3. Майкл пьёт чай, а Олег Петрович пьёт ... .
4. Майкл говорит: Олег Петрович, спасибо вам ... чай.
8. Дети Елены: ... - Ольга и
9.   ... - Виктор.
10. У Шуры Чернова нет ни брата, ... сестры.
12. Виктор - ... Ольги.
13. В Рыбинске Майкл ... в гостинице "Центральная".
14. Справочное бюро сегодня уже не работает, потому что ... .
15. Анна Николаевна переехала в Коприно ... время войны.
17. Майкл любит ... чай по вечерам.
21. Чернов думал, что Анна Николаевна живёт ... Лесной улице.

Michael is at the booking office in Belorussky railway station.

Майкл: Скажите, пожалуйста, когда **отходят вечерние** поезда в Рыбинск?

Кассир: Каждый день в девять **часов** вечера.

Майкл: Дайте, пожалуйста, три билета на четверг.

Кассир: На четверг билетов нет, есть только на пятницу билеты **первого класса**.

Майкл: Очень хорошо. Три **купейных** билета, пожалуйста.

Кассир: У вас есть паспорта?

Майкл: Вот, пожалуйста. Сколько всё это **стоит**?

Кассир: **С вас** триста двенадцать **рублей**. Один билет стоит сто четыре рубля.

Later that day Michael dials the telephone number.

Майкл: 382 - 46 -79.

Олег: Алло, я слушаю.

Майкл: Олег, всё **в порядке** - билеты есть. В пятницу едем в Рыбинск все **вместе** в одном **купе**.

Олег: **Отлично!** Вы **сказали** об этом Кате?

Майкл: Нет ещё.

A few minutes later.

Майкл: 425 - 71 - 98. Алло, Катя, всё в порядке. В пятницу едем в Рыбинск.

Катя: Отлично! Надо **купить еду**. В **скорых** поездах **вагоны-рестораны** плохие и **дорогие**, а ехать **долго**. А сколько времени ехать, ты знаешь?

Майкл: Думаю, часов десять.

On Friday morning Michael and Katya are shopping.

Катя: Где **список продуктов**? В этом **магазине** нет ни **колбасы**, ни **конфет**, ни **хлеба**. Здесь только **молочные** продукты. *(to the shop-assistant)* Дайте, пожалуйста, триста **граммов голландского сыра**, сто пятьдесят граммов **масла** и бутылку **молока**.

Прадавец: В бутылках молока нет. Есть только в **пакетах**.

In another shop

Майкл: Дайте, пожалуйста, **полкило** докторской колбасы, **батон** и **коробку** шоколадных конфет.
Продавец: У нас колбасы нет. Колбаса в другом **отделе**.

Later that Friday on the train.

Олег: Который сейчас час?
Катя: Сейчас 8 часов. Вот мы и едем, едем едем...
Майкл: **До свидания**, Москва!
Олег: **Как поётся** в песне: "**Широка страна** моя **родная**, Много в ней **лесов полей** и **рек**..."

де́ньги	money	проду́кты	food products
отходи́ть	to leave	магази́н	shop
вече́рний	evening	колбаса́	(salami) sausage
касси́р	cashier	конфе́та	sweet/candy
ка́ждый	every	хлеб	bread
час	hour	моло́чный	milk (adjective)
пе́рвый	first	грамм	gram
кла́сс	class	голла́ндский	Dutch
купе́йный	sleeping compartment	сыр	cheese
сто́ит	costs	ма́сло	butter
с вас	you owe me (lit.: from you)	молоко́	milk
		продаве́ц	shop-assistant
рубль	rouble	паке́т	packet
в поря́дке	in order/OK	полкило́	half a kilo
вме́сте	together	бато́н	loaf
купе́	train compartment	коро́бка	box
отли́чно	excellent	отде́л	department
сказа́ть	to tell	до свида́ния	good bye
купи́ть	to buy	как поётся	as they say
еда́	food	широ́кий	wide
ско́рый	fast	страна́	country
ваго́н-рестора́н	dining-car	родно́й	native/dear
дорого́й	expensive/dear	лес	forest
до́лго	(for) a long time	по́ле	field
спи́сок	list	река́	river

Время - деньги

Notes:

время

Который час?   Сколько сейчас времени?   What is the time?

Сейчас час   Сейчас два час**а**   Сейчас пять час**ов**

деньги

один рубль   одна копейка
два рубля   две копейки
пять рублей   пять копеек
сколько/много/мало рублей   сколько/много/мало копеек

100 ...

200	двести	382	триста восемьдесят два
300	триста	425	четыреста двадцать пять
400	четыреста	1000	тысяча
500	пятьсот	1958	тысяча девятьсот пятьдесят восемь
600	шестьсот	2 000	две тысячи
700	семьсот	5 000	пять тысяч
800	восемьсот	10 000	десять тысяч
900	девятьсот	100 000	сто тысяч

Word building:

семь   знак (sign/digit)

семизначный телефонный номер   seven digit phone number

Время - деньги

Грамматика

1. NOUN. The GENITIVE CASE, PLURAL

Endings: masculine   neuter **-o**   neuter **-e**/feminine

-ов (-ев -ей)   -ей   loses the ending

E.g.: "...много в ней лес**ов**, пол**ей** и рек."

... there are a lot of woods, fields and rivers in it.

Irregularity!

When the word loses the ending and is left with two or more consonants at the end, the vowel '**o**' or '**e**' is **inserted** for easy pronunciation.

E.g.: коробка - пять короб**о**к   письмо - нет пис**е**м

открытка - много открыт**о**к   бутылка - мало бутыл**о**к

Remember!

у меня нет денег: ни рубл**ей**, ни коп**ее**к

Uncountable nouns are used only in the singular

E.g.: много вод**ы** и молок**а**   a lot of water and milk

---

2. ADJECTIVES. The GENITIVE CASE.

Endings: singular   plural

masculine/neuter   feminine   all genders

-ого (-его)   -ой (-ей)   -ых (-их)

E.g.: В магазине нет ни голландск**ого** сыра, ни дорог**ой** колбасы, ни шоколадн**ых** кофет

There is no Dutch cheese, expensive sausage or chocolate in the shop.

3. NOUNS and ADJECTIVES. The PREPOSITIONAL CASE, PLURAL

Endings: adjectives   nouns

-ых (-их)   -ах (-ях)

E.g.: В ско́р**ых** поезда́х   In fast trains

В больши́**х** паке́**тах**   In big cartons

Irregular plural nouns in the Nominative case

по́езд - поезда́

па́спорт - паспорта́

го́род - города́

Note that the **stress shifts**.

121

Время - деньги

1 🎧 *Listen to the dialogues on the tape and answer the questions below.*

1. В котором часу отходят поезда в Рыбинск?
2. По каким дням поезда идут в Рыбинск?
3. Сколько билетов Майкл купил?
4. Сколько стоит один билет в Рыбинск?
5. В какой день Майкл едет в Рыбинск? _____
6. Кто ещё едет в Рыбинск?
7. Почему Кате надо купить еду?
8. Почему в магазине нет колбасы?
9. Какую еду Катя купила?
10. Сколько времени надо ехать из Москвы в Рыбинск?

2 В Москве и Петербурге телефонные номера семизначные. Вы помните этот номер телефона: 382-46-09? Правильно, это телефон Олега Петровича. Читать его телефонный номер надо вот так: триста восемьдесят два, сорок шесть, ноль девять.

А теперь читайте эти номера: 867-12-01 ● 621-65-16 ● 990-19-12
    425-71-98 ● 709-38-50 ● 268-54-30 ● 976-40-28 ● 590-86-73

3 🎧 *Before booking the tickets Michael makes some enquiries. Listen to the recording and write down the names of the places he is interested in and their telephone numbers.*

4 *Communication game.* *Make up telephone numbers for these places, then dictate them to the rest of the group and check if they are correct.*

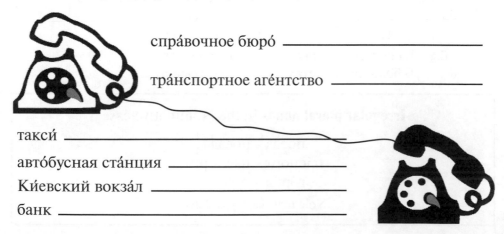

спра́вочное бюро́ _____

тра́нспортное аге́нтство _____

такси́ _____

авто́бусная ста́нция _____

Ки́евский вокза́л _____

банк _____

РАСПИСАНИЕ
ДВИЖЕНИЯ ПАССАЖИРСКИХ ПОЕЗДОВ
(БЕЛОРУССКИЙ ВОКЗАЛ)

пункт назначения	№№ поездов	расстояние в км от Москвы	время отправления из Москвы	дни отправления из Москвы	время в пути	время прибытия
Рыбинск	603	366	21.00	ежедневно	10	7.00
Углич	625	232	23.00	ежедневно	6	6.00
Калязин	676	184	8.00	пн., ср.,пт.	4	12.00
Череповец	682	660	20.00	сб.,вт.,чт.	13	9.00

5   *Read the timetable and answer the questions.*

1. Когда отходят поезда в Углич?
2. По каким дням отходят поезда в Череповец?
3. Сколько времени ехать из Москвы в Калязин?
4. Какой номер поезда в Рыбинск?
5. Сколько километров от Москвы до Углича?

6   ***Role-play***. *Assume the identity of Michael and a clerk at the booking office.*
Use the timetable above to get the necessary information.

Майкл
Ему надо купить три билета в Рыбинск.
Для этого ему сначала надо узнать:
● когда отходит поезд
● сколько времени он идёт в Рыбинск
● в поезде есть вагон-ресторан?
● номер поезда
● сколько стоит билет

Clerk
    Respond to the enquiries using the timetable information above and your imagination and initiative.

Время - деньги

7 Который (сейчас) час? Сколько (сейчас) времени?

Katya can't wait to go to Rybinsk, she keeps on asking everybody the time. Supply her questions and the answers she gets.

8 *Answer the following questions. In the box below are the words and expressions to help you.*

1. Что вы делаете в два часа?
2. Где вы были вчера в пять часов и что вы там делали?
3. Когда вы смотрите телевизор?
4. Что вы делаете в четыре часа по субботам?
5. В котором часу вы едете на работу?
6. Во сколько по телевизору ваша любимая программа?

ходить по магазинам ● пить чай или кофе
читать газеты и журналы ● играть в футбол
слушать радио ● смотреть телевизор ● ехать на работу
играть на музыкальном инструменте

---

9 *a) Listen to the recording and repeat the questions and answers.*
b) Communication game. Ask your fellow students similar questions and check their answers according to this map.

ВРЕМЕННЫЕ ЗОНЫ

Время - деньги

ИНФОРМАЦИЯ: Чёрный хлеб - rye bread.

Как все русские, Олег Петрович и Катя очень любят чёрный хлеб.

10 а *Katya and Michael do some shopping before the trip. Make up a shopping list, using words from both boxes. Make as many combinations as possible.*

батон коробка бутылка полкило 200 граммов	минеральная вода чёрный хлеб шоколадные конфеты пиво "Славянское" сыр "Российский" колбаса "Докторская"

10 б *Unfortunately the shop where they go first, is badly stocked. Listen to the recording and memorise the dialogue.*

10 в *Communication game. Take turns in telling the rest of the group that none of the food on the list you made is available today, but it can be bought* (**можно купить**) *in the following shops:*

МАГАЗИ́НЫ:
БУ́ЛОЧНАЯ-КОНДИ́ТЕРСКАЯ • МЯСНЫ́Е ПРОДУ́КТЫ • ВИНО́
МОЛО́ЧНЫЕ ПРОДУ́КТЫ • СУПЕРМА́РКЕТ • ФРУ́КТЫ И О́ВОЩИ

11 *Role-play. Assume the identities of a customer* (покупа́тель) *and a shop assistant* (продаве́ц) *and re-enact their conversation*

ПОКУПАТЕЛЬ:
- Узнайте, какие продукты есть, а каких нет в магазине.
- Узнайте, сколько стоит каждый продукт.

<u>Список продуктов</u>, которые вам надо купить:

полкило масла
бутылка молока
хлеб
коробка конфет
пиво
400 г колбасы
300 г сыра

ПРОДАВЕЦ:
Магазин "ПРОДУКТЫ"

молоко (бутылка) .... 8 р.
масло (килограмм) .... 80 р.
сыр (килограмм) .... 70 р.
хлеб (батон) .... 5 р.

12 а   *On her way to the railway station...* Катя нашла в газете **рекламу** (advertisement). *Read the advertisement and answer the questions.*

ИНСТИТУТ ИНОСТРАННЫХ ЯЗЫКОВ

Приглашает на:

1. **Курсы английского языка** (один и два года): по традиционной методике
   - разговорный язык ● деловой язык
   - за рубежом (Англия, Америка, Канада)
2. **Курсы компьютерной грамотности** (Word, Excel, Internet)

Тел.:(095) 784-60-93

Адрес: станция метро "Баррикадная" ул. Большая Институтская, 11.

1. What does Katya want to do?
2. How long will it take her to achieve that goal?
3. What choice does she have?
4. What countries are mentioned and why?
5. How can she make some enquiries?
6. How would she get to that place?
7. Would you like to use these services and why?

12 б   **Role-play.** *Katya gives them a phone call. Based on the advertisement above, assume the identities of Katya and the clerk at the enquiry desk.*

Катя
Ей надо узнать:
- сколько стоят курсы
- по каким дням **занятия** (lessons)
- во сколько **начинаются** (start) занятия

Clerk
Respond to the enquiries using your imagination and initiative

13   *At the last moment before departure Katya panics and wants to know...* где можно найти... *(list on the left). Help her by writing this information in full sentences.*

сыр ● масло ● молоко
чёрный хлеб ● лимон
шоколадные конфеты
лимонад ● открытки

городские киоски
фруктовые магазины
молочные магазины
местные булочные
каждые кондитерские отделы

-телевизионная неделя-

 TV 4 МОСКВА — **Суббота**

16.00 Московская неделя
17.00 Моя семья
18.00 Большие деньги
19.00 Футбол
"Локомотив" (Москва)
"Лидс" (Англия)
21.00 Информационная
программа "Время"
22.00 Юмористическое шоу

 Т Н Т — **Суббота**

16.00 Шпионские игры
17.00 Спортивный экспресс
18.00 "Маппет-шоу"
19.00 Поэты России
 (А.С.Пушкин)
19.30 Тслсжурнал
Криминальный отдел
20.00 Ток-шоу "Любимая
женщина"
21.00 Новости дня

 К культура — **Суббота**

16.00 Парад плюс: "Найди
песню"
16.30 Кино, кино, кино...
17.00 Время кино. Триллер
"Мумия: принц Египта"
(США)
19.30 Тележурнал "Россия"
20.00 Театр у микрофона
21.00 Время музыки
22.00 "Наполеон и Европа"
Телесериал (Франция)

 М музыка — **Суббота**

16.00 40 клипов Британии
18.00 Опера "Евгений
Онегин"
20.30 Музыкальный патруль
21.00 "Твоя любимая песня"
22.00 Премьера тележурнала
"Музыкальная панорама"
23.00 Только музыка

14 а *Listen to the radio announcement, look at the TV programme and tick the programmes mentioned.*

14 б *List the times when there is a programme dealing with the following themes:*

1. спорт _____

2. юмор _____

3. музыка _____

5. литература _____

6. информация _____

7. фильмы _____

15 а *On the train, Oleg, Katya and Michael are examining the TV programme for tomorrow. Make a note of the programmes they might be interested in, and the times these programmes are on.*

Олег _____

Майкл _____

Катя _____

15 б *Communication game. Now tell your fellow students the choice you made, give the reasons for it, and negotiate a TV programme to watch for all three of them together for the whole evening.*

16 *Katya was asks the train attendent about Rybinsk. She starts each sentence with the words "Где в Рыбинске можно…?" (list below on the left). Supply her questions and the attendent's replies, with information chosen from the list below on the right.*

хорошо проводить время
найти кафе и рестораны
смотреть фильмы
купить сувениры
играть в футбол
слушать оперу

спортивные стадионы
местные кинотеатры
центральные улицы
большие магазины
городские парки
оперные театры

17 *Katya calls in at the buffet car. Read the Russian **price-list** (прейскура́нт) and say how much the same food costs in England in **pounds** (фу́нты)*

ПРЕЙСКУРАНТ

СЫР	100р.
МАСЛО	50р.
МОЛОКО	25р.
КОЛБАСА	80р.
ХЛЕБ	10р.
ЛИМОН	5р.
БАНАНЫ	35р.
ПИВО	40р.
ВОДКА	78р.
ЛИМОНАД	17р.

18 *Oleg gives Michael the letters he has received in reply to his with the photograph.*
Re-write their conversation putting the words in brackets into the correct form.

Олег: Майкл, у (я) для (вы) письма и (один) открытка.

Майкл: Отлично! Сколько (письмо)?

Олег: Три (письмо). (Один) письмо (большой). Вот,
        пожалуйста.

Майкл: Спасибо. (один) письмо из (Рыбинск), (один) из
        Ярославля, а это (письмо) из (город Тутаев).

Катя: Как интересно! Я так (любить) (читать) письма. Можно
        (посмотреть)? Открытка тоже из (Рыбинск).

19 *Read the letters and answer the questions below.*

г. Рыбинск.
Уважаемый Майкл,
Спасибо за письмо и фотографию.
К сожалению, не могу Вам помочь, потому что не знаю
детей на фотографии. Этим детям сейчас должно быть
много лет, потому что фотография очень старая. А
мне только 47 лет.
Желаю Вам успеха.
С уважением,
Анна Николаевна Чернова.

Здравствуйте, Майкл.
Отвечаю Вам на письмо, которое получила два дня назад.
Анна Николаевна, которой адресовно Ваше письмо, моя
тётя. Она умерла четыре года назад. Я нашла её старый
фотоальбом и в нём искала фотографии похожих детей,
но не нашла. Я знаю, что у Анны Николаевны было много
двоюродных сестёр и братьев. К сожалению, я не знаю, как
их всех зовут и где они живут, если ещё живы.
Если Вы приедете в Ярославль, приходите ко мне и
посмотрите альбом сами. Мой телефон: 976-89. Адрес мой
у Вас есть.
До свидания, Валентина.

1. Как зовут женщину, которая живёт в Ярославле?
2. Сколько лет женщине, которая живёт в Рыбинске?
3. Is any help offered in Rybinsk?
4. What sort of help is offered in Yaroslavl?
5. What information is given by the woman in Yaroslavl?

20   *This postcard has obviously been in the rain. Restore it please.*

Рыбинск. Фонтан на Юбилейной площади.

Дорогой Майкл,
Я не узнал ▮ дет ▮
на фотографии.
В Рыбинск ▮ я жи ▮
недавно. Я перееха ▮
сюда из Владивосток ▮
3 ▮ назад.
Извин ▮, что не
могу помочь.
Анна Чернова.

Фото: П. Смирнова

ООО „Формат-Сервис", 2002г.

Москва 117122

ул. Вавилова, д.9, кв 109

О.Л.Белову для Кронша

21   *Imagine you are Michael. Reply to this letter and answer all the questions asked.*

Привет Майкл!
Анна Николаевна здесь давно не живёт. Она переехала в
другой город пять лет назад. Её адреса у меня нет.
Ты англичанин? Давай переписываться. У тебя есть мой
адрес. Мне 15 лет. Моё имя Евгения, но все меня зовут
Женя. Я очень люблю поп-музыку. Моя любимая
английская группа "Спайс Гёрлз". Я немного говорю по-
английски и неплохо играю на балалайке. Ты знаешь, что
такое балалайка? Это - русский народный инструмент.
А ты играешь на музыкальном инструменте? Сколько
тебе лет? Что ты делаешь в России? Ты хорошо
говоришь по-русски? В каком городе в Англии ты
живёшь? Почему ты ищешь этих детей?
Если ты не хочешь переписываться, дай, пожалуйста,
мой адрес и это письмо другому англичанину или
англичанке.
Очень жду от тебя письма.
Евгения Гусева.

22 *Before going to bed, everybody is indulging in quiet pursuits: Oleg is doing a crossword, while Katya and Michael are solving this conundrum. See if you can do it.*

МАТЕМАТИ́ЧЕСКАЯ ГОЛОВОЛО́МКА (conundrum)

Зада́ча для тех, кто лю́бит матема́тику. | puzzle   those
В пусты́е квадра́ты на́до вписа́ть чи́сла так, | empty boxes/write numbers
что́бы су́мма чи́сел по вертика́лям и | so that the sum
горизонта́лям была́ равна́ 160. | equals

сорок семь	шестьдесят восемь	тридцать три	двенадцать
шестьдесят девять			тридцать четыре
двадцать три			сорок восемь
двадцать один	пятьдесят четыре	девятнадцать	шестьдесят шесть

23 *Before falling asleep everyone is quiet. Answer the following questions and write your answers in full sentences.*

Как вы ду́маете, о чём и́ли о ком ду́мают Оле́г, Ка́тя и Ма́йкл?

Possible topics are in the box below.

молоды́е краси́вые де́вушки
изве́стные компози́торы
интере́сные пое́здки
футбо́льные ма́тчи
хоро́шие студе́нты
плохи́е гости́ницы
ста́рые ру́сские города́

24 *Read this information and answer the questions below.*

"Широка страна моя родная,	
Много в ней лесов, полей и рек.	
Я другой <u>такой</u> страны не знаю,	such
Где <u>так вольно дышит</u> человек!"	so freely breathes
Все советскин <u>люди</u> хорошо помнят этот	people
<u>припев</u> из очень известной и в советское	refrain
время популярной песни, которая	
называется "Песня о <u>Родине</u>"	motherland
Песня была <u>написана</u> во время сталинского	written
террора. Её <u>часто передавали</u> по радио, и	often broadcasted
дети в <u>школах заучивали слова наизусть</u>.	schools learned the words by heart
<u>Слова</u> этой песни вы найдёте на <u>странице</u>	words page
382, в <u>конце</u> этого <u>учебника</u>.	end textbook

1. How long ago was this song written?
2. Tick the words which describe this song:

меланхоли́ческая ● патриоти́ческая ● революцио́нная
террористи́ческая ● фантасти́ческая ● ностальги́ческая

КРОССВОРД

По горизонтали:

1. Сколько ... молоко?
3. Майкл ... когда отходят поезда в Рыбинск.
5. С вас 500 ... .
7. Почему он не любит об ... говорить?
8. Кате надо купить ... .
10. Виктор - ... Петра Николаевича.
11. Поезда отходят каждый ... .
12. По утрам в поездах много мам и ..., которые едут на работу.
15. Олег Петрович на закуску любит рыбное ... .
17. Пять ... конфет.
18. Катя купила голландский ... .
19. В ресторанах ... очень дорогая.
21. Олег, Майкл и Катя едут в Рыбинск в одном ... .
25. До Рыбинска ехать ... - десять часов.
26. В магазине нет ни колбасы, ни конфет, но ... масло.
27. Бутылка ... .
28. Куда Майкл ... на поезде?
29. Бутылка водки стоит пятьдесят один ... .

По вертикали:

1. У Кати есть ... продуктов, которые надо купить.
2. Катя купила ... граммов сыра.
4. Банан и ... это - фрукты.
6. Чернов - пианист. ... зовут Александр Борисович.
8. Катя говорит: Ура! ... едем на Волгу!
9. У вас билеты второго класса, а это - первый ... .
13. Молока в бутылках нет. Вот, пожалуйста, ... молока.
14. Катя ходит на дискотеку ... пятницам.
16. В поезде есть вагон-ресторан, но ... очень дорогой.
20. В России - рубль, а в Америке - ... .
21. Для поездки в поезде Кате надо ... продукты.
22. Катя: Олег Петрович, я пью чай, а вы что ... ?
23. В этом магазине нет лимонада, ... есть пепси-кола.
24. Сегодня хорошая погода. ... хорошо!

On the train approaching Rybinsk.

Проводница: **Скоро** Рыбинск.
Катя: Сколько сейчас времени?
Проводница: 7 часов.
Олег: Дайте мне, пожалуйста, кофе.
Катя: А мне чай **с лимоном** и с **сахаром**. А тебе, Майкл с **чем** чай?
Майкл: Мне чай с молоком, пожалуйста.

The train is stopping.

Катя: А вот и Рыбинск! Гостиница **далеко от вокзала**?
Майкл: Не очень далеко.
Олег: Можно **пешком**?
Майкл: Нет, я думаю, надо **автобусом**. Катя, где твоя **сумка**?
Катя: Вот, она у меня **под ногами**.

At the hotel.

Майкл: Здравствуйте
Администратор: Здравствуйте. Вы **опять к нам**?
Майкл: Да, но теперь я с **друзьями**.
Администратор: Это очень хорошо. Сейчас не **туристический сезон**, и в гостинице много свободных **номеров**.
Майкл: А когда у вас туристический сезон?
Администратор: **Летом** и **зимой**, конечно. А **весной** и **осенью** у нас **скучно: нельзя заниматься** ни **рыбной ловлей**, ни **лыжным спортом**.
Катя: Майкл, каким видом спорта ты любишь заниматься?
Майкл: Я люблю все **виды** спорта. Но сейчас у нас нет времени заниматься спортом, мы здесь по важному делу. У вас есть для нас три номера с видом на Волгу?
Администратор: Сейчас посмотрю. С видом на Волгу есть только один номер.
Майкл: **Этот** номер, конечно, для вас, Олег. А нам с Катей всё равно, какие номера.

Гостиница

The manager takes them to their rooms.

Катя: Ой, какая хорошая **комната**!... и **над кроватью лампа**, значит, **перед сном** можно читать.

Michael looks in.

Майкл: Катя, Олег Петрович **ждёт** нас. Мы здесь по важному делу, а времени у нас **мало**.

проводни́ца	train attendant	ле́то	summer
ско́ро	soon	зима́	winter
с	with	весна́	spring
лимо́н	lemon	о́сень	autumn
са́хар	sugar	ску́чно	boring
чем	*(see Grammar)*	нельзя́	impossible
далеко́	far	занима́ться	occupy oneself with
от	from	ры́бная ло́вля	fishing
вокза́л	railway station	лы́жи	skis
пешко́м	on foot	спо́рт	sport
авто́бус	bus	вид	kind/view
су́мка	handbag	э́тот	this
под	under	ко́мната	room
нога́	foot/leg	над	above
опя́ть	again	крова́ть	bed
к нам	to us	ла́мпа	lamp
друзья́	friends	пе́ред	before/in front
туристи́ческий	tourist *(adjective)*	сон	sleep
сезо́н	season	жда́ть	to wait
но́мер	hotel room	ма́ло	little

Notes: ВИДЫ СПОРТА

бадминто́н	волейбо́л	пинг-по́нг	хокке́й
баскетбо́л	гольф	ре́гби	ша́хматы - chess
билья́рд	карате́	те́ннис	
бокс	кри́кет	футбо́л	

Он любит смотреть футбол по телевизору.

1.   **занима́ться спо́ртом**   (Instumental case) to do sport

     BUT   игра́ть в футбо́л   (Accusative case)   to play football

2. **ката́ться на** лы́жах   to ski
          на конька́х   to skate
          на ло́шади   to ride a horse
          на велосипе́де to cycle
          на ло́дке   to go boating
          на маши́не   to go for a drive

3. **отдыха́ть** - to relax, to have a holiday.

   E.g.: Когда я отдыхаю, я люблю слушать музыку.

       When I relax I like to listen to music.

     Где вы любите отдыхать?

       Where do you like to spend your holidays?

4.   Preposition '**к**' - to, towards is used with people

     COMPARE: ехать к нам   к сестре   к брату   к Кате

     BUT   ехать в город   на стадион   в Москву

Гостиница урок № 9

Грамматика

1. NOUN. The INSTRUMENTAL CASE.

	singular		plural
Endings:	masculine/neuter	feminine	all genders
	-ом (-ем)	**-ой (-ей -ю** after **-ь)**	**-ами (-ями)**

It is used:

a) to denote **seasons** of the year and answer the question '**когда**'- when?

зим**ой** - in winter   весн**ой** - in spring

лет**ом** - in summer   осен**ью** - in autumn

E.g.: Когда на Волге хорошо?   When is it nice on the Volga?

На Волге хорошо лет**ом** и зим**ой**. The Volga is nice in summer and in winter.

b) to denote the time of the day and answer the question '**когда**'- when?

вечер**ом** - in the evening   дн**ём** - during the day

E.g.: Когда поезд отходит?   When does the train leave?

Поезд отходит вечер**ом**.   The train leaves in the evening.

c) to denote means of conveyance and answer the question '**как**'- how?

поезд**ом** - by train

машин**ой** - by car

E.g.: Как вы едете в Рыбинск?   How do you go to Rybisk?

Мы едем поезд**ом**.   We go by train.

d) with the verbs: **заниматься, интересоваться** and answer the question '**чем**?' (see Grammar Reference for translation page 331)

E.g.: Чем вы занимаетесь по вечерам? What do you do in the evenings?

Я занимаюсь музык**ой**.   I play music.

e) with the following prepositions: **с** - with **над** - above **под** - under

перед - before/in front of

E.g.: Майкл любит чай с молок**ом**? Does Michael like tea with milk?

Сумка у Кати под ног**ами**.   The handbag is under Katya's feet

2. ADJECTIVES. The INSTRUMENTAL CASE.

Endings:	masculine/neuter	feminine
	-ым (-им)	**-ой (-ей)**

E.g.: заниматься лыжн**ым** спортом и рыбн**ой** ловлей

to go skiing and fishing

3. PREPOSITIONS: '**к**' - towards/to takes **the Dative** case *(see Notes)*

'**от**' - from   takes **the Genitive** case

E.g.: Майкл едет к Кате.   Michael goes to Katya

Гостиница далеко от вокзала.   The hotel is far from the railway station

Гостиница

1 *Listen to the dialogues on the tape and answer the questions below.*

1. С кем Олег едет в одном купе?
2. В котором часу Олег, Майкл и Катя приехали в Рыбинск?
3. Что они пьют в поезде?
4. Где находится гостиница?
5. Как они едут в гостиницу?
6. Почему в гостинице много свободных номеров?
7. Чем можно заниматься в Рыбинске зимой и летом?
8. Какой у Олега Петровича номер?
9. Что Катя любит делать перед сном?
10. Почему Олег, Катя и Майкл приехали в Рыбинск?

2 а Как вы знаете, Катя любит всё знать.

Supply Michael's answers to Katya's questions.

Катя:

1. Когда в Англии плохая погода?
2. Когда в Англии хорошая погода?
3. Что можно делать в Лондоне летом?
4. Ты любишь английскую зиму? Почему?
5. Когда в Англии можно играть в футбол и теннис?
6. Когда нельзя ходить по Лондону и осматривать город?

2 б *Now it's Michael's turn to ask. Supply his questions to Katya's answers.*

Майкл:

1. Осенью.
2. Да, очень люблю.
3. Летом Москва красивая.
4. В деревне хорошо весной.
5. Потому что я люблю лыжный спорт.
6. С друзьями.

3 а *Listen to the recording, repeat and memorise the sentences.*

3 б ***Communication game***. *Ask your fellow students what time of the year they like and why.*

138

Гостиница

4 *Katya finds this page from Michael's old diary. Look at it and answer the following questions.*

1. По каким дням Майкл занимается музыкой, спортом?
2. Чем Майкл занимается по понедельникам?
3. Какие виды спорта он любит?
4. Где Майкл занимается итальянским языком?
5. С кем он играет в теннис?
6. Какой вид спорта он любит смотреть по телевизору?
7. Как незывается поп-группа, в которой Майкл играет?

понедел.	13.00 кафе (Чернов) 19.00 футбол (Степан, Андрей, Филипп) 23.00 TV 'Панорама'
вторник	9.00 пресс-конференция 13.00 ресторан "Потемкин" (клиент) 21.00 группа "Раст" (гитара)
среда	7.00 теннис (Филипп) 18.00 итальянский язык (Голдсмит колледж)
четверг	15.00 кафе 19.00 пивной бар Краун в Сохо (Питер)
пятница	18.30 компьютерный курс (Льюишем колледж) 21.00 пивной бар "Реалвеа" (Андрей)
суббота	20.00 TV футбол

5 *Look at the cartoon, read the text below and translate it.*

Note:
The original meaning of the word 'болеть' *is 'to be ill'*

Русские, <u>как и</u> англичане, очень любят футбол. | like
Русские любители футбола <u>болеют за свою команду</u>. | support their team
Они называются <u>болельщиками</u>. | fans

Гостиница

6 а *Listen to the recording, repeat the sentences and try to memorise them.*

6 б   *Communication game. Ask your fellow students how they travel to work or school and how they like travelling around the town and then report back to the group about your findings.*

7   *This is what Oleg finds in his hotel room. Look at it and answer the questions below.*

СПИСОК ТЕЛЕФОНОВ	
ГОСТИНИЦЫ 'Волга'	
администратор	53-39-41
справочное бюро	97-80-60
театрально-экскурсионный стол	25-96-12
транспортный стол	79-08-16
портье	13-50-04
паспортный стол	62-14-18
телеграф	15-54-09
камера хранения	10-17-70
ресторан	46-12-24
газетный киоск	38-10-60

1. What is it?
2. What number would you ring to book an excursion?
3. What would you do if you were hungry?
4. How would you make enquiries about buying presents?
5. You want to make a general enquiry, where do you ring?
6. You have problems with your luggage. What will you do?
7. You need to send a message home, which number do you ring?
8. You want to know the latest news. Where will you get it?
9. Why would you ring 62-14-18?
10. Whom would you ring on 53-39-41?

8   *Imagine that you are going on a long distance train in Russia. You do not want to use* вагон-ресторан, потому что он очень дорогой. *Make a list of the food items you need to take with you.*

Гостиница

9 а 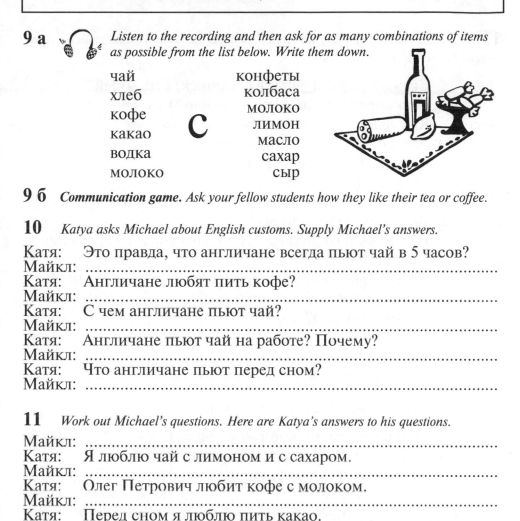 *Listen to the recording and then ask for as many combinations of items as possible from the list below. Write them down.*

чай	конфеты
хлеб	колбаса
кофе	молоко
какао	лимон
водка	масло
молоко	сахар
	сыр

С

9 б *Communication game. Ask your fellow students how they like their tea or coffee.*

10 *Katya asks Michael about English customs. Supply Michael's answers.*

Катя: Это правда, что англичане всегда пьют чай в 5 часов?
Майкл: ....
Катя: Англичане любят пить кофе?
Майкл: ....
Катя: С чем англичане пьют чай?
Майкл: ....
Катя: Англичане пьют чай на работе? Почему?
Майкл: ....
Катя: Что англичане пьют перед сном?
Майкл: ....

11 *Work out Michael's questions. Here are Katya's answers to his questions.*

Майкл: ....
Катя: Я люблю чай с лимоном и с сахаром.
Майкл: ....
Катя: Олег Петрович любит кофе с молоком.
Майкл: ....
Катя: Перед сном я люблю пить какао.
Майкл: ....
Катя: Я люблю макароны с сыром.
Майкл: ....
Катя: На работе Олег Петрович пьёт кофе.

12 а *Listen to the recording and repeat the sentences.*

12 б *Communication game. Invite some of your fellow students to the restaurant or somewhere else, and then tell the rest of the group who you are going to the restaurant with, as in the recording.*

Non-Russian names: masculine ending in consonant } **behave like**
feminine ending in -a   } **Russian names**
No other names decline

141

13   *Read the conversation Oleg has at the hotel, put the words in brackets in the right form and translate the conversation.*

Олег: Скажите, пожалуйста, в (Рыбинск) есть музей?

Девушка: Да, конечно, у нас очень (хороший) музей.

Олег: Как далеко от (гостиница) находится музей?

Девушка: Далеко. Вам надо ехать (автобус).

Олег: Сколько стоит (билет) в (музей)?

Девушка: 15 (рубль)

Олег: Что ещё интересного можно посмотреть в (Рыбинск)?

Девушка: Вы занимаетесь (спорт)?

Олег: Нет. У вас в (город) есть (концертный зал)? Я люблю (музыка).

Девушка: Да, сегодня (вечер) очень хороший (концерт) у нас в (концертный зал) в (гостиница).

Олег: В (который час)?

Девушка: В семь (час).

Олег: Где можно купить (билет)?

Девушка: (Билет) можно купить здесь, у меня.

14   *Read this passage and answer the question below.*

Вот <u>куплет</u> из песни, которая <u>звучала</u>	verse was on
по радио в поезде. <u>Полный</u> текст этой	full
песни можно найти на <u>странице</u> 383	page
в <u>конце</u> <u>учебника</u>.	back textbook

Понимаешь, это <u>странно</u>, очень странно,	strange
Но <u>такой уж</u> я <u>законченный чудак</u>:	such irredeemable eccentric
Я <u>гоняюсь</u> за <u>туманом</u>, за туманом,	chase fog
И <u>с собою мне не справиться никак</u>.	can't do anything about it
<u>Люди</u> <u>посланы</u> делами,	people are sent by
Люди едут за деньгами,	
<u>Убегая</u> от <u>обиды</u>, от <u>тоски</u>.	running away insult anguish
А я еду, а я еду за <u>мечтами</u>,	dreams
За туманом и за <u>запахом</u> <u>тайги</u>.	sent taiga
А я еду, а я еду за туманом,	
За туманом и за запахом тайги.	

Seven words in this extract are in the Instrumental case. What are they? Put them in the Nominative case.

15   *Before going to Rybinsk Michael attends a sporting event. Look at the advertisement for the event and answer the questions below.*

ЦЕНТРАЛЬНЫЙ СТАДИОН имени ЛЕНИНА
БОЛЬШАЯ СПОРТИВНАЯ АРЕНА

ФУТБОЛ

16
АПРЕЛЯ

"СПАРТАК" - "ДИНАМО"
(МОСКВА)   (МОСКВА)

1. What sporting event is advertised?
2. Where did it take place?
3. When did it take place?
4. What are the teams called?
5. Как вы думаете, почему Майкл ходил на этот матч?
6. Какие виды спорта вы любите и почему?

16   *Rewrite Katya's unfinished and ripped letter and then help her to finish it mentioning her journey, her companions, her reason for going to Rybinsk.*

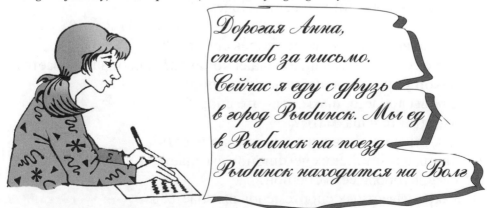

Дорогая Анна,
спасибо за письмо.
Сейчас я еду с друзь
в город Рыбинск. Мы ед
в Рыбинск на поезд
Рыбинск находится на Волг

17   *Oleg finds this old advertisement. Restore it by filling in the missing endings.*

Добро пожаловать в гостиницу 'Волга'

Наша гостиница расположена на берегу Волг-, недалеко от центр- .

Наш адрес: ул. Волжская, дом 10.

Из центр- можно доехать до гостиниц- автобус- №5.

В нашей гостиниц- 120 комфортабельных номер-

       27 одноместных номер-

       93 двухместных номер-

       14 номер- класса 'люкс', с вид- на Волгу.

В нашем ресторан- можно заказать банкет на 100 персон.

В бюро обслуживания можно:

       заказать экскурсии по Волг-

       зим- взять напрокат лыжи

       лет- взять напрокат удочки для рыбной ловли.

В концертном зале можно провести приятный вече- классической или популярной музык-

18   *Answer these questions:*

1. Каким видом спорта можно заниматься летом, зимой, весной, осенью в Англии, в России? Почему?
2. Каким видом спорта вы любите заниматься? Почему?
3. По каким дням вы занимаетесь спортом?
4. У вас есть любимая футбольная команда? Как она называется?
5. Какой у англичан любимый вид спорта?
6. Как вы думаете, шахматы - это спорт?
7. Вы играете в шахматы?
8. Как вы думаете, в шахматы трудно играть?
9. Каких олимпийских чемпионов вы знаете? Как их зовут?
10. У вас в городе есть стадион?
11. Каких известных спортсменов вы знаете?

19 *Listen to the recording and answer the questions below.*

1. Где и почему любит отдыхать Катя?
2. Что Катя делала на отдыхе?
3. Какая там была погода?
4. Где отдыхал Майкл в прошлом году летом и зимой?
5. Что он там делал?
6. Где вы любите отдыхать и почему?
7. Расскажите, что вы делаете, когда отдыхаете?
8. Когда вы любите отдыхать и почему?

20 *Read the text, ignoring the grammar, write down the main points and then retell it.*

Спорт в России.

Все хорошо знают русских спортсменов: гимнастов, хоккеистов, футболистов...

Простые русские <u>люди</u> любят заниматься спортом. <u>Самый</u> популярный вид спорта летом - футбол. На стадионах <u>соревнуются</u> <u>лучшие</u> команды страны, а во <u>дворах</u> и парках тренируются <u>мальчишки</u> - <u>будущие</u> известные футболисты. Ну и, конечно, русские любят <u>болеть за свои</u> любимые команды.

Самый большой стадион, где <u>происходили</u> Олимпийские игры в 1980 году, находится в Москве, <u>недалеко от</u> Университета.

Зимой популярны два вида спорта: лыжи и <u>коньки</u>. <u>Почти</u> у всех русских есть или лыжи, или коньки. По субботам и воскресеньям <u>москвичи</u> и другие <u>горожане</u> едут кататься на лыжах <u>за город</u>. Зимой <u>дорожки</u> парков <u>обычно заливают</u> водой, и они <u>превращаются</u> в <u>каток</u>. <u>Молодёжь</u> любит проводить зимние вечера на катке. Там играет музыка, каток <u>ярко освещён</u>, коньки можно <u>взять напрокат</u>. Это хорошее <u>место</u> для <u>встреч</u>, знакомств и флирта.

people	
the most	
compete	
the best	courtyards
boys	future
support their	

took place	
not far from	
skates	almost
Muscovites town dwellers	
countryside	paths
usually ice over/turn into	
skating ring	youth
brightly lit	hirc
place	dates

Гостиница

По горизонтали:

1. ... едут на поезде Майкл, Катя и Олег Петрович?
3. Что ... 'файл'?
5. Как называется ... на Волге, в который едут наши друзья?
6. ... комнаты для Майкла и Кати.
7. Катя говорит: Как здесь ...!
8. Три плюс два = ...
9. Майкл любит пить ... .
11. Гостиница далеко от вокзала. Где ..., который идёт в гостиницу?
13. Дайте ... чай с лимоном.
14. У Кати нет билета. ..., пожалуйста, ей один билет.
16. Что вы ... на закуску?
17. У ... в комнате нет лампы.

По вертикали:

1. Здесь можно купить газеты, журналы, открытки, сигареты.
2. Вы любите лето? ..., очень люблю.
3. Первое, что мы всегда говорим: "...!"
4. Какие у вас ... планы?
6. Это лимонад ... Кати.
9. Вчера Олег Петрович не ..., где карта Рыбинска.
10. ... знают Чернова, потому что он известный музыкант.
12. На Лесной улице сейчас живёт другая ... .
15. Майкл ... знает, где находится деревня Коприно.

Гостиница

КОНТРОЛЬНАЯ РАБОТА

Put a tick in the box by the correct word.

1. Майкл рассказал ☐ Олег ☐ о   ☐ Шуры ☐ Чернов
☐ Олега ☐ с   ☐ Шуре ☐ Чернове
☐ Олегу ☐ к   ☐ Шуру ☐ Чернова

2. Родители ☐ Шуры ☐ Чернов ☐ умер   ☐ он
☐ Шуре ☐ Чернове ☐ умерла когда ☐ его
☐ Шуру ☐ Чернова ☐ умерли   ☐ ему

☐ было   ☐ лет   ☐ их   ☐ помнить
☐ были три ☐ год и он ☐ им   не ☐ помнит
☐ была   ☐ года   ☐ они   ☐ помнят

3. Все ☐ ехать ☐ к   ☐ Рыбинск   ☐ к   ☐ пятница
☐ едет   ☐ на ☐ Рыбинске ☐ на ☐ пятницу
☐ едут   ☐ в   ☐ Рыбинска ☐ в   ☐ пятницы

4. ☐ От ☐ пятницы   ☐ посзда   ☐ час
☐ По ☐ пятниц вечерние ☐ поездов отходят в 9 ☐ часа
☐ Об ☐ пятницам   ☐ поезд   ☐ часов

5. В ☐ скором ☐ поезд   ☐ плохо
☐ скорых ☐ поезда вагоны-рестораны ☐ плохая
☐ скорой ☐ поездах   ☐ плохие

☐ почему   ☐ Катя   ☐ продукты
☐ поэтому   ☐ Катю   надо купить ☐ продуктам
☐ потому что   ☐ Кате   ☐ продуктов

6. ☐ Весна   ☐ скучно
☐ Весны на Волге ☐ скучный   и нельзя заниматься ни
☐ Весной   ☐ скучная

☐ рыбой   ☐ лыжи   ☐ спорт
☐ рыбной ловлей, ни ☐ лыжами   ☐ спортом
☐ рыбными   ☐ лыжным   ☐ спортивным

Score: .... out of 32

147

Милиционер

Still in Katya's room.

Майкл: Катя, ты **идёшь**? Олег Петрович ждёт.

Катя: Сейчас, я не знаю, где моя сумка. Ты не **видел** мою сумку?

Майкл: А что там **между стульями**?

Катя: Это мой **свитер**. **О Боже**, я **потеряла свою** любимую сумку. Что теперь делать?

Майкл: Надо найти **администратора**. Идём **со мной**.

At the reception desk.

Майкл: Скажите, пожалуйста, на каком **этаже** в вашей гостинице находится **кабинет** администратора?

Дежурная: Администратор у нас на **третьем** этаже.

Катя: У вас есть **камера хранения** или **бюро находок**?

Дежурная: Конечно, есть. А **в чём дело**? Вам надо **оставить вещи** в камере хранения?

Катя: **Да нет**! **Дело в том, что** я потеряла свою сумку и не знаю, где её искать.

Майкл: Может быть, ты потеряла её на вокзале или в автобусе?

Катя: Не знаю, не помню. Где находится **милиция**?

Дежурная: **Обычно милиционер** на первом этаже, но, по-моему, его там нет сейчас. Он у администратора. *(checking)* Да, идите на третий этаж и расскажите ему, что **случилось**.

At the manager's office.

Администратор: Что случилось?

Катя: Я потеряла сумку

Милиционер: **Опиши** свою сумку.

Катя: **Небольшая**, очень красивая, **бежевая**.

Милиционер: Расскажи, что было в твоей сумке.

Катя: В сумке были все мои **личные** вещи: **новый кожаный кошелёк** с деньгами.

Милиционер: Сколько денег?

Катя: 500 рублей.

Милиционер: Что ещё?

Катя:	**Ключи, зонтик, тёмные очки, косметика, носовой платок.**
Милиционер:	Ты не помнишь, когда ты видела свою сумку **последний раз**?
Катя:	Мне кажется, что на вокзале она у меня ещё была, а в автобусе её **уже** не было.
Милиционер:	Ты не знаешь **чья** это сумка?
Катя:	Моя! Большое спасибо.
Администратор:	Вот видишь, всё хорошо, что хорошо **кончается**.

идти́	to go	обы́чно	usually
ви́деть	to see	милиционе́р	policeman
ме́жду	between	случи́ться	to happen
стул/сту́лья	chair/chairs	описа́ть	to describe
сви́тер	sweater/jumper	небольшо́й	small
О Бо́же!	Oh, God!	бе́жевый	beige
потеря́ть	to lose	ли́чный	personal
свой	one's own	но́вый	new
администра́тор	manager	ко́жаный	leather
со мно́й	with me	кошелёк	purse
эта́ж	floor	ключ	key
кабине́т	*here:* office	зо́нтик	umbrella
дежу́рная	*see page 150*	тёмпый	dark
тре́тий	third	очки́	glasses
ка́мера хране́ния	left-luggage office	косме́тика	make up
бюро́ нахо́док	lost property office	носово́й плато́к	handkerchief
в чём де́ло	what's the matter?	после́дний	last
оста́вить	to leave	раз	time *(see Notes)*
вещь	thing	уже́	already
да не́т!	certainly not	чей/чья	whose
де́ло в том, что	the thing is	конча́ться	to finish
мили́ция	militia		

ORDINAL NUMBERS

пе́рвый	first	шесто́й	sixth
второ́й	second	седьмо́й	seventh
тре́тий	third	восьмо́й	eighth
четвёртый	fourth	девя́тый	nineth
пя́тый	fifth	деся́тый	tenth

урок № 10   Милиционер

Notes:

раз - once   один (пе́рвый, после́дний) раз - one (the first, the last) time
два (три, четыре) ра́за - twice (three, four times)
пять... (сколько, много, мало) раз - five... (how many, many, a few) times

        E.g.: Ско́лько раз вы бы́ли в Москве́?
            How many times have you been to Moscow?
        Я была́ в Москве́ два раза.
            I've been to Moscow twice.

This is the way Russians start counting: раз, два, три ...

ИНФОРМАЦИЯ:

дежу́рная - is a 'lady on duty' on each floor of a Russian hotel. Her duties include looking after or watching the people staying at the hotel on 'her' floor.
дежу́рить - to be on duty   (я дежу́рю, ты дежу́ришь, они́ дежу́рят)

Look at Grammar (2) on the next page, then read and explain the joke below.

Оле́г:	Почему́ вы <u>не́рвничаете</u>? Вы <u>бои́тесь</u> **мои́х** вопро́сов?	nervous afraid	questions
Студе́нт:	Нет, я не бою́сь **ва́ших** вопро́сов, я бою́сь **свои́х** отве́тов.	answers	

150

Грамматика

1. PERSONAL and **POSSESSIVE PRONOUNS** in **all cases** (see table on page 334)

2. The POSSESSIVE PRONOUN: 'свой' is used instead of мой/твой/ваш etc.
when it refers to the subject of a sentence, describes the direct object and can be
replaced by the expression 'one's own'

E.g.: Я люблю своего брата   I love my brother

я - subject   брат - direct object

Compare with:

Я люблю твоего брата   I love your brother

Ты любишь своего брата   You love your (own) brother

However, the pronoun 'свой' cannot refer to the subject of another clause of the
same sentence.

E.g.: Катя потеряла свою сумку.   Katya lost her handbag

Катя не знала, где её сумка.   Katya didn't know where her handbag was.

Катя не знала - first clause of the sentence

Где её сумка - second clause of the sentence.

The two clauses of the sentence are divided by a comma

3. VERB 'ви́деть' - to see and **'смотре́ть'** - to look, to watch (Conjugation II)

я ви́жу   ты ви́дишь   они ви́дят

я смотрю́   ты смо́тришь   они смо́трят   (the stress shifts)

E.g.: Катя **смо́трит** на свою сумку и не **ви́дит** её.

Katya looks at her handbag and doesn't see it.

4. VERB 'идти' - to go on foot, to walk as distinct from **'ехать'** to go by means of
transport, to travel

я иду́   ты идёшь   он/она идёт   мы идём   вы идёте   они иду́т

E.g.: Катя **идёт** в магазин.   Katya is going to the shop.

Завтра все **е́дут** на Волгу.   Tomorrow all of them are going to the Volga.

5. NOUN. Irregular plural: стул/**сту́лья**   брат/**бра́тья**   мать/**ма́тери**

де́ньги – used only in the plural

Nominative	сту́лья	бра́тья	ма́тери	де́ньги
Genitive	стульев	братьев	матере́й	де́нег
Dative	стульям	братьям	матеря́м	деньга́м
Accusative	стулья	братьев	матере́й	де́ньги
Instrumental	стульями	братьями	матеря́ми	деньга́ми
Prepositional	о стульях	о братьях	о матеря́х	о деньга́х

Милиционер

1 *Listen to the dialogues on the tape and answer the questions below.*

1. Что Катя потеряла?
2. Где её свитер?
3. Кто помогает Кате искать её сумку?
4. На каком этаже кабинет администратора?
5. Как вы думаете, куда Кате надо идти: в камеру хранения или в бюро находок? Почему?
6. Почему Катя ищет милиционера?
7. Опишите сумку Кати.
8. Что было у Кати в сумке?
9. Где Катя потеряла сумку?
10. Кто нашёл её сумку?

2 *Before going to see the manager Katya tells the 'дежурная' what has happened. Sort out their conversation by choosing the correct possessive pronouns. (It is not easy! Consult* Грамматика).

Катя: Извините, пожалуйста, вы не видели мою/ свою сумку?

Дежурная: Твою/свою сумку? А какая она? Опиши её.

Катя: Небольшая, бежевая.

Дежурная: Ты хорошо посмотрела в твоей/своей комнате?

Катя: В моей/своей комнате её нет, я хорошо посмотрела.

Дежурная: Молодой человек, может быть её/своя сумка в вашей/своей комнате? Вы в вашей/своей комнате её искали?

Майкл: Конечно, искал. В моём/своём номере только мой/свой рюкзак.

Дежурная: Ты уже сказала твоему/своему дяде о том, что ты потеряла твою/свою сумку?

Катя: Нет ещё.

Майкл: В вашей/своей гостинице есть бюро находок?

Дежурная: Наше/своё бюро находок находится на шестом этаже.

3 В бюро находок Кате надо **заполнить бланк** - fill in the form.

Что вы потеряли: ————————————

Где вы это потеряли: ————————————

Опишите потерю: ————————————

4 *This is the conversation Katya has at the lost property office. Supply the officer's questions.*

Officer: ....

Катя: Я потеряла свою сумку.

Officer: ....

Катя: Я не знаю. Может быть, в гостинице; может быть, на вокзале.

Officer: ....

Катя: Я приехала в Рыбинск сегодня.

Officer: ....

Катя: Небольшая.

Officer: ....

Катя: Да, 500 рублей.

Officer: ....

Катя: Нет, с друзьями.

5 *There has been a mix up with the keys. Sort out the conversations by putting the personal pronouns and possessive pronouns in brackets in the correct form.*

Олег: Катюша, у (ты) ключ от (моя) комнаты?

Катя: У (я) нет (ваш) ключ. У (я) только ключ от (моя) комнаты. А что Майкл говорит? Может быть, у (он) ключ от (ваша) комнаты? Майкл, у (ты) ключ от (твоя) комнаты?

Майкл: По-моему, от (моя) комнаты. А что?

Олег: Мне кажется, что у (вы) ключ от (моя) комнаты.

Майкл: Почему (вы) так думаете?

Олег: Катя говорит, что у (она) ключ от (её) комнаты. Этот ключ не от (моя) комнаты, значит (мой) ключ у (вы).

Майкл: Сейчас (я) узнаю. (*to the lady on duty*) Извините, пожалуйста, кажется у (я) ключи не от (наши) комнат.

Дежурная: Сейчас (я) посмотрю. (*to Oleg*) У (они) ключи от (их) комнат, а у (вы) ключ от комнаты номер 15.

Майкл: Это (мой) номер.

Дежурная: Значит у (вы) ключ от (его) комнаты.

Олег: Извините, пожалуйста. Где же (мой) ключ?

Дежурная: (Ваш) ключ? Вот (он), пожалуйста.

Олег: Спасибо.

6   *While delivering things to the rooms the bellboy drops some.*
Listen to the recording, assume the identities of 'портье' *and*
'дежурная' *in turn and then help to sort things out.*

Чьи это вещи?   **Чей** это зонтик?   **Чья** это сумка?   **Чьё** это письмо?

бино́кль
блокно́т
буты́лка вина́
газе́та
гита́ра
де́ньги
зо́нтик
календа́рь
калькуля́тор
кассе́ты
ключ
кни́га
конфе́та
кошелёк
очки́
письмо́
сигаре́та
тёмные очки́
фотоаппара́т
шокола́д

7   *Listen to the recording, assume the identities of Michael, Katya and Oleg*
and ask for your things. Say that some of the things you are given are not
yours, tell the bellboy where they were before as in the example in the recording.

8 *Put the personal and possessive pronouns in brackets in the correct form and then retell the conversation.*

Дежурная: Извините, пожалуйста, (вы) письмо.

Олег: Спасибо. Это письмо не (я), а (мой) другу Кронину. (Вы) не знаете, где (он) сейчас?

Дежурная: (Он) со (своя) девушкой на третьем этаже. (Они) надо к (наш) администратору.

Олег: Скажите, пожалуйста, (моя) племяннице, что (я) иду **гулять** (to go for a walk, stroll) по (ваш) городу.

Дежурная: А, вот (они) идут!

Олег: Катюша, что (ты) надо у администратора?

Катя: Олег Петрович, (я) потеряла (своя) сумку.

Олег: Надо сказать об этом милиционеру.

Дежурная: (Я) уже сказала (он) об этом. (Он) ждёт (вы) на третьем этаже.

Олег: Спасибо. И (вы), Майкл, спасибо, что помогаете (она) искать сумку.

9 *Later that day Michael tells Katya what happened to him once back in London but is interrupted and doesn't finish his story. Katya retells the story to her friend in a letter and thinks of an ending to it herself. Read this story, answer the questions and think of an ending to it.*

У Питера была новая машина 'Метро', а у Майкла была старая машина 'Форд', которая обычно плохо работала, и не было своего гаража, поэтому он оставлял свою машину в других гаражах.

Один раз в пятницу вечером они **приехали** (came) в пивной бар, который называется "Рейлвей", на машине Питера. В баре они много пили пива и поэтому домой приехали на автобусе.

На другой день утром, когда Майкл был уже на работе, Питер нашёл его машину в своём гараже и **поехал** (went) на ней на работу, потому что не помнил, где оставил свою. Когда он ехал на работу, он видел свою машину у пивного бара и видел, как Майкл со своей сестрой **садились** (got into) в его машину...

1. Как зовут друга Майкла?
2. Какие машины были у Майкла и его друга?
3. Куда они поехали в пятницу вечером?
4. На чьей машине они поехали и почему?
5. Каким видом транспорта они поехали домой и почему?
6. На чьей машине поехал на работу Питер?
7. В чью машину садилась сестра Майкла?

10 а   *While Katya is sorting out her loss, Oleg goes for a stroll. Here is the map of the places he passes.*

10 б   *Communication game.*

When he is in the place marked by a number he is on his way to...

    E.g.: (1) он идёт в парк

When he is in the place marked by a letter he is at the place

    E.g.: (Б) он в парке

In turn call either a letter or a number and ask your fellow students accordingly:

    E.g.: Куда Олег идёт? (1)   Он идёт в парк.

        Где Олег сейчас? (Б)   Он в парке.

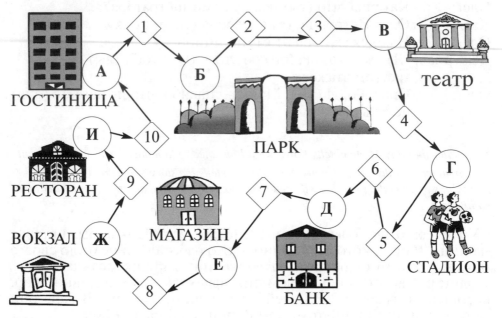

11   *Role-play. During his stroll Oleg stops four passers-by. Re-enact their conversations using the guidelines below.*

Олег Петрович Ему надо:	**Прохо́жие** (passers-by)
• узнать, что интересного можно посмотреть в городе • купить зонтик и сувениры • узнать, где находится театр и какой там репертуар • узнать, какой автобус идёт в центр и какой в гостиницу	Respond to Oleg's enquiries using your imagination, knowledge of Russian and the map above.

12 🎧 *Look at the map below, listen to the recording and answer the following questions:*

1. В каких номерах живут Олег, Катя и Майкл?
2. На каком этаже можно купить карту Волги?
3. Сколько в гостинице номеров с видом на Волгу?
4. На каком этаже можно узнать о часах работы ресторана?

ПЛАН ГОСТИНИЦЫ 'Волга'

КИОСК ГАЗЕТЫ ЖУРНАЛЫ	СУВЕНИРЫ	МИЛИЦИЯ	1	2	3

ПЕРВЫЙ ЭТАЖ

ВТОРОЙ ЭТАЖ

ВХОД	БЮРО ОБСЛУЖИВАНИЯ	ЛИФТ	БАР	4

5	АДМИНИСТРАТОР	6	9	10	11

ТРЕТИЙ ЭТАЖ

ЧЕТВЁРТЫЙ ЭТАЖ

ЛИФТ	7	8	ЛИФТ	12	13

14	15	16	19	БЮРО НАХОДОК КАМЕРА ХРАНЕНИЯ	20

ПЯТЫЙ ЭТАЖ

ШЕСТОЙ ЭТАЖ

ЛИФТ	17	18	ЛИФТ	РЕСТОРАН	21

13 *Describe the hotel 'Volga' in writing, in as much detail as possible.*

14   *Katya starts a letter to her friend and does not finish it. Finish it for her, describing what happened.*

> *Дорогая Анна,*
>
>   *как у тебя дела?*
>
> *Я пишу тебе из Рыбинска. Это город на Волге. Я здесь с моим дядей и другом, которого зовут Миша. Мы живём в гостинице. У меня свой, очень хороший номер. Я первый раз живу в гостинице.*
>
> *К сожалению, сегодня ...*

15   *Read the stories Michael and Katya tell each other to kill time and then translate them and answer the questions.*

У Майкла есть сестра. Её зовут Энн. И у друга Майкла Питера тоже есть сестра. Её зовут Джейн.
В воскресенье Питер пригласил Майкла и его сестру в ресторан, а в субботу он пригласил Майкла и свою сестру в кино.

С кем Питер был в кино и с кем он был в ресторане?

У Кати есть телевизор, и у подруги Кати Веры тоже есть телевизор. Обычно по воскресеньям Катя смотрит её телевизор, а в рабочие дни по вечерам - свой телевизор.

Чей телевизор Катя любит смотреть по воскресеньям?

16   *Answer these questions.*

1. Что надо делать, если вы потеряли сумку?
2. Где в вашем городе (в вашей деревне) находится бюро находок?
3. Кто помогает вам искать потерянные вещи?
4. Вы помните, когда вы потеряли свои вещи последний раз?
5. Что вы потеряли?
6. Вы нашли потерянную вещь? Где?
7. Расскажите, что случилось.
8. Опишите потерянную вещь.

17 *Look at this cartoon and write a story based on it. There are some questions to help you.*

- Где этот человек был?
- Что он там делал?
- Что с ним случилось?
- Почему это случилось?
- Что у него в сумке?
- Что он потерял? (голова́ - head)
- Куда он идёт искать свою потéрю?
- Что видит женщина, которая работает в бюро находок?
- Что она ему говорит?
- Что она о нём думает?
- Как можно ему помочь?
- Куда этому человеку надо идти?

18   *To help you revise and remember the singular feminine endings of nouns you can listen and sing the refrain of the following song.*

В этой песне поётся, как один молодой человек в <u>детстве</u> слушал рассказы своей мамы о небольшой, <u>удивительной</u> красоты <u>туркменской</u> деревне, которая называется Брич-Мулла́. Вместе с женой он <u>поехал</u> в <u>отпуск</u> в эту деревню и <u>влюбился</u> в неё. Вот первый <u>куплет</u> этой песни:

childhood
astonishingly
Turkmenian
went
on holiday   fell in love
verse

<u>Сладострастная отрава</u> - <u>золотая</u> Брич-Мулла,
Где <u>чинара</u>* <u>притулилась</u> под <u>скалою</u>.
<u>Про</u> тебя <u>жужжит</u> над <u>ухом</u> вечная пчела:

voluptuous poison golden
tree/nestled up to cliff
about/buzzing/ear/ever
-lasting bee

Брич-Мулл**а**	Nominative
Брич-Мулл**ы**	Genitive
Брич-Мулл**е**	Dative
Брич-Мулл**у**	Accusative
Брич-Мулл**ою**	Instumental**

* чинара - eastern plane (an exotic tree)

Sometimes the feminine ending **-ою instead of **-ой** is acceptable for the Instrumental case.

Милиционер

19 *Read the following information and answer the questions on it.*

Волга

Во́лга - <u>самая большая</u> река в Европе,	the biggest
<u>протекает</u> по европейской <u>части</u> территории	flows — part
России. Она <u>берёт своё начало</u> в Тверско́й	rises
<u>области</u> между Петербургом и Москвой и	region
<u>впадает</u> в Каспи́йское <u>море</u>. Её <u>протяжённость</u>	falls into — sea — length
3700 километров. Волга - <u>судоходная</u> река.	navigable
По ней <u>вниз</u> <u>перевозят</u> <u>лес</u>, а <u>вверх</u> - <u>нефть</u>,	down/transport/timber/up/ oil
хлеб, рыбу и <u>соль</u>.	salt
По Волге ходят <u>теплоходы</u> как <u>маршрутные</u>,	boats — schedule
так и туристические.	
Русская история <u>тесно связана</u> с Волгой и	closely bound with
её городами. <u>Если плыть</u> на теплоходе вниз	if you sail
по <u>течению</u>, то <u>проезжаешь</u> <u>такие</u> важные	with the stream — pass such
для истории и <u>живописные</u> города как	picturesque
У́глич, Яросла́вль, Кострома́, Ни́жний	
Но́вгород, Каза́нь, Сама́ра, Сара́тов,	
Волгогра́д.	
В <u>советское</u> время многие города были	Soviet
<u>переименованы</u>, а сейчас <u>большинству</u> из	renamed — most
них <u>вернули</u> их старые названия. У А́страхани	returned
Волга впадает в море, и весной её <u>ширина</u> в	width
этой части <u>достигает</u> от 20 до 59 километров.	reaches
Волга описана во многих <u>произведениях</u>	works
русских <u>писателей</u> и поэтов, о ней <u>написаны</u>	writers — written
песни.	
Она <u>широка́</u>, <u>споко́йна</u> и <u>вели́чественна</u>!	wide — serene — majestic

1. Why do you think the Volga is so important to Russians?
2. Do you know anything about the towns mentioned? You will learn about some of them in lesson 12.
3. Which of the towns mentioned played an important role in the Second World War?
4. How long is the Volga?
5. Where does the Volga rise and where is its estuary?
6. In what way does the Volga contribute to the Russian economy?
7. What Russian writers do you know who mention the Volga in their work?

20 Майкл купил карту Волги, и вместе с Катей они смотрят на карту. Слушайте их разговор и отвечайте на вопросы.

1. О чём думает Майкл?
2. Сколько раз Майкл был на Волге?
3. Катя хорошо знает Волгу?

4. Какие города интересуют Майкла?
5. Как вы думаете, почему го́рода Углича нет на карте?

6. Кто был в Ростове Великом?
7. Как вы думаете, почему Олег Петрович хорошо знает Волгу?

161

Милиционер

There are thirty five Russian words in this wordsearch. Find them. Their English translation is below.

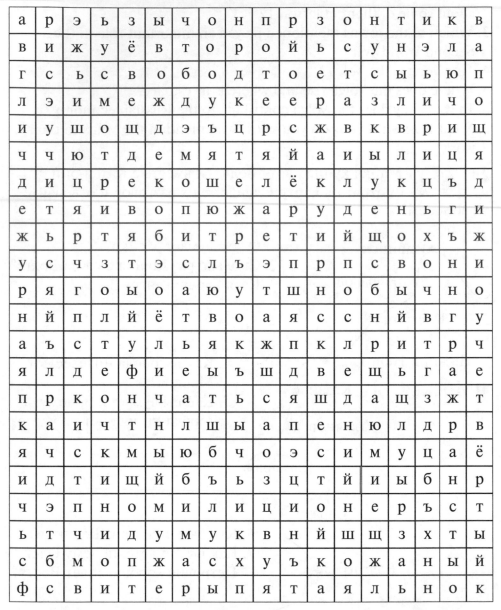

а	р	э	ь	з	ы	ч	о	н	п	р	з	о	н	т	и	к	в
в	и	ж	у	ё	в	т	о	р	о	й	ь	с	у	н	э	л	а
г	с	ь	с	в	о	б	о	д	т	о	е	т	с	ы	ь	ю	п
л	э	и	м	е	ж	д	у	к	е	е	р	а	з	л	и	ч	о
и	у	ш	о	щ	д	э	ъ	ц	р	с	ж	в	к	в	р	и	щ
ч	ч	ю	т	д	е	м	я	т	я	й	а	и	ы	л	и	ц	я
д	и	ц	р	е	к	о	ш	е	л	ё	к	л	у	к	ц	ъ	д
е	т	я	и	в	о	п	ю	ж	а	р	у	д	е	н	ь	г	и
ж	ь	р	т	я	б	и	т	р	е	т	и	й	щ	о	х	ъ	ж
у	с	ч	з	т	э	с	л	ъ	э	п	р	п	с	в	о	н	и
р	я	г	о	ы	о	а	ю	у	т	ш	н	о	б	ы	ч	н	о
н	й	п	л	й	ё	т	в	о	а	я	с	с	н	й	в	г	у
а	ъ	с	т	у	л	ь	я	к	ж	п	к	л	р	и	т	р	ч
я	л	д	е	ф	и	е	ы	ъ	ш	д	в	е	щ	ь	г	а	е
п	р	к	о	н	ч	а	т	ь	с	я	ш	д	а	щ	з	ж	т
к	а	и	ч	т	н	л	ш	ы	а	п	е	н	ю	л	д	р	в
я	ч	с	к	м	ы	ю	б	ч	о	э	с	и	м	у	ц	а	ё
и	д	т	и	щ	й	б	ъ	ь	з	ц	т	й	и	ы	б	н	р
ч	э	п	н	о	м	и	л	и	ц	и	о	н	е	р	ъ	с	т
ь	т	ч	и	д	у	м	у	к	в	н	й	ш	щ	з	х	т	ы
с	б	м	о	п	ж	а	с	х	у	ъ	к	о	ж	а	н	ы	й
ф	с	в	и	т	е	р	ы	п	я	т	а	я	л	ь	н	о	к

**chairs ● personal ● already ● to finish ● purse ● money ● I see
she looks ● he left ● umbrella ● keys ● new ● between ● I go
whose ● once ● third ● to happen ● to describe ● usually ● thing
second ● sweter ● leather ● fourth ● policeman ● glasses ● last
fifth ● sixth ● nineth ● lady on duty ● to go ● she lost ● floor**

Милиционер урок № 10

По горизонтали:

1. "О ...!" - говорит Катя, когда понимает, что потеряла сумку.
3. Вы, может быть, не помните, что Ольга и Виктор - ... сестры Олега Петровича.
6. Его можно купить в молочном отделе магазина.
9. ... раз Катя видела свою сумку на вокзале.
12. Милиционер говорит Кате: ... свою сумку.
14. Катя любит заниматься лыжным спортом. Олег Петрович купил ей новые ... .
15. Олег Петрович плохо знает Рыбинск. Он ... в центр города.

По вертикали:

1. У Кати небольшой ... : рюкзак и сумка.
2. В поезде Катя поёт: Мы ..., ..., ...
3. У Майкла очень важное ... в Рыбинске. Ему надо найти Анну Николаевну.
4. Майкл говорит: Я хорошо ... на гитаре.
5. У Кати в сумке была ... .
7. В поезде сумка была у Кати ... ногами.
8. Лыжи - зимний ... спорта.
10. Майкл не ... сумку Кати.
11. Милиционер ... , где Катя потеряла свою сумку.
12. В сумке были тёмные ... .
13. Кате надо ... в бюро находок.

After lunch, Oleg, Michael and Katya are set to discuss the plan of action.

Майкл:	Олег Петрович, я **только что** узнал, что деревни Коприно **больше нет**.
Олег:	Что вы говорите?
Майкл:	Посмотрите на эту **карту**. Здесь **написано** 'Коприно **нежилое**'.
Олег:	Надо узнать, что это значит.
Майкл:	Мне сказали, что в Коприно уже давно **никто не** живёт. **После** войны, когда **строили водохранилище**, все **жители** из Коприно переехали в другие города и деревни.
Катя:	Что мы теперь будем делать? Где нам искать Анну Николаевну?
Олег:	Завтра воскресенье - справочное бюро работать не будет. **В таком случае** завтра мы будем осматривать город.
Катя:	Значит в Коприно мы не **поедем**? А что мы будем делать сегодня вечером?
Майкл:	Я буду смотреть футбольный матч по телевизору. А вы, Олег Петрович?
Олег:	Сегодня в 7 часов будет очень хорошая **литературная передача** по первой **программе**.
Катя:	Где и когда мы будем **ужинать**?
Майкл:	Я вас приглашаю в ресторан, который называется 'Степан Разин'. Он **недалеко отсюда**.
Катя:	**Ужин** в ресторане! Отлично!

В ресторане 'Степан Разин'.

Официант:	Что будете пить?
Катя:	Я ничего не **хочу**.
Олег:	Мне, пожалуйста, бутылку минеральной воды. А вы, Майкл, что хотите?
Майкл:	Мне, пожалуйста, **томатный сок**.

On the way back to the hotel.

Катя:	Так какой у нас завтра будет **распорядок** дня? В котором часу **завтрак**, **обед**?
Олег:	**Завтракать** будем в 9 часов, а после завтрака **пойдём**

Что мы будем делать? урок № 11

гулять по городу.

Катя: Значит, **вставать** надо в 8 часов? Олег Петрович, почему так **рано**? Можно я с вами не пойду?

Олег: Ну, как хочешь. Сейчас **иди спать**, а завтра **будет видно**. Как говорится, "**утро** вечера **мудренее**".

то́лько что	just now	у́жин	a supper
бо́льше нет	not any more	хоте́ть	to want
ка́рта	map	тома́тный	tomato
напи́сано	written	сок	juice
нежило́й	uninhabited	распоря́док дня	daily routine
никто́ не	nobody	за́втрак	breakfast
по́сле	after	обе́д	lunch/dinner
стро́ить	to build	за́втракать	to have breakfast
водохрани́лище	reservoir	пойдём	we will go
жи́тель *(masc.)*	inhabitant	гуля́ть	to go for a walk
в тако́м слу́чае	in that case	встава́ть	to get up
пое́дем	we will go	ра́но	early
литерату́рный	literary	иди́	go
переда́ча	programme	спать	to sleep
програ́мма	channel	бу́дет ви́дно	we'll see
у́жинать	to have supper	у́тро	morning
недалеко́	not far	мудрене́е	wiser
отсю́да	from here		

DAILY ROUTINE

вытира́ть пыль	to dust	я вытира́ю/он вытира́ет
гла́дить бельё	to iron	я гла́жу/ он гла́дит
гото́вить обе́д	to cook	я гото́влю/он гото́вит
мыть посу́ду	to do the washing up	я мо́ю/он мо́ет
накрыва́ть на стол	to lay the table	я накрыва́ю/он накрыва́ет
причёсываться	to comb one's hair	я причёсываюсь/он причёсывается
пылесо́сить	to vacuum	я пылесо́сю/он пылесо́сит
раздева́ться	to get undressed	я раздева́юсь/он раздева́ется
стира́ть бельё	to do the washing	я стира́ю/он стира́ет
убира́ть со стола́	to clear the table	я убира́ю/он убира́ет
чи́стить зу́бы	to clean one's teeth	я чи́щу/он чи́стит

Notes:

Telling the time

To express am or pm the 24-hour clock is used.

> E.g.: Утренний поезд отходит в 7 часов 30 минут,
> а вечерний - в 19 часов 30 минут.
> The morning train leaves at 7.30 am
> and the evening train at 7.30 pm

Read these stories and retell them.

<u>Однажды познакомились</u> День и Ночь.   once upon a time met

- Здравствуйте. Как вас зовут, - спрашивает
  День.

- <u>Ночь</u>, - отвечает Ночь.   night

- А как вас звали вчера?

- Вчера меня звали Ночь.

- А как вас будут звать завтра?

- И завтра тоже Ночь, - говорит Ночь. А вас
  как зовут? - спрашивает она.

- Сегодня меня зовут Среда, вчера меня
  звали Вторник, завтра меня будут звать
  Четверг, а послезавтра - Пятница. До
  свидания, Ночь.

<u>Учитель</u> <u>объяснял</u> <u>времена</u>   teacher explained tenses
<u>глагола</u>: <u>настоящее</u>, <u>прошедшее</u>   verbs present past
и <u>будущее</u> время.   future
Кончив объяснение, учитель
спрашивает: Если я говорю:

> я завтракаю
> ты завтракаешь
> он завтракает
> мы завтракаем
> вы завтракаете
> они завтракают

Какое это время?
<u>Ученик</u> долго думает и ...   pupil
<u>отвечает</u>: Утро!   replies

Что мы будем делать? урок № 11

Грамматика

1. VERB. FUTURE TENSE

There are two future tenses in Russian. We shall look at one of them which describes a continuous, repetitive action.

a) To form this future tense the verb **быть** - to be is used.

It conjugates:

я буду   ты будешь   он будет   мы будем   вы будете   они будут
and it is followed by the main verb describing the action in the infinitive.

E.g.: Завтра я буду смотреть телевизор.   Tomorrow I will watch TV

b) To express the presence of smb. or smth. in the future the verb **быть** appears.

E.g.: Завтра она будет в университете.   Tomorrow she will be at the university

c) To express the absence of smb. or smth. in the future tense '**нет**' is replaced by '**не будет**'. The rest of the construction remains as in the Present tense: the 'absentee' is in the Genitive case.

E.g.: Завтра у меня не будет времени.   Tomorrow I won't have time.
Завтра его не будет на работе.   He won't be at work tomorrow.

d) The verbs **идти/éхать** in the Future tense correspondingly:
пойти/поéхать

E.g.: Утром Олег **пойдёт** гулять, а потом мы **поедем** в Коприно.
In the morning Oleg will go for a walk and then we'll go to Koprino.

2. DOUBLE NEGATIVE

The negative pronouns никто -nobody, ничто - nothing, ничего - nothing *in Acc.* нигде - nowhere, никуда - nowhere to etc. are followed by a verb in the negative.

E.g.: Никто ничего не знает.   Nobody knows anything

● For declension see page 335

3. VERB: **хотеть** is an irregular verb. Try to memorise the way it conjugates:

я хочý   ты хóчешь   он хóчет   мы хотúм   вы хотúте   они хотят

E.g.: Хотите ужинать в ресторане?   Would you like to have supper in a restaurant?

167

урок № 11   Что мы будем делать?

1 *Listen to the dialogues on the tape and answer the questions below.*

1. Как Майкл узнал, что деревни Коприно больше нет?
2. Почему жители Коприно переехали в другие города и деревни?
3. Что Олег, Катя и Майкл будут делать в воскресенье?
4. Что они будут делать в субботу вечером?
5. Где они будут ужинать?
6. Где находится ресторан и как он называется?
7. Что Катя хочет пить?
8. Почему Катя не хочет гулять по городу?
9. В котором часу завтрак?
10. Почему Олег Петрович говорит: Завтра будет видно?

2 *Communication game. Katya has made a plan for the day, but hasn't decided on the time. Put the time in the spaces provided and ask your fellow students questions as in the recording.*

Мой распорядок дня на 20 апреля (город Рыбинск)

время:

_____ вставать

_____ завтрак

_____ гулять

_____ обед

_____ читать

_____ писать письмо

_____ телевизор

_____ ужин

_____ спать

3 *Communication game. Listen to the recording and then ask your fellow students about their daily routine. And what about tomorrow and yesterday?*

4 а *This is an entry in Michael's diary. Listen to the recording and say what his plans are as in the recording.*

дни недели	утро	вечер
понедельник	*работать*	*театр*
вторник	*работать*	*лекция*
среда	*писать письма*	*футбольный матч*
четверг	*читать новый журнал*	*кино*
пятница	*лекция*	*кафе*
суббота	*телевизор*	*ресторан*
воскресенье	*спать до обеда*	*дискотека*

4 б *Communication game. Make your own diary and then ask your fellow students about their schedule for the week.*

5 *Without telling Oleg, Katya goes to see a local fortune teller. She is very pleased with what she is told. Select what you think she is told.*

У тебя будет мало/много денег
У тебя будет двое детей/ не будет детей
Ты будешь жить очень далеко отсюда/ недалеко отсюда
У тебя будет скучная/интересная работа/ты не будешь работать
Ты не/скоро потеряешь/найдёшь свою любовь
Ты не/скоро не/поедешь по Волге одна/с друзьями
У тебя будет не/большой не/красивый дом
У тебя не/будет новая/старая машина
Тебя не/очень не/будет любить старый/молодой человек

6 *On the way to the hotel, Katya has an unpleasant encounter with the local mob (шпана). Supply Katya's answers as in the recording.*

Шпана: Когда ты пойдёшь на Волгу?
Катя:
Шпана: Где ты живёшь?
Катя:
Шпана: Кто тебя ждёт?
Катя:
Шпана: Как тебя зовут?
Катя:
Шпана: Что ты любишь?
Катя:
Шпана: Хочешь сигарету?
Катя:

7 *Look at the cartoon and try to describe the situation.* Что все они хотят знать?

8 Вот припев песни,
которую пели в ресторане.
Listen to it again and sing it.

Ничего не вижу,
Ничего не слышу,
Ничего не знаю,
Ничего никому не скажу.

9 *On Katya's return Oleg asks her a few questions. Supply his 'annoying' questions.*

Олег:
Катя: Я никуда не ходила.
Олег:
Катя: Я ничего не видела.
Олег:
Катя: Я нигде не была.
Олег:
Катя: Я ничего не хочу.
Олег:
Катя: Никто не курил у меня в комнате.

10 *Communication game. Now take turns in asking your fellow students 'annoying' questions. Answers should be negative.*

11 a *Study the menu and then turn the page.*

Степан Разин

МЕНЮ

ЗАКУСКА
сала́т из помидо́ров
сала́т из огурцо́в со смета́ной
сала́т из кра́бов
грибы́ марино́ванные
сала́т из капу́сты с майоне́зом

СУПЫ
щи
борщ
бульо́н с яйцо́м
суп грибно́й
суп-пюре́ овощно́й

МЯСНЫЕ БЛЮДА
бефстро́ганов
ку́рица 'гриль'
ро́стбиф
пиро́г с мя́сом
котле́ты
соси́ски
пельме́ни со смета́ной

РЫБНЫЕ БЛЮДА
ры́ба под марина́дом
карп жа́реный
кра́бы в со́усе

ГАРНИР
све́жие о́вощи
макаро́ны
жа́реный карто́фель
варёный карто́фель

ДЕСЕРТ
я́блочный пиро́г
блины́ с варе́ньем и
со смета́ной
мусс из апельси́нов

НАПИТКИ
пи́во
вино́
во́дка
шампа́нское

ЕДА́	food		мя́со	meat
апельси́н	orange		о́вощ	vegetable
блин	pancake		огуре́ц	cucumber
блю́до	course		пиро́г	pie
варе́нье	runny jam		помидо́р	tomato
варёный	boiled		све́жий	fresh
гриб	mushroom		смета́на	sour cream
жа́реный	fried		соси́ска	sausage
капу́ста	cabbage		щи	cabbage soup
карто́фель	potato		я́блоко	apple
ку́рица	chicken		яйцо́	egg

Что мы будем делать?

11 б *Role-play. The restaurant Stepan Razin is not up to scratch. The menu you studied on the previous page is given to the customers. However, the waiter knows that some food is only available ✓ on certain days. Assume the identity of a customer and a waiter and ask about the availability of dishes today, yesterday and tomorrow as in the example in the recording.*

Степан Разин

ЗАКУСКА	вчера	сегодня	завтра	РЫБНЫЕ БЛЮДА	вчера	сегодня	завтра
салат из помидоров		✓	✓	рыба под маринадом	✓		✓
салат из огурцов	✓		✓	карп жареный	✓	✓	
салат из крабов	✓			крабы в соусе			✓
грибы маринованные							
салат из капусты			✓	**ГАРНИР**			
				свежие овощи			✓
СУПЫ				макароны		✓	✓
щи				жареный картофель	✓	✓	
борщ	✓	✓		варёный картофель	✓		✓
бульон с яйцом	✓						
суп грибной			✓	**ДЕСЕРТ**			
				яблочный пирог		✓	
МЯСНЫЕ БЛЮДА				блины с вареньем			✓
бефстроганов			✓	мусс из апельсинов	✓		✓
курица 'гриль'	✓	✓					
ростбиф			✓	**НАПИТКИ**			
пирог с мясом		✓		пиво	✓	✓	✓
котлеты	✓		✓	вино	✓		
сосиски	✓			водка		✓	✓
пельмени			✓	шампанское			

11 в *Role-play. Assume the identities of Oleg, Katya, Michael and the waiter. Re-enact their visit to the restaurant starting with the words from the dialogue on page 164*

Официант: Что будете пить?

12 *Answer these questions:*

1. Вы любите ходить в рестораны? Почему?
2. Какие рестораны вы любите? Почему?
3. Сколько стоит обычно ужин в ресторане?
4. Какую сду вы любите?
5. Что вы пьёте в ресторане?
6. Вы пили русскую водку? Что вы о ней думаете?
7. Вы знаете, где в Англии можно купить хорошую русскую водку?
8. Вы были в России?
9. Когда вы поедете в Россию?

13 *Look at the pictures and invent answers to the questions below. Use your imagination and all your knowledge of Russian.*

Как его/её зовут?

Где он/она живёт?

Где он/она работает?

О чём он/она думает?

Где и как любит отдыхать?

Куда все они хотят пойти или поехать? Почему?

Чем он/она любит заниматься в свободное время?

Какие передачи каждый из них любит смотреть по телевизору и почему?

14 *Read the text, ignoring the grammar, and answer the questions.*

Степан Разин (1630-1671)

Ещё его любовно зовут Стенька Разин - <u>народный</u> герой, о котором написаны песни, легенды, <u>картины</u>. Это - русский эквивалент английского Робин Гуда. Он <u>плавал</u> со своими друзьями по Волге и <u>грабил</u> большие города. В 1668 году он был в Персии и там <u>захватил в плен княжну</u>, о которой поётся в известной песне, которая так и называется: "Стенька Разин". Может быть, вы знаете или слышали эту песню о нём. <u>Слова</u> этой песни вы найдёте на странице 384 в конце этого <u>учебника</u>.

national
pictures
sailed
robbed
captured
princes

words
textbook

Эта известная картина русского <u>художника</u> В.И.Сурикова находится в Русском музее в Петербурге. Степан Разин в центре картины, его <u>легко</u> узнать.

artist

easy

1. Как вы думаете, почему Стенька Разин был таким популярным героем? *(Answer in English)*
2. What other colourful characters from history do you know? Расскажите о нём или о ней по-русски.

15 🎧 В воскресенье вечером Майкл и Катя пьют пиво в баре гостиницы.

Role-play. *Reconstruct their conversation as in the recording. Suggested places they visited or intend to visit are in the boxes below.*

Катя:	past	future
	Петербу́рг	Ло́ндон
	Влади́мир	Су́здаль
	Кавка́з	Крым

Майкл:	past	future
	Пари́ж	Мадри́д
	Япо́ния	Австра́лия
	Аме́рика	Ме́ксика

16   *Put the words in brackets in the right form then read and translate the following conversation.*

В понедельник утром, перед завтраком, Майкл ходил в справочное бюро, чтобы узнать новый адрес Анны Николаевны.

Майкл: Здравствуйте.
Девушка: Здравствуйте. Что вы (хотеть)?
Майкл: Я (хотеть) узнать новый адрес одной (женщина).
Девушка: У (вы) есть её (старый адрес)?
Майкл: Вот, пожалуйста, (деревня) Коприно, дом 12.
Девушка: Коприно? В Коприно уже давно никто не (жить). Вы, конечно, не (знать), когда она (переехать)?
Майкл: Нет, я не (знать).
Девушка: Как (она) зовут: фамилия, имя, отчество?
Майкл: Анна Николаевна Чернова.
Девушка: Сейчас я (посмотреть). Сколько (она) лет?
Майкл: Я не (знать). (Знать) только, что она очень (старый).

Пауза, девушка ищет новый адрес.

Девушка: Вот, пожалуйста, её новый адрес: (город) Мышкин, (улица) Северная, (дом) 5.
Майкл: Большое вам спасибо. Вы не (знать), город Мышкин далеко от (Рыбинск)?
Девушка: По-моему, не очень далеко. .
Майкл: Ещё раз большое спасибо и до свидания.
Девушка: До свидания.

урок № 11   Что мы будем делать?

17   *Choose words from all three boxes and construct sentences as in the example. Write them out.*

E.g.: **Я хочу** посмотреть фильм, который сейчас идёт в кинотеатре, поэтому **я пойду** в кино с друзьями.

<u>кто</u>	**хотеть**	**пойти/поехать**
я	спать	театр
ты	обедать	кинотеатр
он	узнать адрес	магазин
она	оставить багаж	бюро находок
мы	послушать оперу	справочное бюро
вы	купить продукты	камера хранения
они	найти потерянную сумку	гостиница
	посмотреть новый фильм	ресторан

18   *Communication game. Read and translate the text, answer the questions below, then make a timetable (with the time) of Katya's and Lisa's usual routine on Tuesdays mentioning all the activities. Now ask your fellow students when Katya and Lisa do certain things on Tuesdays.*

По вторникам Катя обычно смотрит за девочкой, которую зовут Лиза. Лизе четыре года. Её родители работают с восьми часов утра до пяти часов вечера. По утрам, до занятий в университете, Катя помогает Лизе вставать, чистить зубы. Потом Катя готовит завтрак, и они вместе завтракают.

Детский сад (kindergarten) находится в пятнадцати минутах ходьбы от дома Лизы, поэтому они идут туда пешком, и Лиза обычно поёт свою любимую песню.

После занятий в университете, Катя идёт за Лизой в детский сад. Дома Катя готовит обед, а Лиза помогает ей накрывать на стол и убирать со стола.

1. Как вы думаете, в котором часу Катя встаёт по вторникам?
2. Как далеко детский сад от дома Лизы?
3. Как Лиза помогает Кате?

Вот припев песни, которую любит петь Лиза:

<u>Пусть</u> всегда будет <u>солнце</u>, | let it   sun
Пусть всегда будет <u>небо</u>, | sky
Пусть всегда будет мама,
Пусть всегда буду я!

176

19 а В многоэтажном доме живёт **не́сколько** (several) семей. На каждом этаже живёт одна семья. Сейчас семь часов утра. Посмотрите на картинки и напишите:

1. сколько этажей в этом доме
2. на каком этаже живёт каждая семья
3. опишите каждую семью (сколько человек в каждой семье; как всех зовут и сколько им лет; где они работают)
4. что каждый из них сейчас делает и почему
5. что все они будут делать в 7.15; 7.30; 8.00; 8.30

19 б *Communication game. Share your information with your fellow students. See if any information coincides.*

По горизонтали:

1. ... будет в ресторане "Степан Разин"
2. Завтра надо будет вставать ... .
4. Билет на поезд стоил сто три ... .
6. Олег Петрович идёт гулять ... завтрака.
8. У меня нет сейчас денег, они в ... .
11. Сестра Олега Петровича ... очень давно.
16. За деньгами мне надо ... в банк.
17. Катя: Когда же я ... в Лондон?
18. Как и Катя, Майкл ... любит лыжный спорт.
19. В ресторане Катя говорит: Я ничего не ....

По вертикали:

1. Как говориться в русской пословице, "... вечера мудренее".
3. ... будет в два часа.
5. Майкл уже ... в Рыбинске одни раз.
7. Катя не любит томатный ... .
8. Ни Катя, ни Олег Петрович никогда не ... в Лондоне.
9. Какие у Кати планы ... завтра?
10. Катя ... любит по субботам и воскресеньям вставать рано.
12. Вот, пожалуйста, ... ключ.
13. Олег говорит Кате: ... поздно, иди спать.
14. Я думаю, что Майкл уже давно ... .
15. Катя говорит: Я перед сном ... читать.

инструкции - instructions

внизу	(here) below
вопрос	question
восстановите	restore
вставьте	fill in
выберите	choose
диктуйте	dictate
допишите	finish writing
друг другу	to each other
задайте вопросы	ask questions
закончите	finish
замените	replace
запись	recording
заполните (таблицу)	fill in (the table)
используя	using
напишите	write
нарисуйте	draw
обсудите	discuss
объясните	explain
окончание	ending
опросите	make a survey
ответьте на вопросы	answer the questions
отметьте (галочкой)	put (a tick)
переведите	translate
перескажите	retell
письменно	in writing
повторяйте	repeat
по очереди	in turn
подчёркнутые слова	underlined words
поставьте в ... форме	put in ... form
похожий	similar
предложение	sentence
представьте себе	imagine
пример	example
проверьте	check
пропущенные слова	missing words
прослушайте	listen through
проставьте	put
прочитайте	read through
разыграйте по ролям	re-enact
рамка	frame/box
распределите роли	assume the identities
скобки	brackets
слово	word
сообщите	report
соответствующий	corresponding
составьте	construct
стрелка	arrow

-ДАВАЙ ЛУЧШЕ ПО ОЧЕРЕДИ...

упражнéние	exercise

В понедельник после завтрака.

Майкл: Где Катя?

Олег: Она **одевается**. А, вот она идёт. Какие **новости**?

Майкл: Вот новый адрес Анны Николаевны: город Мышкин, улица Северная, дом пять, **квартира** два.

Катя: "Мышкин" - какое **смешное название**! Может быть, **князь** Мышкин из города Мышкина?

Олег: Где находится город Мышкин и как **туда** ехать?

Майкл: Он находится на **юго-запад** от Рыбинска, тоже на Волге. Мы поедем туда на автобусе. Вот **расписание** автобусов.

Олег: Если мы будем **быстро собираться**, можно поехать автобусом, который **отправляется** в **половине** одиннадцатого.

Катя: Сколько сейчас времени?

Майкл: Сейчас половина десятого. Катя, это тебе **путеводитель** по Мышкину. Будешь читать в автобусе.

В автобусе.

Олег: Катюша, что ты узнала о городе Мышкине из путеводителя?

Катя: Я узнала, что город Мышкин - **древний** город.

Олег: Какие в городе **достопримечательности**?

Катя: В Мышкине два **собора**, два музея, **картинная галерея**, две **библиотеки**. На **главной** улице - **больница**, **почта** и **аптека**.

Олег: Музеи сегодня работают? Обычно по понедельникам у них **выходной** день.

Катя: Ой, как интересно! Один из музеев - Музей **мыши**. Он работает каждый день. Сегодня он **открывается** в два часа, а **закрывается** в шесть часов. Я в Мышкине ещё не была, но он мне уже **нравится**.

В гостинице.

Олег: Майкл, у вас есть план города, посмотрите, пожалуйста, **как пройти к** Северной улице.

Майкл: От автобусной **станции** нам надо идти **направо** по улице Рыбинская до соборной **площади**, **потом повернуть налево** и идти **прямо** по улице Никольская. Улица Северная -

третья улица **слева**, **напротив** вокзала.

Катя: Олег Петрович, можно я с вами не пойду, а пойду в Музей мыши?

Олег: Хорошо. Тогда **встречаемся** в половине четвёртого **около** Успенского собора в центре города.

одева́ться	to get dressed	гла́вный	main/major
но́вость	news	больни́ца	hospital
кварти́ра	flat	по́чта	post office
смешно́й	funny	апте́ка	chemist's shop
назва́ние	name (things)	выходно́й	day off
кня́зь	prince	мышь	mouse
туда́	there (to)	открыва́ться	opens
юг	south	закрыва́ться	closes
за́пад	west	нра́виться	to like
расписа́ние	timetable	как пройти́ к	how to get to
бы́стро	quickly	ста́нция	station
собира́ться	to get ready	напра́во	to the right
отправля́ться	to depart	пло́щадь	square
полови́на	half	пото́м	then
путеводи́тель	guide-book	поверну́ть	turn
дре́вний	ancient	нале́во	to the left
достопримеча́тельность	sight ...	пря́мо	straight
собо́р	cathedral	сле́ва	on the left
карти́на	picture	напро́тив	opposite
галере́я	gallery	встреча́ться	to meet
библиоте́ка	library	о́коло	next to/near

Beware of pronunciation! One letter can change the meaning of a word!

ми́шка   мы́шка

урок № 12   город Мышкин

Notes:

север

запад ← → восток

юг

1. Preposition на + Prepositional case
   is used with the parts of the world

> E.g.: Рыбинск находится на севере.
>
> Rybinsk is in the North.

2. **нравиться** - to like   **любить** - to love

нравиться and любить are sometimes interchangeable.

нравиться - is a less intense feeling than is expressed by the verb любить and is also used when referring to an impression made on a particular occasion.

> E.g.: Я люблю классическую музыку, но эта музыка
>
> мне не нравится.
>
> I like classical music, but this (particular piece) I don't like.

TELLING THE TIME

5 minutes to the hour	5 minutes past the hour
without 5 min. the coming hour	**5 minutes of the next hour**

without | of the next

3.55 без* пяти (минут) четыре
literally means:
without five minutes four o'clock

3.05 пять минут четвёртого
literally means:
5 min. of the fourth hour

... till 30 minutes past the hour

 без четверти два

половина второго

без десяти час без двадцати два	четверть пятого	двадцать пять минут седьмого

* preposition без- without, takes the Genitive case

> E.g.: кофе без молока   coffee without milk

182

Грамматика

1. VERB. REFLEXIVE VERBS are the verbs which have the particle -ся (-сь after vowels) after normal endings to express either

a) an action which is directed back to the subject and implies 'oneself'

E.g.: я одеваюсь	I get dressed (myself)
compare with:	
я одеваю свою сестру	I dress my sister

b) an action which involves two or more agents, is mutual and implies 'one another' or 'each other'

E.g.: мы встречаемся в парке	we meet (each other) in the park
compare with:	
мы встречаем друзей в парке	we meet friends in the park

Some reflexive verbs are used idiomatically with the Dative case.

E.g.: мне нравится город Мышкин	I like the town of Myshkin
Олегу кажется, что всё будет хорошо	It seems to Oleg that everything is going to be OK

Some verbs change their meaning with the reflexive particle

E.g.: находиться	to be situated
находить	to find
заниматься	to occupy oneself with smth.
занимать	to borrow

These are the reflexive verbs we have already come across:

встречáться ● закрывáться ● занимáться ● кончáться ● называ́ться находи́ться ● нра́виться ● одевáться ● открывáться ● отправля́ться случи́ться ● собирáться

2. IMPERSONAL EXPRESSIONS are used with the Dative case (мне, ему, ей, вам, Кате, Олегу etc.)

E.g.: Мне кажется, что я его знаю	Seems to me I know him
Олегу кажется, что он знает улицу, на которой жила Анна Николаевна	Oleg thinks that he knows the street where Anna Nikolarvna lived.

More impersonal expressions: как говориться, как поётся

3. NOUN. The GENITIVE CASE. Reminder! Use the Genitive case

a) after prepositions: **'из'** and **'без'**

E.g.: один из друзей	one of the friends
чай без лимона	tea without lemon

b) after **'половина'**

E.g.: половина десятого	half past nine

урок № 12   город Мышкин

1 *Прослушайте диалоги и ответьте на вопросы.*

1. Почему Олег, Майкл и Катя едут в город Мышкин?
2. Где находится Мышкин?
3. Как Олег, Майкл и Катя собираются туда ехать?
4. В котором часу отправляется их автобус?
5. Что Катя читает в автобусе?
6. Какие в Мышкине достопримечательности?
7. Куда Катя хочет пойти и почему?
8. По каким дням в музеях выходные дни?
9. Как называется улица, на которой живёт Анна Николаевна?
10. Где и когда Олег, Майкл и Катя встречаются?

2 *Прочитайте путеводитель по Мышкину, который Катя читала в автобусе, переведите его и ответьте на вопросы.*

Город Мышкин <u>живописно</u> <u>расположен</u> на левом <u>берегу</u> реки Волги.	picturesque situated bank
<u>Существует</u> легенда, в которой рассказывается о том, как в древние времена по этим <u>местам</u> <u>проезжал</u> известный князь. Ехал он издалека, <u>устал</u> и <u>заснул</u> в лесу. <u>Разбудила</u> его мышь. Он <u>проснулся</u> и увидел, что к нему <u>ползёт</u> <u>ядовитая змея</u>. Так <u>маленькая</u> мышка <u>спасла</u> ему <u>жизнь</u>!	there is places rode tired fell asleep awoken woke up crawls poisonous snake/small/saved life
<u>В честь</u> этого <u>события</u> князь <u>поставил</u> на этом месте <u>церковь</u> и с неё <u>начался</u> город Мышкин.	in honour of/event/erected church began

1. Почему у этого города такое интересное название?
2. Как и почему называется ваш город или деревня?
3. Опишите свой город.
4. Что вам нравится и не нравится в вашем городе?
5. Какой в вашем городе транспорт?

3 *Составьте рекламу (advertisement) своего города или деревни.*

4   Катя в Музее Мыши.

Вставьте пропущенные слова (в рамке внизу) и поставьте их в правильной форме.

Женщина: Вам ...... наш музей?

Катя: Очень.

Женщина: Вы уже ...... **уходить** (to leave)?

Катя: К сожалению, мне надо идти. Я ...... с друзьями на центральной площади. Как ...... собор, который ...... на этой площади?

Женщина: Успенский. Площадь тоже так .... Вы первый раз у нас в городе?

Катя: Да, первый, но не последний. Вы не скажите, когда у вас в городе магазины ...... и ...... ?

Женщина: Все магазины ...... в 8.30, а ...... в 7.30.

Катя: А когда они ...... на обед?

Женщина: Продуктовые магазины ...... на обед в час, а все другие в два часа.

закрываться ● встречаться ● открываться
называться ● собираться ● нравиться ● находиться

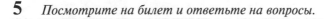

Музей Мыши

152830, г.Мышкин

Ярославской области,

ул. Углическая, д. 21

т.: (08544) 2-14-36

ВХОД _5р_

5   *Посмотрите на билет и ответьте на вопросы.*

1. Куда этот билет?
2. Сколько стоит этот билет?
3. На какой улице находится этот музей?
4. Какой номер дома?
5. Как можно узнать часы работы музея?
6. Какой почтовый индекс?

урок № 12   город Мышкин

План города Мышкина

С
З ← → В
Ю

ул. Успенская
ул. Полевая
ул. Загородная
ул. Мологская
ул. Рыбинская
ул. Никольская
ул. Алексеевская
ул. Ананьинская
ул. Угличская
ул. Никольская

река ВОЛГА

---

6 а   Когда Катя гуляла по городу, она услышала этот разговор.

Посмотрите на карту, прослушайте запись и отметьте на карте места́ (places), о которых говорят, а также ме́сто, где Катя это услышала.

6 б   Катя ищет магазин.

*Прослушайте запись и отметьте на карте **здание** (building), которое Катя ищет.*

6 в   *Коммуникативная игра. На карте города Мышкина отметьте достопримечательности (в рамке внизу), потом по очереди дайте друг другу инструкцию, как туда пройти и проверьте, что они нашли это место. Вы находитесь у собора.*

Успенский собор ● Никольский собор ● больница
библиотека ● картинная галерея ● Музей мыши
детская библиотека ● Дом культуры ● гостиница

---

7   *Коммуникативная игра. Нарисуйте карту **воображаемого** (imaginary) города. Потом под вашу диктовку студенты нарисуют план этого города.*

186

8 Катя **звонит** (phones) Майклу.

Поставьте слова в скобках в правильной форме и переведите разговор.

Майкл: Слушаю.

Катя: Майкл, это я. Ты (помнить), что мы (встречаться) в 3.30 у собора?

Майкл: Конечно, (помнить). Ты где сейчас (находиться)?

Катя: Я (находиться) на Никольской, недалеко от Соборной площади. А вы где (находиться)?

Майкл: Одну минуту, Олег, (посмотреть), пожалуйста, на карту. Мы (находиться) далеко от соборной площади? Как (называться) эта улица?

Олег: Сейчас (посмотреть). На этой улице (находиться) картинная галерея, значит эта улица (называться) Вокзальная. Всё правильно, мы (находиться) недалеко от центра.

9 *Выберите правильное слово. поставьте его в правильной форме и переведите разговор.*

Катя: Вы уже (закрывать/закрываться) магазин?

Продавец: Да, уже два часа.

Катя: Я не знала, что магазины (закрывать/закрываться) в два часа. А когда вы будете (открывать/открываться) этот магазин?

Продавец: Все магазины (открывать/открываться) в три часа.

10 Катя идёт гулять к Волге.

Выберите правильное слово. поставьте его в правильной форме и переведите разговор.

Катя: **Пароход** (ship) идёт. Красиво, правда?

Девушка: Да, очень красиво.

Катя: Вы (встречать/встречаться) **кого-то** (somebody)?

Девушка: Нет, просто я люблю (встречать/встречаться) пароходы, когда у меня есть свободное время. В половине третьего я (встречать/встречаться) с сестрой, и мы (собирать/ собираться) поехать в Кострому, а пока можно ничего не делать...

Катя: Я тоже скоро (встречать/встречаться) с друзьями.

РАСПИСАНИЕ

ДВИЖЕНИЯ ПАРОХОДОВ НА ЛИНИИ
Москва - Астрахань - Москва

от Москвы			из Астрахани	
прибытие	отправление	**порты**	отправление	прибытие
-	19.30	**Москва**	-	20.15
17.10	19.05	**Углич**	-	-
-	-	**Рыбинск**	16.45	16.15
7.15	9.35	**Ярославль**	11.55	8.40
13.40	17.45	**Кострома**	4.35	4.05
11.55	14.10	**Нижний Новгород**	12.05	7.15
10.30	13.55	**Казань**	23.10	22.20
23.00	23.30	**Ульяновск**	11.10	8.00
10.15	13.40	**Самара**	20.50	16.10
12.05	13.35	**Саратов**	13.30	8.20
8.10	12.40	**Волгоград**	12.15	7.05
9.45	-	**Астрахань**	20.00	-

11   *а) слушайте и повторяйте предложения на кассете.*
б) прочитайте расписание и напишите в каком городе происходит
(takes place) разговор и какая информация неправильна.

12   *Посмотрите на расписание и ответьте на вопросы.*

1. Когда **пароход** (boat) отправляется из Самары в Астрахань?
2. Сколько времени пароход, который идёт из Москвы, будет в Самаре?
3. Сколько дней надо ехать из Москвы в Самару?
4. Какие города можно посмотреть **по дороге** (en route) из Москвы в Самару?

13 *Посмотрите на картинки.*

Вот обычный рабочий день Олега Петровича.

Под каждой картинкой напишите время (часы и минуты) и объясните, когда (по каким дням), что и почему Олег Петрович делает в рабочие дни. Потом расскажите, как он обычно проводит выходные дни. Расскажите что он делал вчера (в воскресенье) в городе Рыбинске.

→

14 *Опишите свой обычный рабочий или выходной день.*

15   *Ролевая игра. Один из вас работает в билетной кассе, другой покупает билеты. **Пользуйтесь** (use) информацией в расписании на странице 188.*

<u>Покупа́тель</u>. **Реши́те** (deside), в какой город на Волге вы хотите поехать.
<u>Узна́йте:</u>
- время отправления
- время прибытия
- время **в пути́** (en route)
- сколько стоят билеты

<u>Вам надо:</u>
- купить билеты
- найти информацию о других городах

<u>Касси́р</u>.
Отвечайте на вопросы покупателя **ве́жливо** (politely) и дайте ему/ей **по́лную** (complete) информацию

БИЛЕТНАЯ КАССА

---

16   В час дня Катя видела эти **вывески** (signs).

Прочитайте их и ответьте на вопросы.

1. Где Катя была и что можно было купить в час дня?
2. Что работает каждый день?
3. Когда открываются и закрываются эти **заведения** (establishments)?

УНИВЕРСАМ
МАГАЗИН РАБОТАЕТ
с 8 час. ло 18 час.
ОБЕД
с 13 час. ло 14 час.
ВЫХОДНОЙ
ВОСКРЕСЕНЬЕ

ПОЧТА
РАБОТАЕТ
ЕЖЕДНЕВНО
с 7 час. до 20 час.
ОБЕД
с 12 час. до 14 час.

АПТЕКА
РАБОТАЕТ
ЕЖЕДНЕВНО
с 8 час. до 18 час.
ОБЕД
с 14 час. до 15 час.

БИБЛИОТЕКА
РАБОТАЕТ
С 8 ЧАС. ДО 18 ЧАС.
ВЫХОДНОЙ ДЕНЬ
СУББОТА

город Мышкин   урок № 12

17   *Восстановите и допишите письмо Кати. Расскажите в письме о том, что она видела, где была и что ей понравилось и не понравилось в городе Мышкине.*

> *г. Мышкин*
>
> *Дорогая Анна,*
>
> *Я пишу тебе это письмо из очень симпатичного небольшого города на Волге, который называется Мышкин. Правда смешное название? В этом городе есть уникальный Музей мыши. Нигде больше нет такого музея. Сегодня я была в этом музее и узнала, почему город называется Мышкин.*

18 а   *Очень **подробно** (in detail) ответьте за Майкла на вопросы Кати.*

Катя: Майкл, ты живёшь в Лондоне, расскажи, какие там достопримечательности.

Майкл: ....

Катя: Ты говорил, что ты был в Париже. Я может быть никогда не буду в Париже, расскажи мне о нём.

Майкл: ....

Катя: В каких городах ты был в Америке? Что там интересного?

Майкл: ....

18 б   ***Коммуникативная игра.*** *Опросите студентов своей группы. Задайте им похожие вопросы.*

19   Вечером Катя рассказывает Майклу о своих друзьях. Она рассказывает ему о том, кто кому нравится.

Поставьте стрелки, как в примере:

Кате нравится Майкл.   Катя ———▸ Майкл   Katya likes Michael

Зине нравится Яков
Яков нравится Вере
Людмила нравится Якову
Людмиле нравится Иван
Павлу нравится Зина
Вера никому не нравится
Ивану никто не нравится

191

20 а  Майкл купил отличную карту Москвы. Катя и Майкл играют в игру, которая называется "Как хорошо ты знаешь свой любимый город". Майкл смотрит на карту, а Катя карту не видит.

*Смотрите на карту Москвы, слушайте запись и поставьте номера соответствующие каждому **зданию** (building).*

☐ Музей изобразительных искусств им Пушкина	ГУМ ☐
☐ ЦУМ	Храм Василия Блаженного ☐
☐ выставочный зал "Манеж"	гостиница "Россия" ☐
☐ мавзолей	Политехнический музей ☐
☐ Дом дружбы народов	Университет ☐
☐ музей Ленина	библиотека им. Ленина ☐
☐ Красная площадь	гостиница "Москва" ☐
☐ Тверская улица Кремль ☐	Манежная площадь ☐
☐ Большой театр	Исторический музей ☐

20 б *Ролевая игра. Найдите карту своего города и играйте в такую же игру.*

21 а  *Смотрите на карту Волги, слушайте запись и повторяйте.*

Рыбинск

Ярославль

Кострома

Нижний Новгород

Москва

Казань

С
З — В
Ю

Ульяновск

Самара

Саратов

Волгоград

Астрахань

21 б   *Коммуникативная игра.*
*Посмотрите на карту Волги и по очереди скажите, где находятся города **по отношению** (in relation to) друг к другу, как в упражнении 21 а*

22   Катя спрашивает Майкла, где находятся английские города Кембридж ● Виндзор ● Кентербери ● Дувр ● Оксфорд ● Харидж Лидс ● Рединг по отношению к Лондону.
Напишите её вопросы и его ответы.

23 *Прочитайте текст и ответьте на вопросы.*

Князь Мышкин

Князь Мышкин - герой <u>романа</u> Достоевского	novel
"Идиот". <u>Действие</u> романа <u>происходит</u> в	the action takes place
Петербурге в XIX <u>веке</u>. Роман <u>начинается</u> с	century starts
того, как князь Мышкин <u>возвращается</u> в	returns
Россию <u>из-за границы</u>, где он <u>лечился</u>. В	from abroad convalescing
поезде он <u>знакомится</u> с другим героем	met
романа - Рогожиным. Между этими двумя	
очень <u>непохожими</u> <u>людьми</u> <u>завязывается</u>	unlike people starts
странная дружба, которая <u>приводит</u> к	leads to
трагическим <u>событиям</u>.	events
Вам надо прочитать роман, <u>чтобы</u> узнать	in order to
почему он называется "Идиот".	
Фамилия Мышкин <u>не имеет</u> никакого	bears no
<u>отношения</u> к названию города Мышкина.	relation

Фёдор Михáйлович
Достоéвский

1821 - 1881

1. Кто написал роман "Идиот"?
2. С чего начинается роман?
3. Как фамилии главных героев?
4. Where and when does the action take place?
5. How does the name of the hero relate to the name of the town?
6. Вы читали книги Достоевского или другого русского писателя? Расскажите об этом?

24 *Прослушайте запись, вставьте пропущенные слова, прочитайте текст и перескажите его.*

Углич - <u>старинный</u> город, ... на правом <u>берегу</u> Волги в .... км от .... на .... от Рыбинска.	ancient bank
.... был <u>основан</u> в 937 .... Углич - .... город. В 1591 году .... <u>по преданию</u> был <u>убит</u> <u>царевич</u> Дмитрий, ... <u>царя</u> Ивана <u>Грозного</u>. Это .... <u>событие</u> в русской .... описано в трагедии Пушкина "Борис Годунов".	founded as the story goes killed prince tsar the Terrible event
Туристы .... осматривают ...., но .... <u>церковь</u> "На Крови", ... была <u>построена</u> в 1692 году на <u>месте убийства</u> и на территории .... кремля. Недалеко .... церкви находится исторический ...., в котором .... об истории .... и <u>района</u>.	church spilt blood built place of murder area

25 *Коммуникативная игра.* Вечером Катя обычно делает записи в своём дневнике. Проставьте время (часы и минуты) в её дневнике, а потом спросите студентов вашей группы, чем и когда занималась Катя в этот день.

Мой распорядок дня на 21 апреля (город Рыбинск)

время:

_____ *вставать*

_____ *завтрак*

_____ *отправление автобуса*

_____ *прибытие в Мышкин*

_____ *музей*

_____ *магазин*

_____ *почта*

_____ *прогулка к Волге*

_____ *встреча с Мишей и О.П.*

урок № 12   город Мышкин

По горизонтали:

2. В 9 часов вечера Олег Петрович обычно слушает ... .
7. Что ... мне делать?!
8. ... Катя, ... Майкл не знают Анну Николаевну.
9. Катя никогда не была в Мышкине, ... он ей уже нравится.
10. Катя и Майкл: "Олег Петрович, ... здесь!"
13. Олег Петрович любит осматривать древние ... .
15. Катя купила пол... колбасы.
16. - Вам нравится наш город?
   - ..., очень нравится.
17. Вот её завтрак: кофе, хлеб и ... .
18. Идите прямо и поверните ... .
21. Никто не хочет идти в ... .
22. - Катя, ты любишь Пушкина?
   - ..., очень люблю.
23. Летом Майкл поедет на ... .
24. Майкл в России ... раз.

По вертикали:

1. - ... поздно! Надо спать.
3. Олег, Катя и Майкл встречаются ... собора.
4. Катя хочет узнать, когда будет ... почта.
5. Идите в картинную галерею. ... много хороших картин.
6. Обычно по понедельникам у ... выходной день.
11. 1939 - 1945 для России трудные ... .
12. Катя ищет ... улицу города Мышкина.
14. Вечером Майкл приглашает Катю в ... .
15. В городской галерее в Мышкине есть хорошие ... .
19. В ..., где раньше жила Анна Николаевна, сейчас никого нет.
20. Олег Петрович: Катя, уже поздно, ... спать.

196

КОНТРОЛЬНАЯ РАБОТА

Put a tick in the box by the correct word.

1. Если все ☐ будем ☐ открываться ☐ быстро ☐ поехать
☐ будет ☐ отправляться ☐ около   они ☐ поедут
☐ будут ☐ собираться ☐ прямо ☐ поедем

☐ автобусом ☐ отправляюсь ☐ половину
☐ автобуса   который ☐ отправляется   в ☐ половина   11
☐ автобус ☐ отправляемся ☐ половине

2. Катя ☐ хотеть ☐ знать ☐ открываться
☐ хочет ☐ знает   когда ☐ открывается   музей
☐ хочу ☐ знаю ☐ открываются

3. ☐ Никто ☐ куда ☐ жить
☐ Нигде   не знает ☐ что ☐ живу   Анна Николаевна
☐ Никуда ☐ где ☐ живёт

4. Катя ☐ потеряла ☐ её ☐ сумку ☐ камере хранения
☐ оставила ☐ вашу ☐ сумки   в ☐ бюро находок
☐ нашла ☐ свою ☐ сумка ☐ милиции

5. ☐ Катя ☐ было ☐ описать ☐ свой ☐ сумку
☐ Катю   надо ☐ была ☐ отсюда ☐ своя ☐ сумки
☐ Кате ☐ были ☐ обедать ☐ свою ☐ сумка

6. ☐ По ☐ среду ☐ справочный ☐ бюро ☐ буду ☐ работать
☐ На ☐ среды ☐ справочное ☐ утро ☐ будет ☐ работает
☐ За ☐ средам ☐ справочная ☐ рано ☐ будем ☐ работаете

7. ☐ Вечером ☐ после ☐ ужин ☐ Катя ☐ иди
☐ Вечера ☐ если ☐ ужина ☐ Катю ☐ идёт   спать
☐ Вечер ☐ потом ☐ ужином ☐ Кате ☐ иду

8. Все ☐ магазин ☐ закрывается ☐ без ☐ пять ☐ два
☐ магазина ☐ закрываются ☐ для ☐ пяти ☐ второй
☐ магазины ☐ закрываться ☐ из ☐ пятью ☐ второго

Score: .... out of 38

197

После музея Катя идёт по магазинам.

Катя: **Покажите**, пожалуйста, эту **блузку**.

Продавец: Какого **цвета** блузку вы хотите?

Катя: Какие цвета **кроме белого** и **красного** у вас есть?

Продавец: **Такие** блузки у нас есть всех цветов: **жёлтые, синие, зелёные, розовые**.

Катя: У вас есть такая же блузка **голубого** цвета?

Продавец: Нет, голубого цвета нет. Есть все цвета, кроме голубого.

Катя: **Тогда** можно **примерить светло**-зелёную блузку и вот это тёмно-**серое платье**?

Продавец: Конечно. Какой **размер** вам **нужен**?

Катя: 42 размер.

После того как Катя примерила одежду.

Катя: Платье **мало**, а блузка немного **велика** и мне **не идёт**.

Продавец: Хотите примерить платье 44 размера?

Катя: Хорошо, я примерю платье 44 размера и вот эту **коричневую юбку**. А **джинсы** у вас есть?

Продавец: Конечно, есть.

Катя: Мне очень нужны новые джинсы.

На улице.

Катя: Извините, пожалуйста, вы не скажите, где здесь почта?

Соня: Конечно, скажу. Вас, кажется, зовут Катя. Почта отсюда недалеко.

Катя: **Откуда** вы знаете, как меня зовут? **Разве** мы знакомы?

Соня: Я работаю в гостинице, в которой вы **остановились** с папой и с братом.

Катя: Миша - мой **жених**, а не брат.

Соня: Извините, я этого не знала. Я сейчас свободна, идёмте я покажу вам где почта. А вот и почта, но, кажется, она сейчас **закрыта** на обед. Открывается в два часа.

На почте.

Катя: Сколько стоит **послать** письмо в Англию?

Покупки урок № 13

Продавец: Пятьдесят рублей

Катя: Так дорого? Дайте, пожалуйста, две **марки** по десять рублей.

Продавец: Вот, пожалуйста. Это всё?

Катя: У вас есть **дешёвые поздравительные** открытки с **конвертами**? Как любит говорить Олег Петрович, "мал **золотник**, да дорог."

Продавец: Что вы сказали?

Катя: **Ничего**-ничего. Это я не вам говорю.

покупки	shopping	нужен	need
покажите	show me	мал/мала	small
блузка	blouse	велик/велика	big
цвет	colour	(не) идёт	(not) becoming
кроме	except	коричневый	brown
белый	white	юбка	skirt
красный	red	джинсы	jeans
такой	such/this	откуда	where from
жёлтый	yellow	разве	*(see Notes)*
синий	blue	остановиться	to stay
зелёный	green	жених	fiancé
розовый	pink	закрыт	closed
голубой	pale blue	послать	to send
тогда	then	марка	stamp
примерить	to try on	дешёвый	cheap
светлый	light	поздравительный	greeting
серый	grey	конверт	envelope
платье	dress	золотник	a grain of gold
размер	size	ничего	nothing

одежда:	clothes	пальто	coat	шапка	hat
брюки	trousers	перчатки	gloves	шарф	scarf
галстук	tie	пиджак	blazer	шляпа	hat *(see Notes)*
колготки	tights	плащ	raincoat	шуба	furcoat
кофта	cardigan	рубашка	shirt	**обувь:**	footwear
куртка	anorak	трусы	underpants	ботинки	boots
майка	t-shirt	чулки	stockings	сапоги	Wellington boots
носки	socks	шаль	shawl	туфли	shoes

Notes:

1. **Мал золотник, да дорог.**
   Literally means: a grain of gold is small but precious.

2. **Разве** is an emphatic word. (See page 34 [2] and 258 [1])

   E.g.: Разве мы знакомы?   Do we know each other?!

3. REMEMBER:

куда́?	сюда́/туда́
отку́да?	отсю́да/отту́да
где?	здесь/там

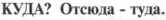

КУДА? Отсюда - туда.
Where to? Form here to there.

ОТКУДА? Оттуда - сюда.
Where from? Form there to here.

ГДЕ? Там.
Where? There.

ГДЕ? Здесь.
Where? Here.

4.

шапки   шляпы

5. **идёт** - **не идёт** This is an idiomatic usage of the verb 'идти'.
   Это платье вам идёт - This dress suits you (*literally:* this dress is coming to you).
   The verb 'идти' agrees in person with the piece of clothing.

   E.g.: Эти очки вам не идут   These glasses do not suit you.

Грамматика

1. ADJECTIVES. SHORT FORM. Most adjectives have long and short forms.

Compare: у тебя <u>простая</u> работа.   you have a <u>simple</u> job

моя работа - <u>проста</u>.   my job <u>is simple</u>

Short form adjectives agree with the noun **only** in gender and number.

To make a short form take the adjectival ending away and you create the following short forms:

		masculine	хорош
by adding -о	neuter	хорош**о**
	-а	feminine	хорош**а**
	-ы	plural	хорош**и**

E.g.: Эта девушка очень хороша!   This young girl is really beautiful!

Sometimes when there are too many consonants together, vowels **-е** or **-о** are inserted, as in свобод**е**н or as in смеш**о**н

Here is a list of some short form adjectives we have already come across which have insertions: важ**е**н ● извест**е**н ● скуч**е**н ● тём**е**н ● чудес**е**н

Sometimes the stress shifts: молодо́й - мо́лод

Remember:

мал comes from маленький - small

велик comes from великий - great

мал/мало/мала/малы - small

велик/велико/велика/велики - big

E.g.: Джинсы мне малы, а юбка велика   The jeans are small but the skirt is big for me.

2. The verb 'нужно' - to need is used the same way as 'надо', that is with the Dative case, and is followed by an infinitive.

E.g.: Мне нужно купить джинсы   I need to buy some jeans.

When used with nouns (e.g.: I need a stamp) the verb 'нужно' must agree in gender and number with the thing that is needed.

E.g.: Мне нужн**а** марк**а** и нужн**ы** конверт**ы**.   I need a stamp and envelopes

3. ADJECTIVES. Declension of soft adjectives:

● For declension of adjectives see Grammar Reference page 337

	masculine/neuter	feminine	plural
Nom.	син**ий** син**ее**	син**яя**	син**ие**
Gen.	син**его**	син**ей**	син**их**
Dat.	син**ему**	син**ей**	син**им**
Instr.	син**им**	син**ей**	син**ими**
Prep.	син**ем**	син**ей**	син**их**

The Accusative is like the Nominative with inanimate and the Genitive with animate nouns.

1 *Прослушайте диалоги и ответьте на вопросы.*

1. Что Катя хочет купить?
2. Какого цвета блузка нужна Кате?
3. Какого размера одежда у Кати ?
4. Что Катя примеряет?
5. Почему Катя не купила блузку?
6. Кого Катя встретила на улице? Расскажите об этой встрече.
7. Почему почта закрыта, и в котором часу она открывается?
8. Сколько стоит послать письмо в Англию?
9. Какие открытки Катя покупает?
10. Как вы думаете, почему она покупает эти открытки?

2   *Коммуникативная игра. Прочитайте диалоги на странице 198, которые начинаются со слов* "Покажите, пожалуйста ..." *и кончаются словами* "... новые джинсы."
*Разыграйте по ролям эти диалоги, **употребляя** (using) слова в рамке.*

блу́зка	ко́фта	пиджа́к	ту́фли
боти́нки	ку́ртка	пла́тье	чулки́
брю́ки	ма́йка	плащ	ша́пка
га́лстук	носки́	руба́шка	шля́па
джи́нсы	пальто́	сапоги́	шу́ба
колго́тки	перча́тки	трусы́	ю́бка

3   В магазине Катя слышала **отрывки** (bits) разговоров.
Вставьте пропущенные слова, которые в рамке, и переведите эти предложения.

1. Это пальто ему .... Он просто ...... в нём.
2. Я люблю этот автомобиль, потому что он ......, ... и не ....
3. Эта девушка знает, что она ......, ... и ....
4. Он всё знает, потому что он ...... и ....
5. Этот вопрос для нас очень ....
6. Моя комната ...... для чтения, надо купить лампу.

любима ● смешон ● мудр ● дорог ● хороша ● мало ● красив
темна ● быстр ● стар ● молода ● важен

4 *Посмотрите на таблицу размеров и ответьте на вопросы.*

Вопросы	Русские размеры одежды		Английские размеры одежды
1. Какой у вас русский размер?	Русские	42 10	Английские
2. Какой у вас английский размер?	размеры	44 12	размеры
3. Какой размер одежды у Кати?	одежды	46 14	одежды
4. Как вы думаете, какой размер		48 16	
одежды у Майкла и у Олега		50 18	
Петровича?		52 20	

5 а *Прочитайте списки вещей (а, б, в, г, д). Прослушайте запись.*
У покупателя один из этих списков. *Отметьте этот
список галочкой, а потом ответьте на вопросы.*

а) 44 размер	б) 50 размер	в) 46 размер
надо купить:	надо купить:	надо купить:
юбку	джинсы	платье
платье	рубашку	блузку
зонтик	свитер	плащ
тёмные очки	фотоаппарат	шляпу
сумку	книгу о Москве	джинсы
у меня 600 руб.	у меня 890 руб.	у меня 756 руб.

г) 52 размер	д) 42 размер	
надо купить:	надо купить:	1. Кто делал покупки?
брюки	шляпу	2. Что он/она купил/а?
пальто	зонтик	3. Какого это цвета?
майку	блузку	4. Какой у неё/него размер?
пиджак	плащ	5. Сколько всё это стоило?
зонтик	очки	6. В каком отделе это купили?
у меня 920 руб.	у меня 590 руб.	

5 б *Ролевая игра. Распределите роли. Один из вас покупатель, другой продавец.
Выберите один из списков вещей (а, б, в, г, д) и купите все эти вещи.*
Для этого сначала узнайте
- сколько они стоят
- какого они размера
- какого цвета

Потом
- примерьте их
- объясните, почему вы их покупаете.

урок № 13   Покупки

6 а *Слушайте и повторяйте.*

6 б После магазина Катя отдыхает. Она смотрит на покупателей и думает о том, кто они и что им нужно купить в магазине.

Помогите Кате. Выберите из списка слева человека и из списка справа вещи, которые ему нужны и составьте предложения как в записи (6а).
Напишите эти предложения.

турист	
девушка	
студентка	
спортсмен	
профессор	
молодой человек	
фотокорреспондент	

очки	фотоаппарат
лыжи	калькулятор
юбка	кошелёк
книги	блокнот
сумка	кассеты
платье	рюкзак
блузка	зонтик

7   *Коммуникативная игра. Узнайте у студентов вашей группы:*

1. Какой их любимый магазин?
2. В каком магазине в их городе/деревне можно купить хорошую/дешёвую/дорогую еду, одежду, компьютерную технику, а также книги и компактные диски?
3. В каком магазине они не любят делать покупки и почему?
4. Какие магазины они любят - большие или **маленькие** (small) и почему?

8   Майклу надо купить сувениры для своей семьи и для своих друзей.

Помогите ему выбрать сувениры. Объясните, почему вы это выбрали и напишите свои предложения.

	их интересы:	
● мама	● музыка	● картины местного художника
● сестра Энн	● история	● открытки с видами Волги и города Мышкина
● **отчим** (stepfather)	● искусство (art)	
● Шура Чернов	● спорт	● русская шаль
● друг Питер	● литература	● книги о Волге
● коллеги по работе	● туризм	● матрёшки (Russian dolls)
● Олег Петрович	● политика	● русские песни

9 Как вы уже знаете, сегодня понедельник. Сейчас половина третьего. Катя хочет купить джинсы и послать письмо, а Олег хочет посмотреть старинную библиотеку и купить аспирин. Майкл хочет купить сувениры и конверты с марками.

Посмотрите на вывески и напишите, кто что делает и почему.

УНИВЕРСАМ
МАГАЗИН РАБОТАЕТ

с 8 час. ло 18 час.

ОБЕД

с 13 час. ло 14 час.

ВЫХОДНОЙ ВОСКРЕСЕНЬЕ

ПОЧТА
РАБОТАЕТ ЕЖЕДНЕВНО

с 7 час. до 20 час.

ОБЕД

с 12 час. до 14 час.

АПТЕКА
РАБОТАЕТ ЕЖЕДНЕВНО

с 8 час. до 18 час.

ОБЕД

с 14 час. до 15 час.

БИБЛИОТЕКА
РАБОТАЕТ

С 9 ЧАС. ДО 21 ЧАС.

ВЫХОДНОЙ ДЕНЬ

СУББОТА

10 Катя и другие покупатели хотят обменять свои покупки. *Прослушайте запись и заполните таблицу.*

	кто что хочет обменять	**почему** хочет обменять	**на что** хочет обменять
1			
2			
3			
4			
5			

урок № 13 Покупки

11 В Москве Катя любит делать покупки в Центральном универсальном магазине. Все его называют ЦУМ. Она очень хорошо знает этот магазин, поэтому все её всегда спрашивают, где что находится в этом магазине.

Прочитайте список отделов универмага. Прослушайте запись, проставьте эти отделы на плане и ответьте на вопросы.

Центральный универсальный магазин

КИОСК	
ПЕРВЫЙ ЭТАЖ	
ВХОД	

ВТОРОЙ ЭТАЖ	
ЛИФТ	

ТРЕТИЙ ЭТАЖ	
ЛИФТ	

ЧЕТВЁРТЫЙ ЭТАЖ	
ЛИФТ	

1. бижуте́рия и косме́тика
2. газе́ты и журна́лы
3. де́тская оде́жда
4. же́нская оде́жда
5. же́нская о́бувь
6. игру́шки
7. кафе́
8. мужска́я оде́жда

9. мужска́я о́бувь
10. музыка́льные това́ры
11. сувени́ры
12. су́мки
13. таба́к
14. часы́
15. шля́пы и ша́пки
16. электротова́ры

матрёшка

На каком этаже и в каком отделе можно купить: открытки, очки, туфли, лампу, платье, зонтик, кошелёк, кассеты?

Покупки урок № 13

12 Вы уже хорошо знаете Катю, Олега и Майкла и немного знаете Шуру Чернова и Анну Николаевну.
Выберите слова из рамки, которые описывают их.

мо́лод - молода́ ● стар - стара́ ● мудр - мудра́
краси́в - краси́ва ● изве́стен - изве́стна
интере́сен - интере́сна

---

13 Майкл читает **объявле́ния** (advertisements) в местной газете.
Прочитайте эти объявления и ответьте на вопросы.

ПРОДАЮ

- энциклопедия Британика
- новый женский костюм VERSACE
- компьютер DELL Пентиум 4
- женское кожаное пальто 46 размера
- детская одежда от 3 до 5 лет
- мужские ботинки 42 размер
- зонтик

КУПЛЮ

- электрогитара
- новое пианино
- видеокассеты
- книги на английском языке
- компакт-диски
- компьютер
- женская и мужская одежда 44-48 размеров

МЕНЯЮ

- компакт-диски
- книги: русская классика
- видеокассеты
- Детская одежда от 3 до 10 лет
- аудиокассеты (попмузыка)
- компьютерная техника

1. Что может купить человек, которому нужны одежда, книги, электротехника ?
2. Что можно продать или обменять?

14 *Напишите вопросы, которые Катя задаёт Майклу и его ответы.*

Как вы уже знаете, Катя не была ни в Лондоне, ни в Париже, ни в Нью Йорке. Она спрашивает об этих городах Майкла. Она хочет узнать:

- какого цвета в Лондоне/Париже/Нью Йорке автобусы, такси, дома, поезда, телефонные будки, почтовые ящики.
- какого цвета английский/шотландский/британский/немецкий испанский/итальянский флаги?

Покупки

15 Скоро <u>Пасха</u>. В России на Пасху обычно <u>готовят</u> <u>особую</u> еду и <u>красят</u> <u>яйца</u>. Катя купила краску для яиц. В коробке только пять цветов, но есть инструкция, как <u>создать</u> другие цвета.

Easter

cook special dye eggs

create

Прочитайте инструкцию и ответьте на вопросы.

Комбинируя смеси из красителей, использованных для окрашивания в основные цвета, можно получить дополнительные цвета, например:

оранжевый	жёлтый + розовый
тёмно-зелёный	светло-зелёный + голубой
фиолетовый	голубой + красный
малиновый	красный + фиолетовый

1. Как по-английски фиолетовый?
2. Как по-английски оранжевый?
3. Какие пять цветов были в коробке?

16 а Катя опять рассказывает Майклу о своих друзьях. На этот раз она рассказывает о том, что у них есть и чего у них нет.

Прослушайте запись и заполните таблицу. Первая графа уже заполнена.

	Вера	**Павел**	**Зина**	**Иван**	**Люда**	**Яков**
компьютер	никогда					
машина	никогда					
лыжи	нет					
да́ча (country house)	никогда					
соба́ка (dog)	нет					
ко́шка (cat)	есть					

16 б *Коммуникативная игра. Задайте студентам своей группы такие же вопросы.*

Покупки　　урок № 13

17 а Вечером Катя и Майкл играют в свою любимую игру. Один описывает известного человека, другой **должен** (must) узнать, кто это.

*Прослушайте запись и **догадайтесь** (guess) кого из списка известных **людей** (people) описывает Катя.*

Мерлин Монро　Кто это?　Мария Кюри　Агата Кристи

Чарли Чаплин　Мухамед Али　Маргарет Тэтчер

принц Чарльз　Елизавета Виндзор　Дмитрий Шостакович

генерал деГоль　Чарльз Диккенс　Юрий Гагарин　Лев Толстой

Ивлин Во　Вильям Шекспир　Уинстон Черчиль

Антон Чехов　Анастасия Романова　Александр Пушкин

старый ● любимый ● плохой
красивый ● интересный
известный ● последний
белый ● чёрный ● смешной
большой ● важный ● мудрый ● новый
обычный ● отличный ● первый ● знакомый
тёмный ● скучный ● простой ● трудный ● молодой ● главный

Сергей Рахманинов　Фёдор Достоевский

Пётр Чайковский

Карл Маркс

17 б *Коммуникативная игра. По очереди задавайте вопросы друг другу и отвечайте на них. Если хотите, опишите одного из студентов или студенток вашей группы.*

18 *Прочитайте русские **идиоматические выражения** (set phrases) и найдите их английские эквиваленты.*

серый человек	unskilled labour
чёрный день	shady business
тёмнос дело	gutter press
серая жизнь	green light
синий чулок	rainy day
жёлтая пресса	blue-stocking
зелёная улица	drab existence
чёрная работа	ignorant person

19 *Прочитайте текст и ответьте на вопросы.*

Магазины в России.

В России в больших городах много хороших магазинов. В каждом <u>районе</u> есть универмаг (универсальный магазин), а также много небольших специализированных магазинов: обувь, одежда, продукты, сувениры <u>и так далее</u>. — area / and so on

<u>Свежие</u> <u>овощи</u> и фрукты, а также молочные продукты и <u>мясо</u> <u>лучше</u> покупать на <u>рынках</u>. — fresh vegetables / meat/better/markets

Самый большой и известный универмаг - ГУМ (Государственный универсальный магазин) находится в центре Москвы на Красной площади около Кремля. Здесь можно купить всё, что хочешь.

ГУМ был <u>построен</u> в <u>конце</u> 19 <u>века</u>; в нём три этажа. В центре ГУМа на первом этаже - фонтан. Обычно здесь встречаются. — built end century

Катя не любит ГУМ, потому что там всегда много туристов. Кроме того, это очень большой магазин и трудно найти нужный отдел. Она делает покупки в другом магазине, который называется ЦУМ (Центральный универсальный магазин). Он тоже находится в центре, недалеко от ГУМа.

В маленьких деревнях обычно есть только один магазин, в котором продаётся и еда и одежда. <u>Выбор товаров</u> в таких магазинах очень маленький, и поэтому деревенские жители едут за покупками в большие города. — choice of goods

1. Как называется магазин, который находится на Красной площади?
2. Что в нём можно купить?
3. Почему Катя не любит делать покупки в ГУМе?
4. Где она обычно делает покупки?
5. Если вы потерялись в ГУМе, что вам надо делать?
6. Где в Москве можно купить сувениры?
7. Как вы думаете, почему лучше покупать овощи и фрукты на рынке?
8. Почему деревенские жители едут за покупками в города?

По горизонтали:

5. ... мы знакомы?
6. Катя говорит, что Майкл сё жених. ... быть она сго любит?
8. Олег Петрович обычно пьёт томатный ... на завтрак.
9. Катя, Майкл и Олег Петрович встречаются ... собора.
10. Вы хотите красное ... синее платье?
11. Катя любит делать ... в больших универмагах.
14. Катя: "Миша мой жених. Я покупаю ... новые джинсы."
15. Какие цвета ... красного и белого у вас есть?
16. Что ... вы хотите?
17. Этот плащ вам очень ... .
19. У меня есть юбка, и теперь мне нужен ... пиджак.

По вертикали:

1. Этот фильм я уже видела. Он не ... .
2. Мне не нравится это платье. ... мне не идёт.
3. Мне нужен один конверт и одна ... .
4. Катя говорит всем, что Майкл её ... . Но это неправда.
7. Катя любит ... цвет и хочет купить блузку такого цвета.
12. Хороший ужин будет всем, конечно, ...
13. Человек, который ничего не знает, - ... человек.
18. Екатерина - очень красивое ... .
20. Шура Чернов - известный пианист. ... все знают.

урок № 14 — Поздравляем!

*На **следующий** день утром в номере Олега Петровича.*

Катя: Олег Петрович, вы спите? Вставайте! Сегодня 25 **апреля**. С **днём рождения**!

Олег: Катюша, дорогая, спасибо. Какая **чудесная** открытка! Спасибо тебе, моя дорогая **девочка**. А это что?

Катя: **В честь** вашего дня рождения сегодня вы будете завтракать в **постели** и **раньше**, **чем** обычно. Вот ваш завтрак: чай и **пирожное**.

Олег: Какой чудесный **подарок**! Спасибо, дорогая.

В тот же день в гостинице.

Майкл: Скажите, пожалуйста, здесь в ресторане гостиницы можно **заказать стол на троих**? Мы будем **праздновать** день рождения...

Соня: ... вашей **невесты**?

Майкл: Моей невесты?! У меня нет невесты.

Соня: Извините, я **ошиблась**.

В ресторане.

Майкл: Дорогой Олег Петрович, поздравляю вас с днём рождения, **желаю** вам **здоровья** и **счастья**.

Катя: **За** ваше здоровье, Олег Петрович!

Олег: А я **предлагаю тост** за вас, мои дорогие, и за **успех** нашего дела!

Катя: Майкл, какой **праздник** ты **больше** любишь, день рождения или Новый год?

Олег: По-моему, англичане не празднуют Новый год.

Катя: Как не празднуют?! Это правда?

Майкл: Мы празднуем **Рождество**.

Катя: Седьмого **января**?

Майкл: Нет, двадцать пятого **декабря**.

Катя: А **Пасху** вы празднуете?

Майкл: Конечно, празднуем.

Катя: Из **религиозных** праздников, мне кажется, Пасха **лучше**, чем Рождество. Как вы думаете Олег Петрович?

Олег: Когда я был **моложе**, я любил **советские** праздники:

Поздравляем! урок № 14

Седьмое **ноября** и Восьмое **марта** и **особенно майские** праздники, потому что когда погода **теплее** на **душе веселее**. Катя, ты не хочешь **танцевать**? Смотри, какой здесь чудесный **ансамбль**.

Катя: Не хочу, я плохо **себя чувствую**.

поздравля́ть	to congratulate	тост	toast
сле́дующий	next	успе́х	success
апре́ль	April	пра́здник	holiday
день рожде́ния	birthday	бо́льше	more
чуде́сный	wonderful	Рождество́	Christmas
де́вочка	girl	янва́рь	January
в честь	in honour	дека́брь	December
посте́ль	bed	Па́сха	Easter
ра́ньше	earlier	религио́зный	religious
чем	than	лу́чше	better
пиро́жное	small cake	моло́же	younger
пода́рок	present	сове́тский	Soviet
заказа́ть	to book	ноя́брь	November
стол	table	март	March
на трои́х	for three	осо́бенно	especially
пра́здновать	to celebrate	ма́йский	May (adjective)
невеста	fiancе́с	тепле́е	warmer
ошиба́ться	to make a mistake	душа́	soul
жела́ть	to wish	веселе́е	merrier
здоро́вье	health	танцева́ть	to dance
сча́стье	happiness	анса́мбль	ensemble
за	to	чу́вствовать себя́	to feel
предлага́ть	to propose		

ме́сяцы - months

янва́рь	January	ию́ль	July
февра́ль	February	а́вгуст	August
март	March	сентя́брь	September
апре́ль	April	октя́брь	October
май	May	ноя́брь	November
ию́нь	June	дека́брь	December

213

Notes:

1. Adjectives formed from months:

январь	янва́рский
февраль	февра́льский
март	ма́ртовский
апрель	апре́льский
май	ма́йский
июнь	ию́ньский
июль	ию́льский
август	а́вгустовский
сентябрь	сентя́брьский
октябрь	октя́брьский
ноябрь	ноя́брьский
декабрь	дека́брьский

E.g.: майские праздники   May celebrations

2. **на троих** - for three

also: на одного ● на двоих ● на четверых ● на пятерых etc.

E.g.: номер на одного   a hotel room for one person

Word building:

рождение - birth ● Рождество - Christmas ● родители - parents
здоровье - health ● здравствуйте - hello (literally means 'be healthy!')
поздравлять - to congratulate
праздник - celebration ● праздновать - to celebrate

Дядю Кати зовут Виктор. Он любит говорить, что жена друга, лучше чем друг жены. Может быть, поэтому он не женился?

Как вы думаете?

Грамматика

1. ADJECTIVE. The COMPARATIVE FORM is formed by replacing the usual ending by the ending **-ее**

E.g.: тёплый - теплее
веселый - веселее

Exceptions:

большо́й бо́льше
молодо́й моло́же
ра́нний ра́ньше
ста́рый ста́рше
хоро́ший лу́чше
плохо́й ху́же

большая больше

Remember: сумка старе́е
человек ста́рше

молодая моложе

● When comparing, either put the word you are comparing with into the Genitive case:

E.g.: Москва больше Рыбинска

● or use the word '**чем**' plus the Nominative case

E.g.: Москва больше, чем Рыбинск

} Moscow is bigger than Rybinsk

2. VERBS with the suffix **-ова, -ева** (чувствовать, праздновать, танцевать). These suffixes in the infinitive are replaced by **-у** when the verb in the Present tense is conjugated.

E.g.: Как вы себя чувствуете?   How are you feeling?
Я плохо себя чувствую.   I don't feel well.

3. The VERB 'желать' (conjugation II) takes the Genitive case.

E.g.: желать счастья и успехов to wish happiness and success

4. The PREPOSITION 'за' in the meaning '**to...** you!' takes the Accusative case.

E.g.: За вас!   To you!
За здоровье!   To health!
За успех!   To success!
За молодого музыканта!   To a young musician!
За всех красивых девушек! To all beautiful girls!

Поздравляем!

1 🎧 *Прослушайте диалоги и ответьте на вопросы.*

1. Почему Катя поздравляет Олега Петровича?
2. Какой подарок Катя делает Олегу Петровичу?
3. Как Олег Петрович завтракает?
4. Майкл знает, что у Олега Петровича день рождения? Почему вы так думаете?
5. Где собираются праздновать день рождения?
6. Почему Соня говорит, что она ошиблась?
7. Что желают Олегу Майкл и Катя?
8. За что предлагает тост Олег Петрович?
9. Какого числа празднуют Рождество в России?
10. Почему Катя не хочет танцевать?

2 Катя **подарила** (gave a present) Олегу Петровичу поздравительную открытку. *Напишите эту открытку за Катю.*

......................................*Олег Петрович,*
      Dear

.... *с* ....!
  Congratulations   birthday

....
   In honour of your birthday I wish you a wonderful day!

....
         I also wish you good health

и ....
     happiness

....*Катя.*
     With love, your

3 Кате надо поздравить с Пасхой Майкла и свою подругу Надю. Она пишет поздравительные открытки. *Напишите эти открытки за неё.*

4 Вчера на почте Катя купила Олегу Петровичу открытку. Какую из этих открыток Катя купила?

С ПРАЗДНИКОМ ПОБЕДЫ!

Прочитайте, что написано на открытках, и ответьте на вопросы.

С ПРАЗДНИКОМ!

С Новым Годом и Рождеством!

1. Какие два праздника, о которых говорил Олег Петрович, празднуют в России в мае?
2. Какой ваш любимый праздник и почему?
3. Какого числа ваш день рождения и как вы его обычно празднуете?

5   Вчера вечером Катя разговаривала со своей новой знакомой, которую зовут Соня. Она работает в гостинице. Вот их разговор.

Вставьте пропущенные слова, которые в рамке, и переведите их разговор на английский язык.

Соня: Тебе нравится наш город?

Катя: Да, мне ваш город нравится .... Рыбинска. Какой из этих городов ....?

Соня: Ну, конечно, Мышкин, **хотя** (although) он намного .... Рыбинска.

Катя: Скажите, пожалуйста, где в вашем городе можно купить пирожные?

Соня: Можно купить в буфете в гостинице, но .... покупать пирожные в центре города. Там хорошие магазины.

меньше ● больше ● лучше ● древнее

---

6 а После завтрака Катя опять рассказывает Майклу о своих друзьях. *Прослушайте запись и заполните таблицу.*

	Вера	**Павел**	**Зина**	**Иван**	**Люда**	**Яков**
компьютер						
машина						
квартира						
дача						
собака						
кошка						

6 б   *а) посмотрите на таблицу и скажите у кого какие вещи:*

лучше ● больше ● дороже ● дешевле ● старее ● старше

Коммуникативная игра.

б) обсудите со студентами вашей группы, кто из друзей Кати:

скучнее ● веселее ● интереснее ● моложе ● старше ● красивее

218

7 а Чай и пирожное - небольшой завтрак, поэтому позднее, чем обычно Катя, Майкл и Олег Петрович завтракают в кафе.

*Прослушайте их разговор и проставьте **дáты** (dates) дней рождения всех **члéнов** (members) семьи Кати и Олега Петровича и ответьте на вопросы.*

Семейное древо семьи Беловых

Пётр Николаевич = Вера Павловна

Михаил Ильич = Елена Петровна   Олег Петрович

Иван Иванович = Ольга Михайловна   Виктор Михайлович

Екатерина Ивановна

1. Как зовут маму и папу Кати и когда у них дни рождения?
2. Какого **числа** (date) день рождения Кати?
3. Кто старше - Олег Петрович или его сестра?
4. В каком году родились дедушка и бабушка Кати?
5. В каком месяце родился Олег Петрович?

7 б *Составьте своё семейное древо и напишите дни рождения членов вашей семьи.*

8 а До обеда Катя занималась английским языком. Она нашла в **словарé** (dictionary) все эти слова.

Прочитайте эти слова и найдите их английские эквиваленты.

флиртовáть	фотографúровать	to train	to get interested
тренировáть	интересовáться	to applaud	to photograph
организовáть	ликвидúровать	to emigrate	to guarantee
аплодúровать	рекомендовáть	to liquidate	to organise
эмигрúровать	гарантúровать	to recommend	to flirt

Поздравляем!

8 б *Закончите предложения, которые Катя начала писать.*

1. Эта фирма гарантир... ....
2. На дискотеке две девушки всё время флирт... с ....
3. Я не интерес... , потому что ....
4. Мы долго аплодир... , потому что ....
5. Что вы нам рекоменд... на ....
6. Ты хорошо фотографир... или ....?
7. Почему они эмигрир... в ....?
8. Этот молодой человек тренир... каждый день, поэтому ....

9 Перед обедом Катя, Майкл и Олег Петрович слушают интересную передачу по радио о русской истории. В конце этой передачи сообщаются даты русской истории.

*Прочитайте важные **события** (events) русской истории, прослушайте запись и проставьте даты.*

.... **Основание** (founding) Москвы

.... **Начало** (start) татаро-монгольского **ига** (yoke)

.... Москва - политический центр **Руси** (России)

.... **Конец** (end) татаро-монгольского ига

.... Иван IV (Иван Грозный) - **царь** (tsar)

.... Борис Годунов - царь

.... Пётр Первый - царь

.... Пётр Первый в Англии

.... Основание С. Петербурга

.... Екатерина II ➔

.... Война с Наполеоном

.... **Восстание** (revolt) Декабристов

.... Февральская революция

.... Начало Первой **мировой** (world) войны

.... Октябрьская Социалистическая революция

.... Вторая мировая война

.... Начало перестройки

.... **Путч** (coup), конец СССР

Поздравляем!

10 a   Катя собиралась **выбросить** (throw out) старое письмо своей подруги.

Вставьте пропущенные в письме слова и переведите его.

Ялта 5 мая.

Катя, привет!

Как у тебя дела? Как твой друг?

Пишу тебе с юга. Погода здесь чудесная и компания тоже. Ты всех знаешь и поэтому, я думаю, тебя .... наша жизнь здесь. Я много .... Посмотришь фотографии, когда мы приедем домой.

Первые два дня я плохо себя ...., но сейчас всё в порядке, ... себя отлично.

Как ты знаешь, нашу поездку .... Яшка. Он это хорошо делает. По утрам все, кроме Яшки встают поздно и идут на пляж. А Яшка, конечно, каждый день встаёт рано и .... Хочет быть чемпионом!

Мы ему всегда ...., когда он приходит с тренировок. Он, как ты знаешь, любит аплодисменты.

По вечерам на дискотеке мы ...., а Люда со всеми .... Ты знаешь, как она любит флирт.

В субботу будем .... день рождения Зины.

В Москву приедем 15 мая.

До скорого. Жду твоего письма,

Вера.

тренирова́ться	флиртова́ть	организова́ть
фотографи́ровать	танцева́ть	чу́вствовать
интересова́ть/ся	пра́здновать	аплоди́ровать

10 б   *Напишите ответ подруге Кати от имени Кати и расскажите ей о том*

- в каких городах Катя, Майкл и Олег были, и опишите эти города
- как Катя потеряла сумку
- как Катя ходила в музей и в магазины, и что она купила
- как они празднуют день рождения Олега Петровича
- что они будут делать завтра

11 а Во время обеда Катя рассказывает о том, как она обычно празднует Новый год.

Прослушайте запись, вставьте пропущенные слова и переведите текст.

Новый год все обычно .... за столом .... или в семейном <u>кругу</u>.	circle
<u>Провожают</u> .... год .... , а Новый год в <u>полночь</u>, в 12 .... встречают	see off midnight
<u>Некоторые</u> .... слушать поздравления .... или телевизору. Ну, а потом	some people
<u>зависит</u> от компании .... ты встречаешь Новый год: .... , песни, танцы, шарады, игры. Если погода .... <u>иногда</u> я с друзьями .... кататься на <u>санках</u>. И так всю ночь. Очень .... ! На следующий день на .... никого нет - все	depends on sometimes toboggan

11 б *Расскажите о том, как вы празднуете Рождество. Опишите свой рождественский обед. Какие подарки вы дарите своим друзьям и членам своей семьи.*

12 Ну Кати есть сюрприз для Олега Петровича - кассета, которую он слушает после праздничного обеда.
Прослушайте запись, посмотрите на семейное древо Олега Петровича на странице 219 и заполните таблицу.

имя	пожелания	о себе	что ещё?

13   Майкл заказал в ресторане стол на троих. Теперь ваша о́чередь заказать стол в ресторане.

Ролевая игра.

клиент

- закажите стол на дво́йх (четверы́х, пятеры́х, шестеры́х, семеры́х...)
- один из вашей компании вегетериа́нец
- у одного из вас сегодня день рождения

работник ресторана

- слушайте вопросы и отвечайте на них
- узнайте, на какое время клиент хочет заказать стол

---

14   В ресторане Майкл предлагает тост за Олега Петровича. Какие тосты предлагают Катя и Олег?

Недалеко от них за большим столом ужинает большая компания. Они тоже предлагают тосты.

Предложите тосты за всех этих **людей** *(people):*

молодые специалисты ● великие композиторы
хорошие студенты ● известные музыканты
любимые девушки ● весёлые дети
старые друзья ● чудесные родители
● интересные коллеги ●

---

15   За другим столом ужинает молодая семья.
Прослушайте о чём они говорят и ответьте на вопросы

1. Какой праздник девочка любит больше всего и почему?
2. Как вы думаете, кто такой Дед Мороз?
3. Как зовут девочку?
4. Как вы думаете, что такое Ёлка?
5. Сколько человек за столом?
6. Сколько девочке лет?
7. Куда девочка хочет пойти и почему?
8. В каком месяце обычно **бывает** (happen to be) Ёлка?
9. Что Дед Мороз **подарил** (gave as a present) девочке на Новый год?

16 *Прочитайте текст и ответьте на вопросы.*

Пасха

Па́сха - <u>самый</u> главный <u>православный</u> праздник. Она <u>бывает</u> весной в <u>разное</u> время, обычно в апреле или в мае. Раз в четыре года православная Пасха <u>совпадает</u> с католической.	Easter / the most Orthodox / happens different / coincides

Па́сха - <u>самый</u> главный <u>православный</u> праздник. Она <u>бывает</u> весной в <u>разное</u> время, обычно в апреле или в мае. Раз в четыре года православная Пасха <u>совпадает</u> с католической. — *Easter; the most; Orthodox; happens; different; coincides*

Пасхе <u>предшествует</u> семинедельный <u>пост</u>. Во время поста нельзя <u>есть</u> <u>мясо</u> и молочные продукты. Последняя неделя поста особенно <u>строгая</u>: надо <u>часто</u> ходить в <u>церковь</u> и активно готовиться к празднику. В четверг перед Пасхой все <u>убираются</u> дома, поэтому этот четверг называется "<u>чистым</u>". В пятницу вечером в церкви <u>печальная</u> <u>служба</u>. — *precedes; fasting; to eat; meat; strict; often; church; tidy up; clean; sad; service*

Но самая главная служба начинается в субботу поздно вечером и <u>заканчивается</u> в воскресенье утром. Все <u>приносят</u> на службу специально <u>приготовленную</u> еду: кули́ч - пасха́льный кекс; пасху, которая <u>похожа</u> на английский чизкейк, и <u>крашеные</u> <u>яйца</u> для <u>освящения</u>. Пасхальная служба начинается с <u>кресного хода</u> и <u>продолжается</u> в <u>ярко освещённой</u> церкви под <u>звон</u> <u>колоколов</u>! Утром после службы все <u>целуются</u> и желают друг другу всего самого лучшего. После службы можно "разгове́ться" - есть и пить много и <u>вкусно</u>. — *finishes; bring; prepared; alike; dyed eggs; blessing; religious procession/continues/brightly; lit; chime; bells; kiss; tasty*

1. В какое время года бывает Пасха?
2. Когда католическая Пасха и православная совпадают?
3. Что такое "пост"?
4. Какую еду готовят на Пасху?
5. Почему на пасхальную службу приносят еду?
6. Когда можно есть и пить?
7. Вы ходите в церковь?
8. Вы празднуете Пасху, Рождество? Почему? Расскажите об этом.

Crossword grid with numbered cells 1-22.

По горизонтали:

1. Во вторник вечером Катя, Майкл и Олег ... день рождения Олега.
7. В космос **запускают** (launch) много ракет.
8. Вчера Катя купила ... блузки и одни джинсы.
9. Книга о Волге стоила ... рублей.
11. Как ... любите праздновать свой день рождения?
12. Перед обедом Катя обычно думает о ... .
14. ... Катя, ... Олег не знают Шуру Чернова.
17. В России Рождество празднуют седьмого ... .
19. Туфли надо примерить на ... .
20. Англичане ... празднуют Новый год.
21. Катя говорит, что она хорошо ..., но сейчас не хочет, потому что плохо себя чувствует.
22. Как и в Англии в России осенью ... плохая погода.

По вертикали:

1. Рано утром Катя ... Олега Петровича с днём рождения.
2. Катя, Олег Петрович и Майкл поехали в Рыбинск в ... .
3. Англичане празднуют Рождество в ... .
4. У Майкла день рождения в ... .
5. ... - очень хороший месяц. Погода тёплая, все отдыхают.
6. Майкл: Я ... наследницу Шуры Чернова.
10. Я не была в вашем городе. ... его, пожалуйста.
13. Два ... в неделю Катя занимается английским языком.
15. Конверты, марки и открытки можно купить ... почте.
16. Олег Петрович читает лекции в университете ... средам.
18. Это не винный магазин, и поэтому у нас нет ни ..., ни водки.
19. Катя хочет купить пирожное, но в кафе пирожных ... .

Поздно вечером в номере гостиницы.

Катя:	Ой как мне плохо! У меня всё **болит**.
Олег:	Катюша, что с тобой? Что у тебя болит?
Катя:	Всё: **голова, живот, руки**, ноги, **даже глаза** болят.
Олег:	**Горло** болит?
Катя:	Нет, горло не болит.
Олег:	Значит это не **грипп**.
Майкл:	Может быть, **вызвать врача**? Надо узнать у дежурной.
Олег:	Катюша, **лежи** не вставай, а Майкл вызовет врача. Тебе **чего-нибудь** хочется?
Катя:	Мне хочется чая. Сколько сейчас времени?
Олег:	Без четверти одиннадцать. И ресторан и **столовая** закрыты.

Через полчаса.

Катя:	Сколько сейчас времени?
Олег:	Четверть двенадцатого.
Катя:	Так поздно! Все врачи уже спят. *(Стук в дверь)* **Войдите**.
Врач:	Здравствуйте, где больная?
Катя:	Здравствуйте, **доктор**, я здесь.
Олег:	Здравствуйте, доктор, я буду ждать вас в **коридоре**.
Врач:	Что с тобой?
Катя:	Меня **тошнит** и болит всё **тело**.
Врач:	**Температура** есть?
Катя:	Нет, температура **нормальная**.
Врач:	Вы сегодня **что-то** праздновали?
Катя:	Откуда вы знаете?
Врач:	Я всё знаю. Что ты пила?
Катя:	Я пила вместе **со всеми шампанское**.
Врач:	А потом пила водку, правильно? У тебя **типичное алкогольное отравление**. Тебе нельзя **так** много пить.
Катя:	Правда? Только, пожалуйста, ничего не говорите моему дяде. Очень **прошу**.
Врач:	Если это случилось с тобой в первый раз, я никому ничего не скажу.
Катя:	Что мне теперь делать?

Больная

Врач: Я **рекомендую** лежать и пить много воды.

Катя: А **таблетки** от **этой болезни** есть?

Врач: Это не болезнь, и я **гарантирую**, что завтра ты уже будешь **абсолютно** здорова. Но больше **никогда** так много алкоголя не пей.

Катя: Никогда не буду!

Врач: Ты же знаешь, в здоровом теле - здоровый **дух**!

больна́я	patient (female)	те́ло	body
боли́т	hurts/sore	температу́ра	temperature
голова́	head	норма́льная	normal
живо́т	stomach	что́-то	something
рука́/ру́ки	hand/hands	со все́ми	with everybody
да́же	even	шампа́нское	champagne
глаз/глаза́	eye/eyes	типи́чный	typical
го́рло	throat	алкого́ль	alcohol
грипп	flu	отравле́ние	poisoning
вы́звать	to call	так	so
врач	doctor	проси́ть	to beg
лежа́ть	to lie down	рекомендова́ть	to rccommend
чего́-нибудь	anything	вода́	water
столо́вая	canteen	табле́тка	tablet
че́рез	in *(see Grammar)*	э́та	this
стук в дверь	knock on the door	боле́знь	illness
войди́те	come in	гаранти́ровать	to guarantee
до́ктор	doctor	абсолю́тно	absolutely
коридо́р	corridor	никогда́	never
тошни́ть	to feel sick	дух	spirit

ка́шель	cough
лека́рство	medicine
лече́ние	treatment
лечи́ть/ся	to treat/receive/undergo treatment
назна́чить лече́ние	to prescribe treatment
на́сморк	runny nose
просту́да	cold
реце́пт	prescription
сыпь	rash

дополнительный словарь

Больная

Notes: **Части тела и лица**   **Parts of the body and face**

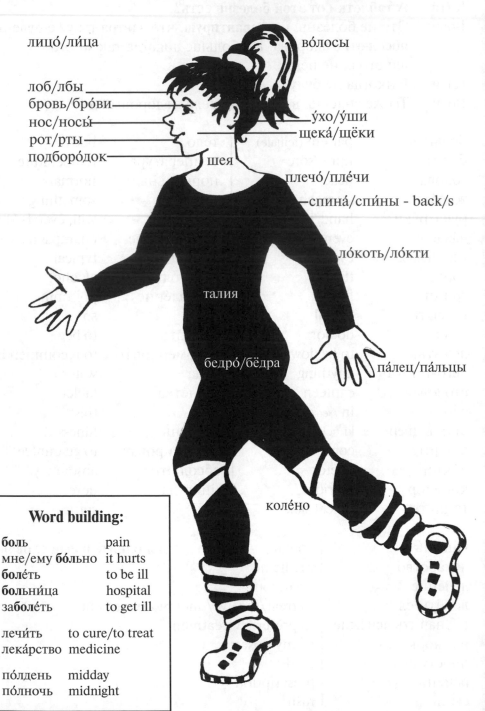

лицо́/ли́ца

во́лосы

лоб/лбы

бровь/бро́ви

нос/носы́

рот/рты

подборо́док

у́хо/у́ши

щека́/щёки

шея

плечо́/пле́чи

спина́/спи́ны - back/s

ло́коть/ло́кти

талия

бедро́/бёдра

па́лец/па́льцы

коле́но

Word building:

боль	pain
мне/ему **бо́льно**	it hurts
боле́ть	to be ill
больни́ца	hospital
за**боле́ть**	to get ill
лечи́ть	to cure/to treat
лека́рство	medicine
по́лдень	midday
по́лночь	midnight

228

Грамматика

1. PRONOUN. The INDEFINITE PRONOUNS 'чего-нибудь', 'что-то' are formed from the question words (кто, где, куда, когда, почему, etc.) with the particle -нибудь, -то which are written with a hyphen and never change.

The particle **-то** indicates that the person, or object spoken about is not known.

E.g.: Кто-то хочет пить.   Somebody wants to drink.
                                  (we do not know who)

The particle **-нибудь** implies someone or something indefinite.

E.g.: Кто-нибудь хочет пить?   Does anyone want a drink?

2. PRONOUN. The INTERROGATIVE PRONOUNS: кто, что
See page 335 of the Grammar Reference for declension

3. PRONOUN. The DEMONSTRATIVE PRONOUN
                             этот (m) это (n) эта (f) эти (pl)- this
(Revision)   See page 105 [4]. For declension see page 335
E.g.: Где вы видели этих девушек?   Where did you see these girls?

4. IMPERSONAL EXPRESSIONS. We have already come across some of the impersonal expressions in lesson 12: мне правится, ему кажется which are used with the Dative case. Impersonal expressions can be formed the same way (with the Dative case) with adverbs.

E.g.: мне плохо   I feel ill
       ей больно   she is hurt
       нам смешно   it makes us laugh
       мне хочется   I would like

5. NOUN. ADJECTIVAL NOUNS have the form of an adjective and decline like them but function like nouns.
E.g.: Где больная?   Where is the patient?
       В столовой нет шампанского. There is no champagne in canteen.

These are the ones we have come across so far:
                   дежурная ● знакомый ● мороженое,
       первое - first course ● второе - second course ● третье - dessert

6. PREPOSITION: 'через' - in/across takes Accusative case.
'через' means 'in' when used with time.
E.g.: через неделю, через год   in a week, in a year

'через' means 'across' when used with places
E.g.: Она идёт через улицу.   She walks across the street.

Больная

1 *Прослушайте диалоги и ответьте на вопросы.*

1. Что у Кати болит?
2. Почему Олег Петрович думает, что у Кати не грипп?
3. Кто хочет вызвать врача?
4. Почему ресторан и столовая закрыты?
5. Чего Кате хочется?
6. Почему Катя думает, что все врачи уже спят?
7. Как вы думаете, почему врач "всё знает"?
8. Чем Катя больна?
9. Что врач рекомендует и что гарантирует?
10. Почему Катя не хочет говорить о своей "болезни" Олегу Петровичу?

2 *Выберите слова из двух списков и составьте семь предложений.*

У меня/него/вас... болит/болят

уши
рука
нога
зубы
глаза
горло
живот

мне/ему/вам... нельзя

идти гулять
пить молоко
смотреть кино
слушать радио
идти на работу
играть в волейбол
заниматься спортом

3 **Коммуникативная игра.** *По очереди задавайте друг другу вопросы и отвечайте на них.*

Вопросы:
Что вы делаете, когда у вас:
● болит нога, живот, зубы, глаза, горло
● t° 38,5
● когда вас тошнит

Ответы:
● лежать, спать
● пить много чая
● пить лекарство
● вызвать врача

4 *Составвьте предложения, используя слова из всех рамок.*

когда	я ты он/она мы вы они	нравится кажется хочется больно плохо	узнать купить лежать спрашивать вызвать врача

5   *Вставьте пропущенные слова и переведите текст.*

Катя лежала с закрытыми глазами и о .... думала. Ей .... хотелось, но она не знала чего. .... далеко .... говорил о ней, но Катя ничего не понимала - ей было очень плохо. Она хотела .... сказать об этом, но в этот момент узнала голос Майкла. Майкл .... читал. Катя лежала и слушала. Она узнала стихотворение, которое читал Майкл и ей **стало** (became) смешно.

кто-то	кому -то	кому-нибудь	где-то
что-то	чего-то	чём-то	

6   *Прочитайте и переведите стихотворéние, которое Майкл читал Кате.*

Почему у человека
две руки и один <u>язы́к</u>.   tongue

       С.Я.Маршак

Одна <u>дана́</u> нам голова,   given
А глаза два и уха два,
И два виска́, и две <u>щеки́</u>,   temples cheeks
И две ноги, и две руки.

<u>Зато́</u> один и нос и рот.   but
<u>А будь</u> у нас <u>наоборо́т</u>,   if vice vérsa
Одна нога, одна рука,
Зато два рта, два языка, -

Мы только <u>бы и знали</u>,   would have
Что <u>éли да болта́ли</u>.   ate and chatted

7   После этого стихотворения Кате стало лучше, и она **загада́ла** (asked) Майклу **зага́дку** (riddle). Он её **отгада́л** (guessed), а вы можете её отгадать?

> *Загадка:*
>
> Два брата через **дорогу** (road) живут,
>   а друг друга не видят.

глаза

урок № 15 — Больная

8 🎧 Майкл думает, что Катя серьёзна больна. Он идёт к дежурной, потому что хочет узнать, как можно вызвать врача. Вот их разговор.

Прослушайте запись, вставьте пропущенные слова, переведите их разговор и ответьте на вопросы.

Дежурная: Что вы ....?
Майкл: Вы не ...., как можно .... врача?
Дежурная: Что ....?
Майкл: Катя Калашникова заболела.
Дежурная: Что с ....? Грипп?
Майкл: Я не знаю. У .... всё ....
Дежурная: Сейчас уже ...., медпункт не работает, ... ушла домой. .... подождать ....
Майкл: Но .... очень .... Что же .... ?
Дежурная: Подождите, ..., я сейчас ...., пожалуйста, ...
Майкл: Сейчас: .... Спасибо. Вы не знаете, как врача .... ?
Дежурная: .... зовут Зинаида Абрамовна.
Майкл: Спасибо.

1. Почему Майкл хочет вызвать врача?
2. О какой проблеме говорит дежурная?
3. Как зовут врача?
4. Как Майкл вызывает врача?
5. Как можно вызвать врача в вашем городе/деревне?

9 Дежурная рассказала Майклу не очень тактичный в данной ситуации анекдот.

Прочитайте, переведите и перескажите его

Операцию делает студент медицинского института <u>под наблюдением</u> профессора. Больной под местным <u>наркозом</u> и слышит, как профессор говорит студенту: "- Идиот, что ты <u>отрезал</u>?!"

under supervision
anaesthetic
cut off

232

10 Майкл вызывает врача.

Прослушайте запись и напишите пять вопросов, которые задаёт врач.

1. ....

2. ....

3. ....

4. ....

5. ....

11 *Ролевая игра. Распределите роли: один из вас больной и хочет вызвать врача, другой - работает в больнице.*

работник больницы	больной/ая
• узнайте в чём дело	• объясните проблему
• спросите о симптомах болезни	• опишите симптомы болезни
• узнайте, какая температура	• ответьте на вопросы,
• когда заболел/а	которые вам задают

12 Дежурная думала, что Майклу нравится чёрный юмор и она рассказала ему ещё один анекдот.

В результате перестройки в России теперь есть новая категория <u>людей</u>, у которых очень много денег, но <u>сами</u> они не очень <u>культурные</u>. Этих людей называют "новыми русскими".	people themselves cultured
Один такой "новый русский" хочет <u>заранее</u> купить <u>себе</u> <u>гроб</u>.	beforehand for himself coffin
Его спрашивают, какой гроб он хочет - <u>золотой</u> или <u>деревянный</u>.	golden wooden
"Новый русский" думает: Золотой, конечно, дороже и престижнее, <u>но зато</u> деревянный лучше для здоровья!	on the other hand

13   Пока Майкл ждал врача в холле гостиницы, он слушал, как две девушки разговаривали о какой-то фотографии.

Прочитайте и переведите их разговор, вставьте пропущенные слова (Demonstative pronoun 'this')

Первая: Ты кого-нибудь узнаёшь на ...... фотографии? Посмотри
на ...... девушку, узнаёшь её? ...... - Зоя.
Вторая: Не может быть! Я её не узнала в ...... очках.
Первая: А ...... молодых мужчин ты знаешь очень хорошо.
Правда ...... мужчину трудно узнать в ...... пальто и с
...... сумками.
Вторая: Кто ......?
Первая: С ...... молодым человеком ты танцевала, а ...... писала
письмо. Теперь узнаёшь?
Вторая: Не может быть!

14   Майкл не очень долго ждал врача в холле гостиницы. Через какое-то время приехала врач. Вот их разговор.

Прочитайте и переведите их разговор, слова в скобках поставьте в нужной форме.

Врач: Где (больная)?
Дежурная: Она в пятом номере. Я сейчас скажу её (знакомый), и
он покажет вам её комнату.
Майкл: Здравствуйте, доктор.
Врач: Здравствуйте. Покажите мне (больная) и скажите, вы
сегодня обедали в (столовая) или в ресторане?
Майкл: Мы обедали в (столовая), а ужинали в ресторане.
Врач: Ах, вот как! Какая еда была на ужин?
Майкл: На (третье) было много (мороженное). Катя его очень
любит. Может быть, она
поэтому болеет?
Врач: Что вы пили?
Майкл: Немного (шампанское).
Врач: И это всё?
Майкл: Ну, может быть, немного
водки.
Врач: Понимаю... . Так где
(больная)?
Майкл: Идёмте, я покажу.

15 *Коммуникативная игра. Распределите роли и выберите одну из карточек. Одна большая карточка для врача и четыре **маленькие** (small) карточки для четырёх больных. Разыграйте по ролям разговор врача с больными.*

Врач

Вам надо узнать, чем больной/ая болен/больна (спросите его/её о симптомах болезни) и назначить ему/ей лечение.

болезнь	симптомы	лечение
вирусный грипп	высокая температура горло и голова болят насморк	пенициллин (1 таблетка 4 раза в день) много пить лежать
аллергия	высокая температура сыпь насморк кашель	супрастин (1 таблетка 2 раза в день) диета
простуда	небольшая температура головная боль насморк	аспирин (1 таблетка 3 раза в день) тёплое питьё
скарлатина	высокая температура сыпь горло болит кашель	пенициллин (1 таблетка 3 раза в день) лежать много пить

больной/ая №1
симптомы:
кашель, головная боль,
насморк, t° 37,2

больной/ая №2
симптомы: головная боль,
насморк, t° 38,2, кашель, сыпь

больной/ая №3
симптомы:
горло болит, насморк,
головная боль, t° 38,5

больной/ая №4
симптомы:
кашель, горло болит,
сыпь, t° 39,5

16   Майкл хочет узнать, когда и где он может купить лекарство для Кати. Дежурная **занята** (busy), она говорит по телефону. Майкл ждёт, когда она **кончит** (finish) говорить.

Прослушайте её телефонный разговор и ответьте на вопросы.

1. Как дежурную зовут?
2. Почему женщина не может прийти на работу?
3. Что у неё болит?
4. Какая у неё температура?
5. Кто будет вызывать ей врача?
6. Как она себя чувствовала вчера?
7. Что ей рекомендует дежурная?

17   Пока дежурная говорила по телефону, Майкл ждал её и смотрел на эти **рекламы** (advertisements) в холле гостиницы.

Прочитайте рекламы и ответьте на вопросы.

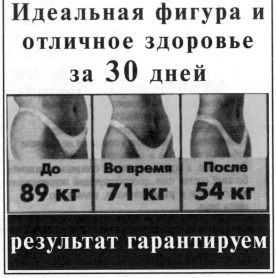

терапевтический массаж
всего тела
или спины и плеч
поможет избавиться от стресса, боли и дискомфорта.
У вас дома.
0181 654 7041
Постоянным клиентам - скидка

Идеальная фигура и отличное здоровье за 30 дней

До 89 кг   Во время 71 кг   После 54 кг

результат гарантируем

1. Что в этих рекламах рекламируется?
2. Какая реклама интересна человеку, который много работает и у которого нет времени отдыхать?
3. Какая реклама интересна человеку, который никогда не занимается спортом?

18   *Составьте рекламу своего любимого лекарства. Скажите, от каких болезней это лекарство. Напишите пять предложений.*

19 🎧 Катя плохо себя чувствует и не может спать. Ей скучно и она слушает кассету, которую купила в подарок Лизе, маленькой девочке, за которой она смотрит в Москве. На кассете любимая **сказка** (fairy tale) Лизы.

*Прослушайте две **части** (parts) этой записи, вставьте пропущенные слова и ответьте на вопросы.*

Первая часть: **Красная шапочка**

<u>Сказка</u> Шарля Перро	fairy tale

Жила была в одной .... маленькая ....,		
такая хорошенькая, что .... её <u>на свете</u> не	in the world	
.... Мама .... её <u>без памяти</u>, а	to bits	
ещё .... Ко дню .... подарила		
бабушка .... шапочку. <u>С тех пор</u>	since then	
<u>всюду</u> .... в своей .... <u>нарядной</u>	everywhere	smart
красной шапочке. <u>Соседи</u> так <u>про</u> .... и	neighbours	about
говорили: "......... Красная Шапочка ....".		
Как-то .... <u>испекла</u> .... <u>пирожок</u> и	baked	small pie
.... дочке: "<u>Сходи-ка</u> ...., Красная	go	
Шапочка к ...., <u>снеси</u> ей .... пирожок и	bring	
<u>горшочек</u> ...., да узнай, ... ли она.	pot	
.... Красная Шапочка и .... к бабушке		
в .... деревню. .... она лесом, а на		
встречу .... волк.	wolf	

1. Как называется эта сказка по-английски?
2. О каких четырёх частях тела спрашивает Красная Шапочка волка?
3. *Выберите и напишите ответы, которые даёт волк.*
   Волк: "Это, чтобы лучше ..."
   съесть (eat up) ● ходить ● танцевать ● видеть ● пить
   говорить ● слышать ● искать ● обнять (imbrace) ● петь

Больная

По горизонтали:
1. Когда болит ..., мороженое нельзя.
3. Кроме Кати, в гостинице никто не ... .
7. Катя много пила, поэтому ей ... плохо.
8. Обычно в Лондоне Майкл играет в теннис ... средам.
11. ... Москвы до Рыбинска 400 километров.
12. Такие ..., как скарлатина, лучше лечить в больнице.
13. Майкл купил 300 ... конфет для Кати.
14. Катя не хочет думать ... обеде, потому что её тошнит.
18. Все Катины покупки лежат ... столом у неё в комнате.
19. В ресторане вместе со ... Катя пила шампанское.
20. У Кати всё болит: голова, ..., руки, ноги, даже глаза болят.

По вертикали:
1. Врач думает, что у Кати алкогольное отравление, а не ... .
2. Кате кажется, что правая ... у неё болит больше, чем левая.
4. Катя: Я ... на кровати в своей комнате.
5. Майкл: Катя ... на кровати в своей комнате.
6. Майкл идёт за ... аспирина в аптеку.
9. Кате скоро будет двадцать один ... .
10. Где мои очки? Вот ... .
13. Что значит ...?   Это значит грамм.
15. У Кати алкогольное отравление, поэтому у неё всё ... .
16. У Кати всё болит, ... глаза болят.
17. Сколько ... в этом тексте?

КОНТРОЛЬНАЯ РАБОТА

Put a tick in the box by the correct word.

1. Платье ☐ Катя ☐ мал   ☐ велик   ☐ не идёт
            ☐ Кати ☐ мала а блузка ☐ велика и ☐ не есть
            ☐ Кате ☐ мало   ☐ велико ☐ не была

2. ☐ Катя ☐ нужны ☐ конвертов   ☐ красивой ☐ марками
   ☐ Кати ☐ нужна ☐ конвертам с ☐ красивыми ☐ марок
   ☐ Кате ☐ нужен ☐ конверты   ☐ красивым ☐ марки

3. ☐ Какой   ☐ цвет   ☐ не было
   ☐ Какие размера и ☐ цвета юбки ☐ не была в магазине?
   ☐ Какого   ☐ цветов   ☐ не были

4. ☐ Зима   ☐ погода ☐ тёплая   ☐ Москве
   ☐ Зимы в Лондоне ☐ погоды ☐ тёплой чем в ☐ Москвы
   ☐ Зимой   ☐ погодой ☐ теплее   ☐ Москва

5. Олег ☐ поздравляет   ☐ за ☐ его   ☐ друзьям
        ☐ празднует тост ☐ на ☐ своих ☐ друзьях
        ☐ предлагает   ☐ из ☐ наших ☐ друзей

6. ☐ Катя ☐ молодая   ☐ пять   ☐ год
   ☐ Кате ☐ молодую Майкла на ☐ пяти   ☐ года
   ☐ Катю ☐ моложе   ☐ пятый ☐ лет

7. ☐ Потом ☐ ресторана   ☐ тело ☐ себя чувствовать
   ☐ После ☐ рестораном Катя ☐ горло ☐ себя чувствует
   ☐ Просто ☐ рестораны   ☐ плохо ☐ себя чувствуем

8. ☐ Врач ☐ рекомендовать ☐ Катя ☐ лежать
   ☐ Врача ☐ рекомендовали ☐ Кате ☐ танцевать и спать
   ☐ Врачу ☐ рекомендует   ☐ Катю ☐ тошнить

9. ☐ Катя ☐ просить ☐ врач ☐ ничего   ☐ Олег
   ☐ Кате ☐ прошу   ☐ врача ☐ никому не говорить ☐ Олегу
   ☐ Катю ☐ просит ☐ врачу ☐ никто   ☐ Олега

Score: .... out of 37

На пароходе.

Катя: **Ура**! Пароход отправляется! До свидания, город Мышкин. Сколько отсюда **километров до** Москвы?

Майкл: Я не знаю, но один день и одну **ночь** мы **точно проведём** на пароходе.

Катя: Ах, как здесь хорошо! Какая сегодня чудесная погода! **Больше всего** люблю весну! И мой **самый** любимый вид **транспорта** пароход.

Олег: Разве ты раньше **плавала** на пароходе?

Катя: Нет, это первый раз. Но я чувствую, что это **путешествие** будет самым лучшим в моей **жизни**. А вы любите **путешествовать** пароходом?

Олег: Очень. В **детстве** я **часто** плавал на пароходе. Майкл, я вам раньше не говорил, что я **родом** из этих **мест**?

Майкл: Значит вы хорошо знаете наш **маршрут**?

Олег: Конечно, знаю. В детстве я **мечтал** о **кругосветном** путешествии. Детские **мечты**! Как говорится, мечтать не **запрещается**. Катюша, как ты себя чувствуешь сегодня?

Катя: Отлично!.

Олег: Тебе не **холодно**? По-моему, **ветер** очень холодный.

Катя: Олег Петрович, **прошу** вас, не **беспокойтесь**. Я абсолютно здорова. Майкл, какое **время года** ты больше всего любишь?

Майкл: Я люблю русскую зиму. "**Мороз** и **солнце**; день чудесный!", но, к сожалению, в Англии не **бывает** русской зимы. Олег Петрович, вы не помните в каком году мы с вами **катались** на лыжах где-то в **подмосковном** лесу?

Олег: В каком году это было я не помню, но помню, что погода была **действительно** чудесная.

Катя: А какая погода в Англии зимой?

Майкл: **Прохладная**, серая, **дождливая**, дни **короткие**. Зимой у меня обычно бывает **депрессия**. В это время я всегда **стараюсь** отдыхать где-нибудь на юге или в России. **Иногда** у меня бывают **командировки**.

Мобильный телефон Майкла звонит.

Майкл: Алло, я слушаю. Да-да, это я. Здравствуйте.

(Олегу Петровичу) Это Шура Чернов.

(Шуре Чернову) К сожалению, у меня для вас плохие новости. Что? Правда? Не может быть! Поздравляю! Вот это **сюрприз**! Когда? Отлично!

пароход	boat	запрещать/ся	to forbid
ура́	hurrah	хо́лодно	cold
киломе́тр	kilometer	ве́тер	wind
до	as far as/up to	проси́ть	to ask for smth
ночь	night	беспоко́иться	to worry
то́чно	definitely	вре́мя го́да	season
проводи́ть	to spend	моро́з	frost
бо́льше всего́	most of all	со́лнце	sun
са́мый	the most	быва́ть	*(see Grammar)*
тра́нспорт	transport	ката́ться	*(see page 136 [2])*
пла́вать	to sail/to swim	подмоско́вный	Moscow region
путеше́ствие	journey	действи́тельно	really
жизнь	life	прохла́дный	cool
путеше́ствовать	to travel	дождли́вый	rainy
де́тство	childhood	коро́ткий	short
ча́сто	often	депре́ссия	depression
ро́дом	to come from	стара́ться	to try
ме́сто	place	иногда́	sometimes
маршру́т	route	командиро́вка	business trip
мечта́ть	to dream	звони́ть	to ring/ to phone
кругосве́тный	round-the-world	сюрпри́з	surprise
мечта́	a dream		

гололёд	black ice	дождь	rain	о́блако	cloud
град	hail	жара́	heat	снег	snow
гроза́	thunderstorm	мете́ль	snowstorm	тума́н	fog
гром	thunder	мо́лния	lightning	ту́ча	storm-cloud

	Present		*Past*	*Future*
ве́тер	ду́ет	(blows)	дул	будет дуть
со́лнце	све́тит	(shines)	свети́ло	будет свети́ть

оса́дки - precipitation:

снег, дождь, град	идёт	(is)	шёл	пойдёт

241

На пароходе

Notes:

1. Adjectives:

ве́тер	ве́тренный	windy
дождь	дождли́вый	rainy
жара́	жа́ркий	hot
моро́з	моро́зный	frosty
о́блако	о́блачный	cloudy
снег	сне́жный	snowy
со́лнце	со́лнечный	sunny
тума́н	тума́нный	foggy/misty

2. In lesson 14, exercise 15 (listening comprehension) the little girl is talking about Дед Мороз. Literally it means Granddad Frost. He is the Russian equivalent of the English Father Christmas. He usually has a little helper Снегу́рочка, his granddaughter. Снегурочка (literally means a girl made out of snow) is a character from a Russian fairy tale: a childless couple made a girl out of snow and adopted her. She was a charming girl loved by everyone. When summer came she went for a walk in the woods with her friends and melted away in the heat of the sun and the bonfire. The Russian writer A. Ostrovsky wrote an elaborate love story with more characters but the same inevitable tragic ending. This plot was used by Rimsky-Korsakov for his opera.

↓ Дед Мороз и Снегурочка едут на тро́йке.

На пароходе урок № 16

Грамматика

1. ADJECTIVES. The SUPERLATIVE FORM of adjectives is formed with the help of the adjective '**самый/самое/самая/самые**' put before the main adjective.

E.g.: самый смешной клоун   the funniest clown
самая холодная зима   the coldest winter

Exception:

- Some of the adjectives already have a separate superlative form:

хоро́ший - **лу́чший**

плохо́й - **ху́дший**

E.g.: Метро - лучший вид транспорта.   The tube is the best transport

- Sometimes for emphasis, they are used with the adjective 'самый'

E.g.: **самые лучшие** пожелания   best wishes

- To say 'most of all' use the set expression '**больше всего**'.

E.g.: Больше всего я люблю зиму   I like winter most of all

2. NOUNS. The PREPOSITIONAL CASE. Some masculine nouns have the ending **-у** in the part of the Prepositional case which denotes location, answers the question 'где?' and is used with the prepositions '**в**' or '**на**'.

Compare:

Вчера я была в лесу́.   I was in the forest yesterday.
Я думаю о лесе.   I am thinking about the forest.

- These are the words that follow this rule which we have already come across:

в аэропорту́ • в глазу́ • в году́ • в лесу́ • в носу́ • во рту́ • на снегу́

3. VERB 'бывать' (to be) denotes repetitive or frequent action.

E.g.: В Англии не бывает холодной   England doesn't have cold winters.
зимы.
Майкл часто бывает в Москве.   Michael often comes to Moscow.

4. Revision. There are two ways of saying 'to travel by means of transport'
- 'на' + 'means of transport' in the Prepositional case
- 'means of transport' in the Instrumental case

E.g.: ехать **на** машин**е** и **на** поезд**е** ⎫
ехать машин**ой** и поезд**ом** ⎭ to go by car and by train

1 *Прослушайте диалоги и ответьте на вопросы.*

1. Как далеко город Мышкин от Москвы?
2. Какое время года Катя любит больше всего?
3. Сколько раз Катя плавала на пароходе?
4. Как вы думаете, где родился Олег Петрович?
5. О чём мечтал Олег Петрович в детстве?
6. Почему Олег Петрович беспокоится о здоровье Кати?
7. Какое время года любит Майкл и почему?
8. Почему Майкл не любит английскую зиму?
9. Где Майкл любит отдыхать зимой?
10. Как вы думаете, какой у Шуры Чернова сюрприз для Майкла?

2 Вы помните, как Майкл говорит: "Мороз и солнце; день чудесный!"? Это **цитата** (quatation) из **стихотворения** (poem) А.С.Пушкина "Зимнее утро", которое вы можете прочитать по-русски и по-английски в переводе Мэри Хобсон на странице 385 в конце этого **учебника** (textbook).

3 *Выберите из всех трёх рамок слова и составьте предложения, которые отвечают на вопрос:* В какую погоду чем можно заниматься и какую одежду **носить** (to wear)? *и напишите эти предложения.*

погода:	занятие:	одежда
снег	лыжи	шуба
жара	театр	пальто
тепло	футбол	платье
холод	теннис	майка и джинсы
мороз	плаванье	плащ или зонтик
дождь	дискотека	купальный костюм
солнце	гулять в лесу	спортивный костюм

4 *Прочитайте вопросы и напишите ответы на них.*

1. Какое время года вы любите и почему?
2. Какой вид транспорта вы любите и почему?
3. Где вы любите отдыхать и почему?
4. В какое время года вы любите отдыхать и почему?

| На пароходе | урок № 16 |

5 а

В салоне парохода Катя и Майкл видят расписание движения пароходов по Волге.

Посмотрите на расписание и ответьте на вопросы.

РАСПИСАНИЕ

движения пассажирских пароходов
Москва - Астрахань - Москва

Расстояние от Москвы, км	Москва - Астрахань отправление ч. м.	порты и пристани	Астрахань - Москва отправление ч. м.	Расстояние от Астрахани, км
0	19.30	Москва	20.05	3047
145	11.10	Кимры	4.25	2902
266	17.00	Углич	22.00	-
336	23.05	Мышкин	17.45	-
387	1.30	Рыбинск	16.10	2660
473	7.50	Ярославль	11.30	2547
553	14.30	Кострома	5.50	3492
859	12.05	Нижний Новгород	13.30	2188
1273	10.30	Казань	1.20	1774
1501	23.00	Ульяновск	13.35	1546
1717	10.35	Самара	20.00	1317
2154	9.20	Саратов	13.15	893
2545	7.05	Волгоград	20.20	502
3039	8.00	Астрахань	21.0	0

1. Сколько километров от Москвы до Мышкина?
2. В котором часу Катя, Майкл и Олег Петрович **сели** (boarded) на пароход в Мышкине?
3. Сколько часов пароход идёт из Рыбинска в Мышкин?
4. Сколько дней **длится** (lasts) путешествие из Мышкина в Москву?
5. Какие города можно посмотреть **по дороге** (en route) из Мышкина в Москву?

5 б

Коммуникативная игра. *Смотрите на расписание и по очереди задавайте друг другу похожие вопросы .*

6 *Прослушайте запись, вставьте пропущенные слова, переведите текст и ответьте на вопросы.*

Самый <u>удобный</u> .... транспорта в | convenient
Москве это, ... , метро. Это не только
самый .... вид транспорта, но и самый
<u>приятный</u> и .... Билет на <u>любое</u> | pleasant   any
<u>расстояние</u> .... рублей. Можно .... | distance
<u>карточку</u> на пять, десять, двадцать .... | card
Тогда одна поездка будет стоить ....
Карточки <u>проверяются</u> автоматами .... | checked
<u>при входе</u>. | on entrance

Москвичи любят .... в метро, потому
что .... в метро тепло, а летом в жару -
....

Станции метро очень .... - <u>отделаны</u> | decorated
<u>мрамором</u>, мозаикой, <u>барельефами</u>, | marble   bas-relief
скульптурой.

.... линия метро <u>начала действовать</u> 15 | started to operate
мая 1935 года и быстро <u>вошла</u> в .... | penetrated
Москвы. .... из линий метро <u>Кольцевая</u> - | Circle
.... Она <u>соединяет</u> все радиальные линии | connects
и семь из .... вокзалов Москвы. Метро
<u>продолжает</u> <u>строиться</u>, ... <u>тянутся</u> | continues   build   go
к отдалённым <u>районам</u>. .... <u>длинная</u> | districts   long
линия метро - Калужско-Рижская: .... км.
.... метров.
По .... и .... , в <u>час пик</u>, в метро | rush hour
.... <u>народа</u>. .... метро не работает. | crowd
Станции .... в час ночи.

1. Почему метро самый удобный вид транспорта в Москве?
2. Как надо **платить** (pay) за поездку в метро?
3. Почему москвичи любят встречаться в метро?
4. Почему туристы обычно хотят посмотреть метро?
5. Чем **отличается** (differs) Кольцевая линия от всех других линий?
6. До которого часа работают станции метро?
7. Когда и почему в метро бывает много народа?
8. Вам нравится лондонское метро? Почему?
9. У вас в городе есть метро? Если есть, опишите его.
10. Как вам кажется, метро - хороший вид транспорта? Почему?

7   В своей **каюте** (cabin) парохода Катя нашла старую газету, а в ней эту маленькую **заметку** (paragraph).

Прочитайте эту заметку и ответьте на вопросы.

> ### Завтра - самый короткий день
>
> 21 декабря - день зимнего солнцестояния.
>
> По 24 декабря у нас будут самые короткие дни в году. На широте Санкт-Петербурга продолжительность дня составляет 5 часов 54 минуты.
>
> С 25-го день начнёт увеличиваться и к концу месяца его продолжительность возрастёт на 8 минут.

1. От какого **числа** (date) была газета, из которой эта заметка?
2. Какого числа самый короткий день в году?
3. Что в заметке говориться о Санкт-Петербурге?
4. Сколько часов будет длиться день в Санкт-Петербурге первого января?

8   Катя вела **дневник** (diary) погоды с **начала** (beginning) своего путешествия. Для быстроты дела она **ставила значки** (put marks).

Напишите, в какие дни какая была погода во время её путешествия.

число	день недели	утро	день	вечер
21	пятница			
22	суббота			
23	воскресенье			
24	понедельник			
25	вторник			
26	среда			
27	четверг			

9   Катя видит эту **рекламу** (advertisement). Ей очень хочется поехать куда-нибудь в экзотическое место, но у неё нет для этого денег. Она мечтает об отдыхе в одной из этих стран.

Посмотрите на рекламу и опишите путешествие
её мечты. *Опишите:*

- страну
- как туда ехать
- погоду
- в какое время года
- занятия
- где купить билеты
- еду
- где остановиться
- сколько стоит это путешествие

ИЗ ЗИМЫ В ЛЕТО!

путешествуйте с нами...
мы предлагаем вам чудесный отдых
горы, море, солнце... всё, что хотите...

Кипр, Тайланд, Куба, Египет, Канары, Малайзия

Продажа авиабилетов на рейсы Аэрофлота,
Трансаэро по странам СНГ и за границу.

---

10   *Слушайте запись и смотрите на прогноз погоды. Теперь сообщите*
о погоде во всех других городах.

город	Москва	Астрахань	Киев	Архангельск	Якутск	Ялта
температура	-5	+5	0	-22	-35	+10
ветер	юго-западный	южный	юго-восточный	северо-восточный	северный	западный
осадки	снег метель	дождь	град	солнце	снег метель	гроза
ночью	гололёд -10 -12	+1 гроза	-3 дождь	снег	-38 гололёд	туман

На пароходе   урок № 16

11 🎧 Катя рассказывает Майклу, как она отдыхала.
Прослушайте запись и отметьте галочкой правильные ответы.

1. Катя отдыхала ☐ летом ☐ в августе ☐ на севере
   ☐ весной ☐ в марте ☐ под Москвой
   ☐ зимой ☐ в январе ☐ на юге

   ☐ очень далеко от Москвы ☐ с друзьями
   ☐ больше 40 км от Москвы ☐ одна
   ☐ недалеко от Москвы ☐ с подругой

2. Катя жила ☐ в большом доме   3. Погода была ☐ хорошая
   ☐ одна в комнате ☐ плохая
   ☐ с друзьями ☐ холодная

4. Кате было скучно ☐ кататься на лыжах
   ☐ осматривать город
   ☐ ходить гулять в лес

5. Катя провела на туристической базе ☐ месяц
   ☐ две недели
   ☐ одну неделю

6. Когда погода была плохая, Катя ☐ спала
   ☐ смотрела телевизор
   ☐ играла в карты с друзьями

7. Когда погода была хорошая, Катя ☐ гуляла по лесу
   ☐ каталась на лыжах
   ☐ не обедала

12 Теперь Майкл рассказывает Кате, где и как он отдыхал.

Выберите ответы Майкла на вопросы Кати, напишите вопросы и ответы в правильном порядке. Прочитайте их разговор и переведите его.

Катя:
- Где ты отдыхал последний раз?
- Ты любишь отдыхать в Альпах?   **Майкл:**
- С кем ты туда обычно едешь?   - В декабре.
- Где вы там живёте?   - С друзьями или с сестрой.
- В каком месяце?   - Я был в Альпах на юге Франции.
                                         - В небольших двухэтажных домах.
                                         - Да, потому что там очень хорошо кататься на

249

13   Катя и Майкл познакомились на пароходе с несколькими пассажирами. Эти пассажиры спрашивают Майкла об Англии и английском климате.

Поставьте слова в скобках в правильной форме и ответьте за Майкла на вопросы пассажиров.

Первый пассажир: Это правда, что англичане всё (время) (говорить) о (погода)?
Майкл:
Первый пассажир: (Вы) нравится (английский) (погода)?
Майкл:
Первый пассажир: Почему?
Майкл:
Второй пассажир: (Какой) погода в (Англия) (лето)?
Майкл:
Третий пассажир: Как часто в (Англия) (идти) дождь?
Майкл:
Четвёртый пассажир: (Какой) погода в (Англия) (зима)?
Майкл:
Четвёртый пассажир: В (Англия) (бывать) снег?
Майкл:
Пятый пассажир: (Какой) время (год) в (Англия) вы (любить) (большой) всего и почему?
Майкл:
Шестой пассажир: (Описать), пожалуйста, (английский климат).
Майкл:
Седьмой пассажир: (Какие виды) (спорт) можно (заниматься) в (Англия) (зима)?
Майкл:

14   *Выберите слова из всех трёх рамок и составьте 15 предложений, как в примере.*

Пример:

Вопрос: Какая погода бывает в Канаде в январе?

Ответ: В Канаде в январе бывает очень холодно.

страна:	месяц:	погода:
Канада	январь	снег
Америка	март	жара
Мексика	май	тепло
Египет	июль	холод
Россия	август	мороз
Южная Африка	сентябрь	дождь
Новая Зеландия	декабрь	солнце

15   Вечером после танцев была **викторина** (quiz). В ней, конечно, **приняли участие** (took part) Майкл и Катя. Вот вопросы, которые были в этой викторине.

Прочитайте вопросы, вставьте окончания и ответьте на вопросы.

1. Как... сам... короткий день в году?
2. Как... сам... большая река в Европе?
3. Как... сам... короткий месяц в году?
4. Как... сам... дождливый месяц года?
5. Как... сам... первый праздник в году?
6. Как... сам... большой город в России?
7. Какое время года в России сам... холодное?
8. Как зовут сам... известного русского поэта?
9. Как... сам... быстрый вид транспорта в Москве?
10. Как называется сам... древняя **часть** (part) Москвы?
11. Где находится сам... большой московский стадион?
12. Как... сам... популярный вид спорта в России летом?
13. Как называется сам... центральная площадь в Москве?
14. Как называется сам... центральный магазин в Москве?
15. Как... сам... важный религиозный праздник у русских?
16. Как называется сам... большой театр оперы и балета в России?

16   Перед сном Катя читала детскую книгу, которую она купила в подарок Лизе. Вот одно стихотворение из этой книги.

Прочитайте это стихотворение и переведите его.

Дети спать <u>пораньше</u> <u>лягут</u>	earlier will go to bed
В день последний декабря,	
А <u>проснуться</u> старше на год	wake up
В первый день календаря.	

17   Майклу надо написать статью в свою газету о поездке по Волге.
Напишите за него эту статью и расскажите всё, что вы знаете о...

● Волге
● городах на Волге
● климате и погоде в этой **части** (part) России

Сравните (compare) город Рыбинск с городом Мышкиным.

На пароходе

18 *Прослушайте прогноз погоды, заполните таблицу и ответьте на вопросы.*

город	температура	ветер	осадки	
Архангельск				
Владивосток				
Волгоград				
Екатеринбург				
Иркутск				
Краснодар				
Москва				
Мурманск				
С.Петербург				

1. Где погода хуже, лучше, холоднее, теплее, солнечнее?
2. Где самая холодная, жаркая погода?
3. В каких городах идёт дождь?
4. Где можно кататься на лыжах? Почему?
5. Где нельзя кататься на коньках? Почему?
6. Как вы думаете, какая погода в других городах?

19 *Коммуникативная игра. Проставьте температуру и погоду в городах на карте и сообщите об этом студентам вашей группы, потом проверьте, что они думают о погоде в этих городах?*

20   Майкл нашёл эту **статью** (article) в местной газете.

Прочитайте эту статью, переведите её и ответьте на вопросы.

Проблемы экологии

Без Волги нет России!

● митинг 30 апреля ●
● в центре города ● в 2 часа дня ●
Приглашаем всех, кому дорога́ Волга!

Одновременно митинги пройдут во всех волжских городах

Никогда ещё проблемы экологии не были так актуальны для всех нас. Критическое, если не сказать трагическое <u>положение</u> — situation

<u>сложилось</u> на Волге. <u>Загрязнение</u> — arose pollution

<u>окружающей среды</u>, <u>уничтожение</u> рыбы, — environment /destruction

отравление воды пестицидами <u>достигло</u> — reached

катастрофических <u>масштабов</u>. <u>Происходит</u> — scale occurs

<u>разрушение</u> живой <u>природы</u>, экосистемы России. — destruction nature

<u>В погоне за</u> большим рублём, которую они — chasing

называют <u>экономией</u>, местные фабрики и — savings

<u>заводы</u> <u>выбрасывают</u> <u>мусор</u> и другие <u>отходы</u> — plants/through/rubbish/waste

<u>производства</u> в Волгу. Мало того, что наши — industrial

города <u>перегружены</u> автотранспортом, — overloaded

<u>движение</u> на дорогах <u>замедленно</u> и — traffic slowed down

загрязнение <u>воздуха</u> <u>выхлопными газами</u> — air exhaust fumes

<u>ухудшает</u> здоровье жителей наших городов. — worsens

Теперь ещё и здоровье Волги <u>в опасности</u>! — in danger

Время не ждёт - <u>судьба</u> Волги дорога всем! — destiny

<u>Охрана</u> Волги - дело наших рук! — protection

<u>Превратим</u> Волгу в <u>заповедник</u>! — turn into nature reserve

1. О какой проблеме говорится в этой статье?
2. Почему автор статьи говорит, что ситуация на Волге критическая?
3. Как вы думаете, ситуация на Волге уникальна? Почему?
4. В вашем городе/деревне хорошая экология? Расскажите об этом.

21 а   Катя нашла **обрывок** (scrap) газеты.

Прочитайте, что там написано и ответьте на вопросы.

ГОРОДСКОЙ ДЕТСКИЙ КЛУБ
15 - 21 апреля
проводит неделю охраны природы
все дети нашего города
- будут стараться экономить воду
- собирать бутылки, металл,
велосипедом

1. О какой неделе говорится в этом **объявлении** (announcement)?
2. Что дети собираются делать на этой неделе?
3. Как вы думаете, что ещё они будут делать на этой неделе?
4. Как вы думаете, надо охранять природу или нет? Почему?
5. Что вы делаете для охраны природы?
6. Как вы экономите электроэнергию?
7. Какой транспорт вы любите больше всего и почему?

21 б   *Напишите письмо этим детям в их городской клуб и расскажите, что вы делаете для охраны природы в своём городе или деревне.*

22   *Объясните, что изображено на этой картинке.*

На пароходе   урок № 16

По горизонтали:
6. ... быстрый вид транспорта в Москве - метро.
7. Как только Майкл найдёт Анну Николаевну, он ... в Англию.
8. У Олега Петровича есть большой ..., за которым он работает.
9. Самое тёплое время года - это ... .
10. Олегу Петровичу кажется, что ... очень холодный.
13. В поезде Катя поёт: ... едем, едем, едем в далёкие края.
15. Какое ... года больше всего любит Майкл?
17. Катя любит плавать в реке только, когда ... тёплая.
18. В ... году Катя ещё не отдыхала.
19. "... и солнце; день чудесный!"
21. Катя думает, что у Майкла очень интересная ... .

По вертикали:
1. В детстве Олег Петрович ... плавал на пароходе.
2. Катя интересуется ... Майкла в Японию.
3. Когда Майкл отдыхал в России, погода ... была чудесная.
4. Майкл ... помнит, в каком году он отдыхал в России.
5. У Олега была детская ... - кругосветное путешествие.
11. Катя плывёт на пароходе первый ... .
12. Майкл был в Рыбинске ... раза.
14. Олег Петрович - волжанин, потому что он ... из этих мест.
16. Майкл ... знает, что до Москвы им ехать один день и одну ночь.
20. Майкл - журналист. ... работает в газете.
22. Катя и Майкл любят путешествовать. ... нравится плыть по Волге.

В тот же день на пароходе.

Майкл: **Прекрасная** новость! Шура Чернов только что сказал мне, что **получил** письмо из **Красного Креста**. Ему пишут, что нашли Анну Николаевну.

Олег: Неужели?! Как я **рад**! Это чудесная новость! Где она живёт?

Майкл: В Москве. Мы все пойдём к ней в **гости**, когда Шура приедет.

Олег: Правда? Когда он собирается приехать?

Майкл: Через месяц.

Олег: **Наверное,** очень интересно работать в Красном Кресте, помогать **людям, разыскивать тех**, кто потерялся.

Майкл: Да, это очень интересная работа. Я **однажды** писал о **работниках** Красного Креста **статью**.

Катя: Я думаю, самая интересная работа - это работа журналиста. Как вы думаете, Олег Петрович? Они не **сидят** весь день в **офисе**, а много путешествуют.

Олег: Я думаю, **любая** работа может быть и интересной и скучной.

Катя: Майкл, какая у тебя **зарплата**?

Олег: Катюша, нельзя **задавать** такие **вопросы**. Это **нетактично**.

Катя: Но **ведь** очень важно хорошо **зарабатывать**. У **кого** в Англии самые **высокие** зарплаты?

Майкл: Я точно не знаю, но думаю, у поп-**певцов**, у **манекенщиц**, у банкиров и бизнесменов...

Олег: Катюша, откуда у тебя **вдруг** такой интерес к деньгам?

Катя: Если **бы** у меня было много денег, я купила бы вам, Олег Петрович, **машину**.

Олег: **Зачем** мне машина, я уже старый и **водить** не **умею**.

Катя: **Я научилась** бы водить и катала бы вас по всему **миру**.

Олег: На машине? Ты говоришь **глупости**. Как ты себя чувствуешь? У тебя голова не болит?

Майкл: Катя, а ты **кем** собираешься **стать**, когда кончишь университет?

Катя: Я ещё об этом не думала. Может быть, **юристом**.

Олег: Тогда тебе надо **учиться** на **юридическом факультете**, а не на **филологическом**.

Работа урок № 17

Катя: Я не хочу пока думать о работе. "Работа не **волк**, в лес не **убежит**".

Олег: Катюша, что ты говоришь?! Больно слушать!

Майкл: По-моему, **пора обедать**.

Катя: А как известно, "кто не работает, тот не **ест**".

прекра́сный	fine	певе́ц/певи́ца	singer
получи́ть	to receive	манеке́нщица	model
Кра́сный Крест	Red Cross	вдру́г	suddenly
рад	glad	бы	*(see Grammar* [1]*)*
гость *(masculine)*	guest	маши́на	car
наве́рное	probably	заче́м	what for
лю́ди	people	води́ть	to drive
разы́скивать	to search	уме́ть	to know how
тех	those	научи́ться	to learn
одна́жды	once (upon a time)	мир	world
рабо́тник	worker	глу́пость	stupidity
статья́	article	кем	*(see Grammar* [2]*)*
сиде́ть	to sit	стать	to become
о́фис	office	юри́ст	lawyer
любо́й	any	учи́ться	to study
зарпла́та	wage	юриди́ческий	legal
задава́ть вопро́с	to ask a question	факульте́т	faculty
нетакти́чно	tactlessly	филологи́ческий	philological
такти́чный	tactful	волк	wolf
ведь	*(see Notes* [1]*)*	убега́ть	to run away
зараба́тывать	to earn	пора́	it's time
кого́	*(see Grammar* [2]*)*	обе́дать	to have dinner
высо́кий	high	есть	to eat

адвока́т	solicitor	по́вар	cook
безрабо́тный	unemployed	пожа́рник	fireman
бухга́лтер/ша	accountant	почтальо́н	postman
води́тель	driver	преподава́тель/ница	teacher
домохозя́йка	housewife	рабо́чий	workman
матро́с	sailor	секрета́рь/секрета́рша	secretary
медсестра́	nurse	солда́т	soldier
парикма́хер	hairdresser	строи́тель	builder
писа́тель/ница	writer	учёный	scientist

Notes:

1. In lesson 2 and 13 we have already mentioned emphatic words which are used in speech to add more emphasis. Here are some more emphatic words:

ведь ● разве ● неужели

E.g.: Но ведь важно хорошо зарабатывать!	But it is important to earn a good salary!
Неужели (разве) вы не знаете пианиста Чернова?	Don't you know the pianist Chernov? (I don't believe you!)

2. The word **'человек'** is used in the singular and **'люди'** - only in the plural. The word 'люди' declines like the word 'дни' See page 333 for declension.

Exception:

Genitive plural: пять/десять/сто человек   **but**   много/мало людей

---

3. **уметь** - to know how to do something.

E.g.: Я не умею играть на гитаре, но хотела бы научиться.	I don't play the guitar, but would like to learn to.

Катя спрашивает Лизу: - Ты умеешь играть на пианино?
Лиза отвечает: - Не знаю. Может быть, умею. Я никогда
не **пробовала** (tried).

4. **мир** - world also means peace. One of the most common slogans:
"Миру мир!" - Peace to the world!

Word building:

один однажды
робот работа работать работник

The words: **красный** ● **красивый** ● **прекрасный** have the same root and similarity in meaning. In old Russian the word 'красный' meant beautiful. That is why Красная площадь - Red Square is not red, but beautiful. The prefix 'пре-' adds a superlative quality.

E.g.: Он красивый.	He is good looking.
Он прекрасный человек.	He is a wonderful person.

Грамматика

1. VERB. The CONDITIONAL MOOD is formed with the Past tense of the verb followed by the particle '**бы**'.

> E.g.: Я читал бы газеты каждый день, но у меня нет на это времени.
>
> I would read/I would have read newspapers every day if I had had time. (*liter.:* but I have no time for that)

● '**Если бы**' is used to convey '**if**'.

> E.g.: **Если бы** у меня **было** время, я читал **бы** газеты каждый день.
>
> If I had time I would read newspapers every day.

2. PRONOUN. INTERROGATIVE PRONOUNS: кто, что
Revision. For declension see the Grammar Reference page 335

> E.g.: Кого нет в Рыбинске?　　Who is not in Rybinsk?
> Кому Катя пишет письма?　Who does Katya write letters to?
> Кого Катя любит?　　　　Who does Katya love?
> С кем Катя разговаривает?　Who does Katya talk to?
> О чём она пишет подруге?　What are her letters about?

3. VERB 'есть' - to eat. Do not confuse it with 'I have -у меня есть'

● Present tense: я **ем**　ты **ешь**　он **ест**　мы **еди́м**　вы **еди́те**　они **едя́т**
● Past tense:　я/он/ты **ел**　я/она/ты **е́ла**　мы/вы/они **е́ли**

> E.g.: На обед мы обычно едим суп, но вчера мы суп не ели.
> Usually we eat soup for lunch, but yesterday we didn't eat soup.

4. стать - to become like **быть** - to be and **работать** is used with Instrumental case.

> E.g.: Через год я стану врач**ом**.　In a year I'll become a doctor
> Он был инженер**ом**.　　　He was an engineer.
> Она работает учительниц**ей**.　She works as a teacher.

5. Expression '**Как я рад!**'. The word '**рад**' has gender and number.

> E.g.: Как мы рады!　　　We are so glad!
> Катя: Как я рада!　　Katya: - I am so glad!

6. The DEMONSTRATIVE PRONOUN: тот/то/та/те
For declension see Grammar Reference page 335

урок № 17 — Работа

1 *Прослушайте диалоги и ответьте на вопросы.*

1. Какая у Майкла новость?
2. К кому все пойдут в гости, когда **приедут** (come) в Москву?
3. Когда и почему в Москву приедет Шура Чернов?
4. Почему Олег Петрович думает, что работать в Красном Кресте интересно?
5. Какая работа кажется Кате самой интересной и почему?
6. Какой вопрос кажется Олегу Петровичу нетактичным?
7. Какой вопрос интересует Катю больше всего?
8. Что Катя купила бы, если бы у неё было много денег?
9. Кем Катя собирается стать, когда кончит университет?
10. На каком факультете университета Катя учится?

2 a *Выберите из рамки профессии, соответствующие картинкам и напишите их под картинками.*

БЮЛЛЕТЕНЬ
СВОБОДНЫХ РАБОЧИХ МЕСТ

ПРИГЛАШАЕМ
НА РАБОТУ

| води́тель ● инжене́р ● эле́ктрик |
| стро́итель ● рабо́чий ● врач |
| архите́ктор ● учи́тель ● по́вар |
| секрета́рша ● хи́мик |
| пожа́рник ● пило́т ● лабора́нт |

2 б *Напишите о каждой из этих профессий и скажите:*

- *какая из этих профессий интереснее, труднее, скучнее и почему*
- *какая зарплата*
- *сколько часов **длится** (lasts) рабочий день*
- *чем вам эта профессия нравится или не нравится*

3 КУДА ПОЙТИ УЧИТЬСЯ

В <u>высших</u> учебных <u>заведениях</u> (институтах и университетах) обычно учатся 5-6 лет. Институты - это специальные высшие учебные заведения, которые специализируются по одной или нескольким <u>смежным</u> профессиям. | higher institution

adjacent

В университетах есть разные факультеты, которые готовят студентов по <u>разным</u> профессиям. | different

Если человек не хочет получить высшее образование, но хочет получить специальность, он может пойти учиться в техникум. Там учатся обычно 2-3 года.

В последнее время открывается много <u>частных</u> учебных заведений, где за деньги можно получить любую профессию и любой диплом. | private

4 *Посмотрите на профессии в упражнении 2а и скажите куда надо пойти учиться, чтобы получить эти профессии.*

ИНСТИТУ́ТЫ:	ФАКУЛЬТЕ́ТЫ УНИВЕРСИТЕ́ТА:	ТÉХНИКУМЫ:
медици́нский		кулина́рный
строи́тельный	журнали́стика	тра́нспортный
педагоги́ческий	юриди́ческий	строи́тельный
архитекту́рный	физи́ческий	КУ́РСЫ:
фина́нсовый	биологи́ческий	иностра́нных языко́в

5 Катя и Майкл как всегда играют в свою любимую игру "**Отгадай!**"(guess)

Прослушайте запись и напишите, кто кем работает.

1....................... 2....................... 3....................... 4.......................
5....................... 6....................... 7.......................

6 Катя и Майкл сидят в салоне парохода и смотрят на отдыхающих пассажиров.

Прослушайте их разговор, вставьте пропущенные слова, найдите соответствующую картинку и скажите, хорошо или плохо Катя и Майкл описали этих людей.

Катя: Посмотри на эту ...., я <u>уверена</u>, | sure
что она .... поваром в какой-
нибудь ....

Майкл: Почему ты так ....?

Катя: Потому что она .... <u>толстая</u>. | fat
Наверное, любит .... и всё время
<u>пробует</u> еду, ... готовит. | tastes

* * *

Катя: Как ты думаешь, кем работает ....
человек?

Майкл: Я думаю, он .... большой фирмы,
.... он очень важный и .... не
разговаривает, а его жена, я думаю,
секретарша. Она .... его .... и всё
время .... пишет в блокнот.

Катя: Может .... она <u>изучает</u> <u>иностранный</u> | learns foreign
<u>язык</u>? | language

* * *

Катя: Мне ...., что эта женщина ....
учительница. Смотри .... она
разговаривает со всеми, <u>как будто</u> она | as if
.... знает.

Майкл: А её ...., ..., или врач, или
инженер.

Катя: Врач или инженер! Это .... <u>разные</u> | different
профессии. Нет, я думаю он ....
фотограф или фотокорреспондент. Он
всё время ...., и фотоаппарат у него
очень ....

7   Олег Петрович нашёл газету, которая называется "Работа для вас". От нечего делать, он старается найти работу тем, кто её ищет.

Сделайте это за него и объясните, почему вы выбрали для них эту работу, а не другую.

ищу работу

Университет: МГУ (**биолог**/химик/фармацевт) Опыт работы в сфере экологии 9 лет. Английский разговорный. Евгения Тарасова 830 6504

Банковский работник, 27 лет. Опыт работы в Сбербанке 10 лет Знаю всю операционную работу, валюту, компьютерные банковские программы. Марина Седова 450 04 38

Студентка финансового института, 19 лет, ищет работу помощника бухгалтера. Вероника 968 6008

Менеджер, 32 года, опыт работы в известной транспортной компании. Английский язык. Ольга Доброхотова 786 05 41

Юрист/ Помощник, 22 года, аккуратный, деловой, хорошо организованный, трудоголик. Валентин Крутой 8 037 508 6429

Ищу работу, жен., 32, англ. яз. Перевод, администрация, туризм, менеджмент, коммерция. Коммуникабельная, деловая, инициативная. Мария Кузнецова 790 6589

Секретарь-переводчик, 20 лет, английский/немецкий языки. Деловая переписка, работа на РС. Опыт работы 3 года. Юлия 234 90 19

Молодой, энергичный, 21 год, финансист. Опыт работы в туристическом агентстве. Ищу интересную работу. 89504780053

вакансии

Менеджмент
Менеджер небольшой туристической фирмы. Опыт работы не менее 5 лет

Администрация
Требуется помощник администратора в большую фирму. Знание иностранных языков.

Администрация
Банку требуется квалифицированный энергичный банкир, муж.

Коммерция
Интересная, стабильная работа в офисе. Хорошая зарплата.

Медицина
Городской больнице требуются: фармацевт, медсестра, курьер.

Юриспруденция
Требуется юрист для работы в коммерческой фирме по продаже домов.

8 *Составьте предложения, которые начинаются со слов "Если бы я ..."*
Напишите эти предложения и переведите их .

Если бы я ...

| был волком | задавал бы всем бестактные вопросы |

| был журналистом | никогда не готовил бы обед дома |

| больше занимался | ходил бы в театр и в музеи чаще |

| работал в ресторане | получил бы хороший диплом |

| жил в большом городе | стал бы хорошим юристом |

| учился на юридическом факультете | убежал бы в лес |

9 Катя видит в газете объявление. Ей очень хочется поехать в Англию, и она думает ответить на это объявление.

Напишите по-русски за неё письмо 100-150 слов и задайте вопросы, которые её интересуют.

Дорогие студенты из России!

ЧАСТНЫЕ КУРСЫ РУССКОГО ЯЗЫКА
в Кентербери

приглашают на работу студентов на летний период

Пишите нам по адресу:
Наде Блокс, 33 Бобкин Стрит, Кентербери, Англия.

Напишите:
- имя, фамилию Кати
- о её характере
- о её будущей профессии
- о знании иностранного языка
- о её интересах
- почему она хочет поехать в Англию

Катю интересует:
- в каком месяце курсы
- где живут студенты
- какая зарплата

10 *Ответьте на вопросы.*

1. Где вы работаете или хотели бы работать?
2. Какая работа самая трудная и почему?
3. Какая работа самая интересная и почему?
4. Какая работа самая скучная и почему?
5. Кем вы мечтали стать в детстве и почему? Расскажите об этом.

11 Катя разговаривает со стариком, который очень плохо слышит и всё время **переспрашивает** (asks to repeat). Катя **терпеливо** (patiently) повторяет то, что уже сказала.

Напишите вопросы, которые задаёт старик (к подчёркнутым словам) и Катины ответы на них.

Старик: Как зовут твоего папу?

Катя: Его зовут Олег Петрович, и он - мой <u>дядя</u>.

Старик: Молодой человек - твой брат?

Катя: У меня нет ни брата, ни <u>сестры</u>.

Старик: Ты пишешь письмо родителям?

Катя: Нет, своей <u>подруге</u>. Мне без неё очень <u>скучно</u>.

Старик: Ты её давно знаешь?

Катя: Я <u>с ней</u> учусь в одной группе, и мне хочется рассказать ей об этой <u>поездке</u>.

Старик: Где ты учишься?

Катя: Занимаюсь <u>литературой</u> в Московском университете.

Старик: Кто твой любимый писатель?

Катя: Пушкин. Я сейчас читаю <u>о нём</u> книгу. Олег Петрович большой специалист <u>по русской литературе</u>. А у меня нет большого <u>интереса</u> к литературе.

Старик: Тогда почему ты занимаешься литературой?

Катя: Не знаю. Может быть, потому что <u>я</u> люблю читать...

12 а Кате очень хочется посмотреть, где работает капитан. Она **уговорила** (persuaded) Майкла пойти к капитану.

Прослушайте их разговор и ответьте на вопросы.

1. Что Катя говорит о работе капитана?
2. Капитан любит свою работу? Почему вы так думаете?
3. О чём капитан рассказывает пассажирам?
4. Почему капитан хорошо знает этот маршрут?
5. Что капитан говорит о своей команде?
6. У капитана и его команды весь год есть работа?
7. Какое время года капитан не любит и почему?
8. Чего капитан и его команда ждут с **нетерпением** (impatiently)?

12 б Капитан задал вопрос Кате и Майклу.

Подробно (in detail) ответьте на вопрос капитана.

13 Как вы знаете, у Майкла есть мобильный телефон. Катя хочет **позвонить** (phone) в компанию (упражнение 9, страница 264), которая предлагает работу для студентов в Англии.

Ролевая игра. Разыграйте по ролям разговор Кати с работником этой компании.

Работник компании	**Катя**
• здоровается и спрашивает, почему позвонили • спрашивает имя, фамилию и сколько лет • спрашивает, какие есть вопросы • отвечает на вопрос и спрашивает, где она учится • отвечает на вопрос	• объясняет, почему она позвонила • отвечает на вопрос • спрашивает, когда начинается работа • отвечает на вопрос и спрашивает, какие у неё шансы получить эту работу

14 Недалеко от Майкла в салоне парохода сидит компания молодых людей. Они говорят о своей учёбе и о будущей работе. Майклу очень интересен их разговор, потому что он думает написать статью в свою газету о проблемах русской **молодёжи** (youth).

*Вот слова из их **разговора** (conversation). Восстановите весь разговор.*

я друг подруга мой отец старший брат мои родители	буду/будет работать я хотел/а бы стать собираться стать получить работу зарабатывать учиться	университет больница техникум институт фирма завод	врач певец юрист банкир рабочий инженер

15 Катя просит Майкла написать небольшую статью (100 слов) в её университетскую газету о проблемах учёбы и работы английской молодёжи.

Напишите эту статью. Может быть, вам нужны будут эти слова:

возмо́жность opportunity

образова́ние education

пе́нсия retirement/pension

учёба studies

266

16 Вечером во время ужина Олег Петрович опять рассказывает о своей семье.

Прослушайте их разговор и напишите, кто кем работает или работал и ответьте на вопросы.

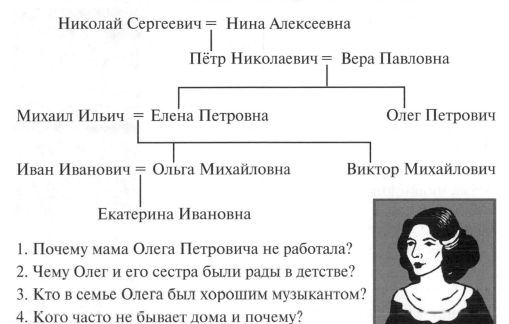

Николай Сергеевич = Нина Алексеевна

Пётр Николаевич = Вера Павловна

Михаил Ильич = Елена Петровна   Олег Петрович

Иван Иванович = Ольга Михайловна   Виктор Михайлович

Екатерина Ивановна

Елена

1. Почему мама Олега Петровича не работала?
2. Чему Олег и его сестра были рады в детстве?
3. Кто в семье Олега был хорошим музыкантом?
4. Кого часто не бывает дома и почему?

17 *Расскажите о своей семье: кто, где и кем работает.*

18 ***Коммуникативная игра****. Каждый студент **берёт** (takes) **лист бумаги** (piece of paper) и …*

- *пишет на нём имя одного из студентов своей группы.*
- *После этого **заверните** (fold) эту **записку** (note) так, чтобы написанное имя не было видно и **передайте** (pass) её студенту, который сидит справа от вас.*
- *На записке, которую передал/а вам студент/ка, который/ая сидит слева от вас, напишите название места, в которое он/она пойдёт завтра; опять заверните записку и опять передайте ей студенту справа. И **так далее** (so on)…*
- *Напишите*
  - *с кем он/она туда пойдёт*
  - *что там будет делать*
  - *почему*
- *Теперь **разверните** (unfold) записку, которую вам передали слева и прочитайте её **вслух** (aloud)*

19   Перед сном Катя опять читает детскую книгу, которую она купила в подарок Лизе.

Прочитайте вслух (aloud) окончание (ending) стихотворения С. Михалкова, которое называется "А что у вас?" и переведите его.

     ... наша мама
Отправля́ется в <u>полёт</u>, | flight
Потому́ что на́ша ма́ма
Называ́ется пило́т.

С <u>ле́сенки</u> <u>отве́тил</u> Во́ва: | stairs   answered
- Ма́ма - <u>лётчик</u>? | pilot
<u>Что ж тако́го</u>! | so what!

Вот у Ко́ли, <u>наприме́р</u>, | for example
Ма́ма милиционе́р.
А у То́ли и у Ве́ры
О́бе ма́мы - инжене́ры.
А у Лёвы ма́ма - <u>по́вар</u>. | cook
Ма́ма - лётчик?
Что ж тако́го?

Всех важне́й, - сказа́ла На́та, -
Ма́ма <u>вагоновожа́тый</u>... | bus conductor

И спроси́ла Ни́на <u>ти́хо</u>: | quietly
- Ра́зве пло́хо быть <u>портни́хой</u>? | tailor
Кто <u>трусы́</u> <u>ребя́там</u> <u>шьёт</u>? | underpants   childen   sew
Ну, коне́чно, не пило́т.

Лётчик <u>во́дит</u> <u>самолёты</u> - | fly planes
Это о́чень хорошо́.

По́вар де́лает компо́ты -
Это то́же хорошо́.

До́ктор <u>ле́чит</u> нас от <u>ко́ри</u>. | treats   measles
Есть <u>учи́тельница</u> в шко́ле. | teacher

Ма́мы <u>ра́зные</u> нужны́, | different
Ма́мы <u>вся́кие</u> важны́. | any

Де́ло бы́ло ве́чером,
<u>Спо́рить</u> бы́ло не́чего. | argue

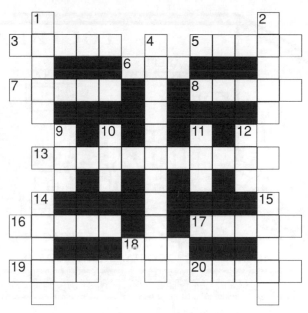

По горизонтали:

3. По субботам в магазинах обычно бывает много ... .
5. Пласидо Доминго - ..., которого хорошо знают в России.
6. Когда пароход отправляется, Катя говорит: ...!
7. Катя была в музее, где было много ... .
8. Никто не ... Шуру Чернова.
13. Почему ты так долго ...? Скорее, уже поздно!
16. ... работа может быть интересной.
17. В Москве никто, ... Майкла, не знает Шуру Чернова.
18. Это известный музыкант? Как ... зовут?
19. Шура - желанный ... у Анны Николаевны.
20. ... Олегу машина, если он не умеет её водить?

По вертикали:

1. Кате интересны ... города и страны.
2. Шура приедет в Москву ... месяц.
4. Все желают Олегу ... здоровья.
9. Это ... багаж.
10. Катя хочет посмотреть ... .
11. - Что ты ...?   - Я ем хлеб с сыром.
12. Мне ... интересно.
14. Этот новый фильм можно посмотреть в ... кинотеатре.
15. Олег не ... водить машину.

Дом

ГОСТИНАЯ

ДВЕРЬ

ПОЛКА

ЗЕРКАЛО

ТУМБОЧКА

КРЕСЛО

КАМИН

ДИВАН

ЖУРНАЛЬНЫЙ СТОЛИК

ДУШ

ЗЕРКАЛО

ТУАЛЕТНАЯ БУМАГА

ВАННА

ВАННАЯ И УБОРНАЯ

ДЕТСКАЯ

ЗАНАВЕСКА

ПОДУШКА

КОВРИК

ИГРУШКИ

ПОТОЛОК

ГАРАЖ

СТЕНА

ПОЛ

СТОЛОВАЯ

КАРТИНА

КОМОД

СТОЛ

СТУЛ

270

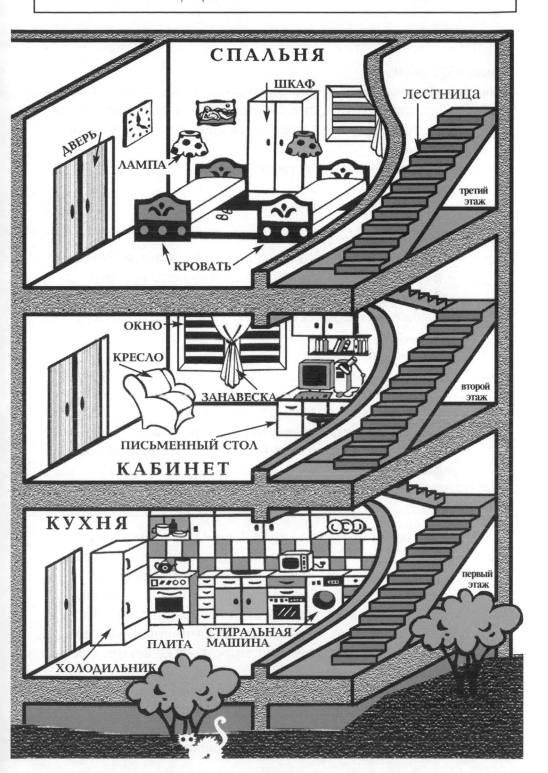

СПАЛЬНЯ

ШКАФ

лестница

ДВЕРЬ

ЛАМПА

третий этаж

КРОВАТЬ

ОКНО

КРЕСЛО

ЗАНАВЕСКА

второй этаж

ПИСЬМЕННЫЙ СТОЛ

КАБИНЕТ

КУХНЯ

первый этаж

ПЛИТА

СТИРАЛЬНАЯ МАШИНА

ХОЛОДИЛЬНИК

Дом

В Москве, через две недели Майкл звонит по телефону.

Майкл: 382-46-09

Олег: Алло, я слушаю.

Майкл: Олег, здравствуйте, это Майкл говорит. Вы помните, что сегодня мы с вами встречаемся на улице Забелина, дом 5 в два часа?

Олег: Да-да, я помню. **До встречи**.

На улице Забелина.

Майкл: Олег, вам нравится этот дом?

Олег: Очень. Я хорошо знаю этот дом ещё с детства. Но самое интересное, что у меня есть картина неизвестного **художника**, на которой **изображён** этот дом.

Майкл: Не может быть! Как **странно**! А у меня есть ключи от этого дома.

Олег: Ничего не понимаю.

Майкл: Это дом Черновых. В 1917 году семья уехала **за границу** и никто не знал, что стало с домом. Все эти годы у Шуры лежали **документы**, которые он **прислал** мне. Я был у юриста, **заполнил** все **анкеты,** и вот **результат** - ключи от дома! Шура прислал мне фотографии **интерьера** всего дома. Идёмте.

В доме номер 5 на улице Забелина.

Олег: **Давайте** посмотрим на план. Сколько комнат **внизу**?

Майкл: Раз, два, три... 5 комнат плюс **кухня**, **уборная** и **терраса**. В этой комнате была **гостиная**. Вот фотография этой комнаты. Три больших **окна**. Здесь **стоял** этот **диван**.

Олег: А это **столовая**. **В середине** стоял большой стол. Мне кажется, я узнаю эту комнату. Давайте пойдём **наверх**.

Майкл: *(смотрит на план)* Наверху, на втором этаже четыре **спальни** и **кабинет**. На третьем этаже ещё две комнаты. Одна из них **детская**. Окно из детской **выходит** в **сад**.

Олег: Майкл, посмотрите на эту фотографию. Ведь это фотография этой спальни, правильно? Посмотрите на картину, которая **висит** между **шкáфом** и **дверью**... узнаёте?

Дом
урок № 18

Это моя картина или точно такая же.

Майкл: Неужели? Не может быть!

Олег: Что теперь будет с этим домом?

Майкл: Ну, **во-первых**, дому нужен **ремонт**. Я не знаю, что Шура **решил** делать с этим домом.

Олег: Главное, что он нашёл и свой дом, и свою наследницу. Как говорится "лучше поздно, чем никогда"!

до встре́чи	see you (*lit.:* till we meet)	окно́	window
худо́жник	artist	стоя́ть	to stand
изображён	depicted	дива́н	sofa
стра́нно	strange	столо́вая	dining room
за грани́цу	abroad	середи́на	middle
докуме́нт	document	наве́рх	up (stairs)
присла́ть	to send	спа́льня	bedroom
запо́лнить	to fill in	кабине́т	study
анке́та	form	де́тская	nursery
результа́т	result	выходи́ть	go out/overlook
интерье́р	interior	сад	garden
дава́й/те	let us	висе́ть	to hang
внизу́	down (stairs)	шкаф	wardrobe
ку́хня	kitchen	дверь	door
убо́рная	toilet	во-пе́рвых	first of all/on one hand
терра́са	conservatory	ремо́нт	repairs/redecoration
гости́ная	living room	реши́ть	to decide

дополни́тельный слова́рь: посу́да   cutlery and crockery

ковёр	carpet	кастрю́ля	pan	ча́йник	kettle
ме́бель	furniture	блю́дце	sauser		teapot
микроволно́вая плита́	microwave	таре́лка			
морози́льник	fridge				ло́жка
пол (на полу́)	floor				ви́лка
потоло́к	ceiling				нож
стена́	wall				
стол/столы́	table/s				
стул/сту́лья	chair/s				
шкаф/шкафы́	wardrobe/s	ча́шка			сковорода́

урок № 18 — Дом

Notes:

1. Во-первых - first of all
   во-вторых - secondly
   в-тре**ть**и**х** - thirdly
   в-четвёртых, в-пятых, в-шестых, в-седьмых and so on ...

   > E.g.: Во-первых, я не люблю кофе, а во-вторых, пора спать.
   > First of all I don't like coffee, and secondly it's a bedtime.

2. More nouns which have the ending -у in the Prepositional case (denoting place
   and answering the question 'где'). See Grammar in lesson 16, page 243 [2]

   у́гол - corner   **в углу́ ● в саду́ ● в шкафу́ ● на полу́**

   > E.g.: Шкаф стоит в углу.   The wardrobe is in the corner.

3.   **КУДА?** - where to?   **ГДЕ?** - where?
             Accusative case   Prepositional case

наверху

ГДЕ?

внизу➔

КУДА?   **наверх?**
           вниз!

верх - top   верхний этаж - upstairs - на верхнем этаже
низ - bottom   нижний этаж - downstairs - на нижнем этаже

> E.g.: Моя спальня наверху   My bedroom is upstairs.
>   (на верхнем этаже).   (on the top floor)
>   Кухня внизу.   The kitchen is downstairs
>   Куда ты идёшь?   Where are you going?
>   Я иду наверх.   I am going upstairs.

Дом урок № 18

Грамматика

1. ADJECTIVES. DECLENSION.
Revision. See the Grammar Reference pages 337-338

- Spelling rule: **и** replaces **ы** after **г, к, х, ж, ч, ш, щ**

  E.g.: с хорош**им** другом и больш**ими**   with good friends and big dreams
  мечтами

- Spelling rule: unstressed **о** is replaced by **е** after **ж, ч, ш, щ, ц**

  E.g.: у меня нет хорош**ей** книги   I don't have a good book

- Adjectives behave illogically when used with numbers 2, 3, 4. For a full explanation see the Grammar Reference page 338

2. ADJECTIVAL NOUNS: гостиная, столовая, уборная, ванная (see page 229 [5])

3. The DEFINITE PRONOUN: весь/всё/вся/все
See the Grammar Reference page 336 for declension.

   E.g.: всем рассказать обо всём   to tell everyone about everything

4. VERBS: **лежать, стоять, висеть** are used in all three tenses Past, Present, Future.

   E.g.: я лежал на диване вчера, лежу сейчас и буду лежать завтра
   I lay on the sofa yesterday, lie now and will lie tomorrow

VERBS: положить, поставить, повесить are used in two tenses Past & Future.
The Future tense is conveyed by the Present tense form.

   E.g.: я положила книгу на стол, а журнал положу на полку
   I've put the book on the table, and I will put the magazine on the shelf

- Conjugation (II) of the verbs:
   лежать ● стоять ● висеть ● положить ● поставить ● повесить

лежа́ть	to lie	я лежу́	ты лежи́шь	они лежа́т
стоя́ть	to stand	я стою́	ты стои́шь	они стоя́т
висе́ть	to hang	я вишу́	ты виси́шь	они вися́т
положи́ть	to lay	я положу́	ты поло́жишь	они поло́жат
поста́вить	to put	я поста́влю	ты поста́вишь	они поста́вят
пове́сить	to hang	я пове́шу	ты пове́сишь	они пове́сят

5. PREPOSITION 'с' - from takes the Genitive case
   E.g.: с детства   from childhood

1 *Прослушайте диалоги и ответьте на вопросы.*

1. Кому и почему Майкл звонит?
2. Где и когда они встречаются?
3. Что Олегу кажется очень интересным и странным?
4. Почему у Майкла есть ключи от этого дома?
5. Что Майклу надо было делать, чтобы получить ключи от этого дома?
6. Что Шура Чернов прислал Майклу?
7. Сколько комнат на первом этаже?
8. Сколько этажей в этом доме?
9. Какие комнаты на втором этаже?
10. Почему Олега Петровича интересует картина, которая висит в спальне?

2   *Прочитайте текст и ответьте на вопросы.*

Дома́ бывают одноэтажные, двухэтажные, трёхэтажные и <u>так далее</u>... и многоэтажные. В Москве есть семь <u>высотных</u> домов. В одном из этих высотных домов - Московский Университет.

В больших городах в России люди, обычно, живут в квартирах, в многоэтажных домах с лифтом. То, что у англичан называется квартирой или домом с двумя спальнями, у русских называется трёхкомнатной квартирой или домом. Ванная, туалет и кухня - нежилые комнаты.

У некоторых горожан есть ещё загородный дом, где они отдыхают в выходные дни или летом, занимаются садом и <u>огородом</u>. Такие дома называются да́чами.

В деревнях люди, обычно, живут в небольших <u>деревянных</u> одноэтажных домах, которые называются и́збами.

В центре Москвы <u>сохранились</u> <u>старинные</u> <u>особняки</u>. Один из таких особняков <u>принадлежит</u> семье Шуры Чернова.

and so on	
skyscraper	

МНОГОЭТА́ЖНЫЙ ДОМ

изба́

vegetable garden

wooden

remain   ancient
mansions

belongs

Дом урок № 18

1. Как называются загородные дома, в которых горожане отдыхают летом?
2. Как называются дома, в которых живут деревенские жители?
3. Сколько спален в русской двухкомнатной квартире?
4. Какие дома в Москве самые высокие?

3   Надя, университетская подруга Кати, собирается делать ремонт в своей квартире. Она приглашает Катю пойти с ней в большой магазин ИКЕА, в котором они ещё никогда не были.

*Посмотрите на названия отделов и поставьте слова в скобках в правильной форме. После этого посмотрите на план магазина и отметьте названия отделов соответствующей **цифрой** (number).*

отделы магазина ИКЕА

□ (зелёный) комната
□ сказка на (вссь) ночь
□ (приятный) аппетита
□ рецепты (наш) кухни
□ (желанный) остановка
□ отдых для (весь) семьи
□ начало (новый) карьеры
□ уроки красоты в (ванная)
□ (новый) вид из (старый) окна
□ (маленький) люди с (большой) мечтами

план отделов магазина

домашний офис 6 | 5 гостиные

ИКЕА для детей 7 | 4 столовые

сад и огород 8 | 3 спальни

ванные 9 | 2 кухни

кафе 10 | 1 окна

4   Надя живёт в многоэтажном доме в трёхкомнатной квартире. Она получила наследство от своей бабушки и на эти деньги решила купить новую мебель. У неё большая спальня и поэтому **часть** (part) спальни она собирается сделать своим кабинетом.

Составьте список мебели для каждой из Надиных комнат.

гостиная:...

столовая:..

спальня:...

кабинет:...

кухня:..

5 Девушки провели весь день в магазине. Катя с большим удовольствием и энтузиазмом помогала Наде выбирать мебель.

Прочитайте их разговор, поставьте слова в скобках в правильной форме и переведите его.

Катя: Посмотри на (эта интересная) кровать.

Надя: Мне (такая большая) кровать не нужна. Мне нужно оставить место для (письменный) стола. Ты (какие) столы любишь?

Катя: Ты о (какие) столах говоришь - о (письменные) или (столовые)?

Надя: Обо (все). Ну, например, тебе нравится (этот) стол? Мне для (гостиная) нужен (большой) стол.

Катя: У тебя для (такой большой) стола есть место?

Надя: Я его поставила бы в (гостиная) между двумя (новые) креслами.

Катя: Но у тебя там стоит (старинный) пианино.

Надя: Я его поставлю к (восточная) стене между (книжный) шкафом и телевизором.

Катя: Тогда оно будет стоять в (тёмный) углу.

Надя: А ты куда бы поставила его?

Катя: Я поставила бы пианино около (книжные) полок, поближе к (старинное) зеркалу и к (большое) окну, а стол с (новые) стульями в центр комнаты.

Надя: Да, ты права. Так, наверное, будет лучше.

Катя: Я всегда права!

6 Девушки выбрали мебель (список в упражнении четыре) и теперь им надо её купить.

Ролевая игра. Разыграйте по ролям разговор Нади с продавцом.

Надя
Хочет узнать
• в каком отделе, что можно купить
• как пройти в этот отдел
• что сколько стоит

Продавец
• отвечает на все вопросы

7   Наконец девушки купили мебель и **привезли́** (brought) её домой. Теперь мебель надо **расста́вить** (place) по местам. Надя ничего не может найти, а Катя хорошо помнит, где что находится. Вот их разговор.

Прочитайте его, выберите нужное слово, поставьте его в правильной форме. Переведите их разговор.

Надя: Я не вижу стульев.

Катя: Вот они, в углу (стоять/поставить).

Надя: Где книжная полка?

Катя: Ты (стоять/поставить) её в столовую, помнишь?

Надя: Как ты думаешь, куда лучшс (стоять/поставить) стол?

Катя: Я (стоять/поставить) бы его к окну.

Надя: Куда (лежать/положить) книги?

Катя: Я думаю, пока их надо (лежать/положить) на пол.

Надя: По-моему, я потеряла кошелёк с деньгами.

Катя: Я видела, как ты (лежать/положить) его в сумку.

Надя: Ты как всегда права, вот он (лежать/положить). Катюша, ты не знаешь, куда я (висеть/повесить) своё пальто?

Катя: Да вот же оно (висеть/повесить).

Надя: Мне не нравится, когда книги (лежать/положить) на полу. Давай (лежать/положить) их в шкаф.

Катя: Я думала, что ты хотела свои вещи (висеть/повесить) в новый шкаф, а книги (лежать/положить) на полку.

Надя: Хорошо, а потом будем пить чай из новых чашек!

8   После чая **разборка** (sorting out) мебели **продолжается** (continues). Как всегда Надя спрашивает, а Катя отвечает.

Напишите вопросы Нади и ответы Кати, выбрав слова из всех трёх списков.

Надя: *Где моя сумка?*	**Катя:** *Вот она, стоит на столе.*	
• часы		• у двери
• зеркало	• лежать	• у стены
• кровать		• на полу
• журналы	• стоять	• на стене
• старый диван		• на полке
• новая картина	• висеть	• под столом
• книжная полка		• между креслами

Дом

9 Вечером к Наде **пришли** (came) её друзья помогать ей. Как и бывает в такой ситуации, все вещи не на своих местах. Надя говорит своим друзьям, где что должно находиться и просит их **помо́чь** (help) **расста́вить** (place) вещи по местам.

Выберите правильное слово, составьте и напишите предложения, как в примере.

Пример: Стол будет стоя́ть в центре комнаты.

Поставь/те его, пожалуйста, в центр комнаты.

стоя́ть ● лежа́ть ● висе́ть

ваза - на столе
кресло - в углу
ковёр - на полу
стулья - у стола
картина - на стене
телевизор - у стены
журналы - на столе
занавески - на окне
лампа - над диваном
зеркало - около окна
телефон – между окном и дверью

10 *Прочитайте, поставьте слова в правильной форме, переведите текст и ответьте на вопросы.*

Когда (все) вещи, наконец, стояли по своим местам, Надя пригласила (все), кто ей помогал, в кафе. Они **пошли** (went) в кафе (вся) своей большой компанией. Катя сначала хотела **пойти** (to go) домой, но (все) стали её **уговаривать** (persuade), и она решила пойти вместе со (все). Как всегда, у (все) не было денег, но на этот раз у Нади были деньги, и она (все) заказала мороженое и шампанское. (Все) было очень весело, и никто не хотел идти домой. (Вся) компания гуляла до трёх часов ночи по (весь) городу.

1. Почему Надя пригласила своих друзей в кафе?
2. Как вы думаете, почему Катя сначала хотела пойти домой?
3. Как вы думаете, почему ни у кого не было денег?
4. В котором часу друзья были дома?
5. Как вы думаете, что бы Надя делала, если бы у неё не было таких хороших друзей?

11 Катя с Надей и их друзья гуляют ночью по городу. Они решают куда пойти и чем заняться.

Коммуникативная игра. По очереди предлагайте, куда пойти и что делать, как в примере.

Пример: Катя: Давайте пойдём в кино.

        Надя: Нет, в кино не пойдём. Во-первых, у нас нет денег на билеты, а во-вторых, уже поздно.

пойти в: театр, ресторан, бар
поехать: в лес
          за границу
будем: петь
         кататься на велосипеде
         играть в футбол
         писать письмо президенту
	поздно и нет денег
	темно и поезда не ходят
	нет документов и визы
	все уже спят
	нет велосипеда
	не́где, стадион закрыт
	скучно

12 На следующий день Катя пишет письмо своей подруге.

Закончите её письмо и опишите в нём весь вчерашний день Кати.

> *Дорогая Анна,*
>
> *Сейчас полдень, а я только что встала.*
>
> *Хорошо, что сегодня в университете нет занятий. Очень хочется спать, потому что вчера*

13 Катя хотела бы **обменять** (exchange) свою комнату на другую, поэтому у неё есть бюллетень по обмену **жилой площади** (living space)

Как вы думаете, какой из этих вариантов ей нравится и почему?

Меняю комнату 30 кв.м., 5 эт. 10-этаж. дома в центре Москвы на большой дом в Подмосковье. Телефон: 940 75 83	Меняю 2-эт. дом в деревне, газ, вода, телефон, терраса. Жилая площадь 200 кв.м. на квартиру в Москве.
Меняю квартиру в Лондоне на квартиру в Москве. Тел.: 0065 456 06 840	Меняю однокомнатную квартиру 25 кв.м. с балконом в центре Москвы на комнату большей площади, недалеко от лесопарка. Алёна. Телефон: 589 08 94
Помогаем обменять квартиры Тел.: 123 45 67	

14 Через день погода была хорошая, и Майкл с Катей
гуляли по парку. Катя как всегда рассказывала
Майклу о своих друзьях, которых он никогда не видел. А Майкл,
как всегда **внимательно** (attentively) её слушал.

Прослушайте их разговор и заполните таблицу.

	Вера	**Павел**	**Зина**	**Иван**	**Люда**	**Яков**
сколько этажей в доме						
количество комнат						
какой этаж						
размер кухни						
балкон						
транспорт						

15 Теперь
Катя
описывает свою
комнату.

*Прослушайте запись и
на плане комнаты
отметьте, где какая
мебель стоит.*

Комната Кати

16 а Катя и Майкл всё ещё гуляют в парке.
Прослушайте их разговор и ответьте на вопросы.

1. О чём они разговаривают?
2. У Майкла есть свой дом? Почему?
3. Опишите дом, в котором Майкл обычно живёт, когда бывает в
   Лондоне.
4. Чем мама Майкла любит заниматься в свободное время?
5. Почему Майкл обычно едет в центр на поезде?

16 б Через какое-то время Катя звонит своей подруге.
*Прослушайте их разговор и скажите: Катя всегда говорит своей
подруге правду? Что неправда в рассказе Кати?*

17   Как вы уже знаете, Шура Чернов очень известный пианист, поэтому он очень **богатый** (rich) и у него несколько домов. Один из его домов находится в Лондоне. Это четырёхэтажный дом с большим садом на юго-востоке города. Майкл часто бывает у Шуры в гостях и хорошо знает его лондонский дом. Кате, конечно, очень интересно, какой у Шуры дом, и она хочет, чтобы Майкл рассказал ей об этом доме.

Ролевая игра. *Разыграйте по ролям разговор Кати и Майкла.*

Катя хочет знать:
- сколько этажей у Шуры в доме
- на каком этаже какие комнаты
- какая мебель в каждой комнате
- кто работает в саду
- где находятся его другие дома

Майкл подробно (in full detail) и очень **терпеливо** (patiently) отвечает на все вопросы Кати.

---

18   Вы помните, что Майкл и Олег Петрович были на улице Забéлина в доме, который принадлежит Шуре Чернову в Москве. Раньше эта улица называлась Большая Ивановская. Теперь она названа **в честь** (*here:* after) известного историка Москвы Ивана Егоровича Забелина. Эта старая, **тихая** (quiet) улица Москвы находится в самом центре города. Как вы видите, дому нужен капитальный ремонт.

19 а  Майкл звонит Шуре Чернову в Лондон.

Прослушайте запись и ответьте на вопросы.

1. Что Шура прислал Майклу?
2. Сколько этажей в доме на улице Забелина?
3. Сколько комнат на первом этаже, и какие это комнаты?
4. Сколько гостиных, и как они называются?
5. Нарисуйте план гостиной, которую описывает Майкл, и мебель, которая стоит в этой гостиной.
6. Почему Майкл не хочет описывать Шуре Чернову **остальные** (the rest) комнаты?

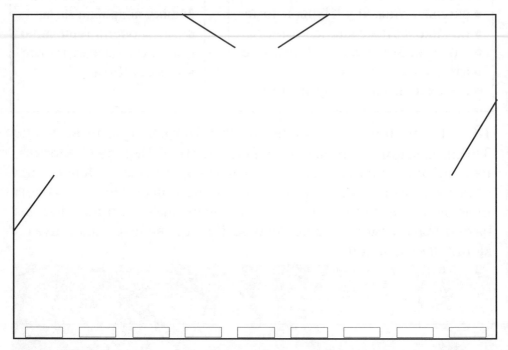

19 б   Вот план второго этажа дома Шуры Чернова.

Опишите первый, второй и третий этажи этого дома.

второй этаж

20   *Опишите свой дом и свою комнату.*

21 *Посмотрите на картинки и расскажите о каждом из этих людей:*

● *сколько им лет* ● *где и как они живут* ● *о чём они мечтают и почему* ●
● *что они делали бы, если бы у них была* **возможность...** *(opportunity)* ●

КРОССВОРД

урок № 18 Дом

По горизонтали:

7. Олег говорит Майклу: ... посмотрим на план дома.
8. Внизу пять комнат, кухня и ... .
10. Майкл любит русскую ... .
11. Майкл бывает в России каждый ... .
12. В магазине нет ..., который Катя любит.
13. Летом Катя поедет отдыхать на ... .
14. Ключи ... дома.
15. В спальне нет никакой мебели: ни кровати, ни стола, ни ... .
16. Стол ... у окна.
17. Когда-то Шура Чернов очень хорошо ... машину.
18. Эта ... очень старая и плохо открывается.
19. Какое ... года вы больше всего любите?
21. Почему Шура Чернов ... решил приехать в Москву?
23. Я не люблю, когда холодно и дует ... .
24. ... встречи!
25. Олег никогда не был в доме Шуры, ... хорошо знает этот дом.
27. Катя любит томатный и яблочный ... .
28. В анкете надо написать ... и фамилию.
29. В Москве работает много английских ... .
32. Очень ..., что у Олега есть картина, на которой изображён дом Шуры Чернова.
33. На третьем этаже находится ... .

По вертикали:

1. На втором этаже четыре спальни и ... .
2. Точно ... же картину Олег видел у Шуры в доме.
3. ... картина висит у Олега в кабинете.
4. У Кати ... планов на вечер.
5. Шуре Чернову нужен ... .
6. До ... с Шурой Черновым Майкл решил осмотреть его дом.
9. Всю неделю Майкл занимался ... Шуры Чернова.
20. В этом доме давно не было ... .
22. ... находится около спальни.
24. В гостиной стоит большой ... .
26. У газеты Майкла нет ... в Москве.
30. - Где документы?   - Вот ... .
31. Лучше поздно, ... никогда.

КОНТРОЛЬНАЯ РАБОТА

Put a tick in the box by the correct word.

1. ☐ Катя   ☐ уже   ☐ никогда   ☐ не был   ☐ за границу
   ☐ Кате   ☐ ещё   ☐ нигде   ☐ не было   ☐ за границей
   ☐ Катю   ☐ раз   ☐ никто   ☐ не была   ☐ за границами

2. Катя ☐ точно   ☐ катается   ☐ друзьям   ☐ лыжах
        ☐ часто   ☐ кататься с ☐ друзьей   на ☐ лыжам
        ☐ место   ☐ катаюсь   ☐ друзьями   ☐ лыжи

   ☐ к ☐ подмосковный   ☐ леса   ☐ хорошо
   ☐ в ☐ подмосковном   ☐ лесе   когда погода   ☐ хороший
   ☐ с ☐ подмосковным   ☐ лесу   ☐ хорошая

3. ☐ Зима   ☐ Майкл   ☐ обедает   ☐ где-нибудь   ☐ по ☐ юг
   ☐ Зиму   ☐ Майкла   ☐ отдыхает   ☐ куда-нибудь ☐ за ☐ юге
   ☐ Зимой ☐ Майклу   ☐ однажды   ☐ куда-то   ☐ на ☐ юга

4. Если бы у   ☐ Кати   ☐ была   ☐ деньги
               ☐ Кате   ☐ были   много   ☐ денег   , она
               ☐ Катю   ☐ было   ☐ деньгам

   ☐ купит   ☐ машина   ☐ Олега   ☐ Петровичу
   ☐ купить бы ☐ манину   для ☐ Олегу   ☐ Петровичем
   ☐ купила   ☐ машины   ☐ Олегом   ☐ Петровича

5. ☐ Олега   ☐ любая   ☐ работе   ☐ стать
   ☐ Олегу   кажется, что ☐ любой   ☐ работу может   ☐ есть
   ☐ Олегом   ☐ любую   ☐ работа   ☐ быть

   ☐ интересная   ☐ если   ☐ однажды
   ☐ интересной   ☐ зачем   она   ☐ нравиться
   ☐ интересную   ☐ ведь   ☐ зарабатывать

6. ☐ Картина   ☐ повесит   ☐ шкаф   ☐ дверью
   ☐ Катрине   ☐ висит   между   ☐ шкафа   и   ☐ двери
   ☐ Картину   ☐ висеть   ☐ шкафом   ☐ дверь

Score: .... out of 37

В квартире у Кати звонит телефон.

Катя: Алло.

Майкл: Катя, здравствуй. Я звоню, **чтобы договориться** о вечере. В котором часу ты будешь свободна?

Катя: Давай встретимся у главного **входа** в университет в 4 часа.

Майкл: Хорошо, договорились. Только не **опаздывай**.

У главного входа в Московский университет.

Майкл: Ты, как всегда, опоздала. Сейчас уже двадцать пять минут пятого. Я думал, что-то случилось.

Катя: **Прости** меня, пожалуйста. **Лекция закончилась** только пять минут **назад по вине преподавателя**. **Предмет** такой интересный, а его лекции и **семинары** такие скучные. Они мне **напоминают уроки физики** в **школе**, которые я **ненавидела**. Идём скорее. Компьютерная комната **открыта** до шести. Я обо всём договорилась.

В компьютерной комнате Московского университета.

Майкл: Мне здесь очень нравится. Хорошая рабочая **атмосфера**.

Катя: Нам **повезло**, сегодня не так много **народа**, как обычно, **несмотря на то, что** скоро **экзамены**. Смотри, в углу свободный компьютер. *(студенту)* Этот компьютер свободен?

Студент: По-моему, свободен.

Катя: У тебя все документы на одной **дискетке**?

Майкл: У меня ещё не все документы **готовы**. Пока ты будешь **печатать** готовые, я буду **проверять остальные**. У тебя есть красный **карандаш** или **ручка**?

Катя: Вот, **возьми** мой **пенал**, в нём есть всё: и ручки, и карандаши, и **ластик**, и **линейка**. **Чистая бумага** в **папке**.

Майкл: Спасибо. Ты - **молодец**, хорошо **организована**. А у тебя есть чистая **тетрадь**?

Катя: У меня есть **блокнот**. Посмотри в моей сумке. Все **файлы** печатать?

Майкл: Только первые пять, остальные я **исправляю**.

Компьютер урок № 19

Катя: Майкл, **как пишется "юриспруденция"**?
Майкл: Я думаю ю-р-и-с-п-р-у-д-е-н-ц-и-я.
Катя: В документе исправлять **ошибку**?
Майкл: Ну, конечно.
Катя: *(через полчаса)* Майкл, уже без двадцати шесть. Через двадцать минут будут закрывать комнату. Заканчивай проверку, **принтер** печатает очень **медленно**.
Майкл: Сейчас закончу. "**Поспешишь** - людей **насмешишь**".

чтóбы	in order to	рýчка	pen
договорúться	to agree/settle	взять	take
вход	entrance	пенáл	pencil-case
опáздывать	to be late	лáстик	rubber
простúть	to forgive	линéйка	ruler
лéкция	lecture	чúстый	clean
закóнчиться	to finish	бумáга	paper
назáд	back/ago	пáпка	folder
по винé	someone's fault	молодéц	well done
преподавáтель	teacher	организóван/а/ы	organised
предмéт	subject	тетрáдь	exercise book
семинáр	seminar/tutorial	блокнóт	writing-pad
напоминáть	to remind	файл	file
урóк	lesson	исправлять	to correct
фúзика	physics	как пúшется?	how do you spell?
шкóла	school	юриспрудéнция	law
ненавúдеть	to hate	ошúбка	mistake
открýт/а/ы	opened	прúнтер	printer
атмосфéра	atmosphere	мéдленно	slowly
повезтú	to be lucky	поспешúть	hurry
нарóд	crowd/ people	насмешúть	make smb
несмотря́ на то, что	in spite of		laugh
экзáмен	examination		
дискéтка	floppy disk		
готóв/а/ы	ready		
печáтать	to type/print		
проверя́ть	to check		
остальнóй	the rest		
карандáш	pencil		

289

Notes:

Sometimes an Aspect (see grammar on the next page) can completely change the meaning of the verb: сдавáть/сдать

> E.g.: сдавáть экзамен - to sit an exam
> сдать экзамен - to pass an exam

Система <u>оценок</u> в России.	marking/grading

В России <u>пользуются</u> <u>пятибальной</u> системой оценок. 'Пятёрка' - <u>высшая</u> оценка, которая <u>соответствует</u> английской 'A'. Английской 'A*' соответствует 5+. За пятёркой идут 'четвёрка', 'тройка', 'двойка' и 'единица'. | use five-point
highest
corresponding

'Единица' - <u>низшая</u> оценка. <u>Ученик</u> или студент, который получил единицу или двойку, не ответил ни на один вопрос учителя - '<u>провалился</u>'. Такой ученик <u>должен</u> обычно <u>пересдавать</u> предмет, по которому он получил 'единицу' или 'двойку'. Школьник, который учится очень плохо, на двойки, <u>остаётся</u> на второй год в том же <u>классе</u>. Такие ученики называются 'второгодниками', от слов 'второй' и 'год'. | lowest pupil

failed must
re-sit

stays form

Мальчик: Когда я ем, бабушка мне
читает книжку.
Папа: Это нехорошо. За столом
читать нельзя.
Мальчик: Бабушка не ест, когда мне читает.

дополнительный словарь:

шкóльные предмéты: school subjects:

биолóгия	biology	релúгия	RS
геогрáфия	geography	рисовáние	art
инострáнный язы́к	foreign language	фúзика	physics
истóрия	history	физкультýра	PE
литератýра	literature	хúмия	chemistry
математика	mathematics	черчéние	technical drawing

Компьютер урок № 19

Грамматика

VERB. ASPECTS OF VERBS. In lesson 11 we mentioned two Future tenses. To be precise there are three tenses in Russian: Past, Present, Future and two Aspects (Imperfective and Perfective) which make two more tenses: Past and Future. So all in all that makes five tenses in Russian (as compared to 16 in English!)

● Most verbs in Russian have Imperfective and Perfective Aspect.

Imperfective (I) aspect describes actions which are incomplete, continuing or repetative.

Perfective (P) aspect describes a single completed action.

● Where relevant, these pairs of verbs: **I/P** are given in the Vocabulary

● Formation: Perfective verbs are formed from the Imperfective verbs

a) by adding a prefix:

делать (I)	**с**делать (P)	смешить (I)	**на**смешить (P)
звонить	**по**звонить	печатать	**на**печатать
смотреть	**по**смотреть	читать	**про**читать

Exception: покупать (I) - купить (P)

---

b) by mutation inside the word:

встреча́ть (I)	встре́**тить** (P)	конча́ться (I)	ко́нчиться (P)
догова́риваться	договори́ться	напомина́ть	напо́мнить
зака́нчиваться	зако́нчится	проверя́ть	прове́рить
закрыва́ть	закры́ть	проща́ть	прости́ть
исправля́ть	испра́вить	случа́ться	случи́ться

c) completely different words:

говори́ть (I)	сказа́ть (P)	брать (I)	взять (P)
возвраща́ться	верну́ться		

	Past tense	Present tense	Future tense
Imperfective:	я смотре́л	я смотрю́	я буду смотреть
Perfective:	я посмотре́л	-	я посмотрю́

E.g.: Вчера я весь вечер смотрел телевизор, но новости не посмотрел. Посмотрю сегодня вечером. — I watched TV all evening last night, but didn't watch the news. I will watch it this evening.

E.g.: Она опаздывает на работу каждый день, но сегодня она не опоздала. — She is late for work every day, but today she is not late.

1 *Прослушайте диалоги и ответьте на вопросы.*

1. Почему Майкл звонит Кате?
2. Где и когда они решили встретиться?
3. Почему Катя опоздала на встречу?
4. Какие уроки Катя ненавидела, когда училась в школе?
5. До которого часа работает компьютерная комната?
6. Почему Майклу нравится в компьютерной комнате?
7. Почему Майклу и Кате повезло?
8. Почему Майкл думает, что Катя хорошо организована?
9. Расскажите, кто что делает в компьютерной комнате.
10. Почему Майкл говорит "поспешишь - людей насмешишь"?
    Что это значит? Как вы понимаете эту русскую пословицу?
    Как это сказать по-английски?

2 *Прочитайте, выберите правильное слово, переведите текст и ответьте на вопросы.*

Вы уже, наверное, понимали/поняли, что Шура Чернов едет в Москву не только для того, чтобы встречаться/встретиться с Анной Николаевной, но и для того, чтобы **оформлять/офóрмить наслéдство** (to register inheritance) на дом. Для этого ему нужно переводить/перевести, печатать/напечатать и легализúровать/легализовáть документы, которые он присылал/прислал Майклу. Вот этим и занимались/занялись в компьютерной комнате Майкл и Катя.

Катя помогала/помогла Майклу исправлять/исправить все ошибки в документах. Им надо было работать/поработать быстро, потому что компьютерная комната закрывалась/закрылась в шесть часов.

После этого Майкл, как всегда, приглашал/пригласил Катю в своё любимое кафе.

1. Чем занимались Майкл и Катя в компьютерной комнате?
2. Как Катя помогала Майклу?
3. Для чего Шура Чернов едет в Москву?
4. Как называетс кафе, в которое Майкл обычно приглашает Катю?
5. Как вы думаете, Шуре Чернову нужен ещё один дом? Почему?

Компьютер урок № 19

3 Когда Катя и Майкл собирались/собрались пойти в кафе, Катя вдруг видела/увидела университетский киоск и решала/решила, что ей надо что-то покупать/купить.

Прослушайте её разговор с продавцом и ответьте на вопросы.

1. Какие цвета бумаги есть в **наборе** (set)?
2. Чего нет в киоске?
3. Почему Катя не хочет покупать ручку?
4. Почему Катя не может купить одну кассету?
5. Какие тетради Кате не нравятся?
6. Напишите список **товаров** (goods), которые Катя купила.

4 *Ролевая игра. Разыграйте по ролям разговор покупателя и киоскёра.*

Покупатель	**Киоскёр**
Вам надо купить:	В киоске нет:
• карандаши чёрные и цветные	
• ручки • ластик • линейку	• цветных карандашей
• белую и цветную бумагу	• цветной бумаги
• папку для бумаг	• блокнотов и кассет
• тетради • блокнот • кассеты	
Спросите, что сколько стоит и постарайтесь купить всё, что вам надо	*Проставьте цены (prices) на все товары и продайте как можно больше товаров покупателю*

5 **По дороге** (on the way) в кафе Майкл рассказал Кате анекдот.
Прочитайте этот анекдот и перескажите его.

"Новый русский" <u>устраивает</u> свою дочь в самую лучшую английскую школу для девочек. Директор школы рассказывает ему о школе и о предметах, которые можно <u>изучать</u> в этой школе. Он говорит, что у них в школе большой <u>выбор</u> иностранных языков: немецкий, французский, итальянский, китайский, испанский. И спрашивает, какой иностранный язык хочет изучать дочь "нового русского". "Новый русский" подумал и спрашивает: "Какой язык самый иностранный?"

enrol

study
choice

Компьютер

6 а В кафе Майкл спрашивал/спросил Катю, что она хочет/захочет есть и потом заказывал/заказал ужин. За ужином Катя, как всегда, рассказывала/рассказала Майклу о своих друзьях, которых он никогда не видел/увидел, но знал/узнал о них уже так много.

Прослушайте Катин монолог и заполните таблицу.

	любимый предмет	нелюбимый предмет	клубы и кружки	хобби	профессия	где учится
Вера						
Павел						
Зина						
Иван						
Люда						
Яков						

6 б *Коммуникативная игра. Опросите студентов своей группы, какие предметы в школе они любят или любили, ненавидят или ненавидели, в каких клубах или кружках занимаются или занимались и кем хотят стать или хотели стать в детстве. Заполните таблицу.*

имя	любимый предмет	нелюбимый предмет	клубы и кружки	хобби	профессия	где учится (учился/ась)

6 в *Посмотрите на таблицу, которую вы заполнили, и ответьте на вопросы.*

1. Какие предметы самые популярные и почему?
2. Какие предметы самые непопулярные и почему?
3. Чем большинство студентов вашей группы любит заниматься в свободное время и почему?

7 Может быть Катя видела/увидела, что Майклу скучно слушать/послушать её рассказ о друзьях, поэтому она решала/решила спрашивать/спросить его о чём-то более интересном. Майкл рассказывал/рассказал ей много интересного и Катя решала/решила писать/написать статью в университетскую газету о том, что ей рассказывал/рассказал Майкл.

Прослушайте их разговор и напишите статью (100-150 слов), в которой расскажите:

- кто учится в школе Майкла
- сколько этажей в его школе
- какие школы бывают в Англии
- когда **начинаются** (start) занятия в школе
- сколько бывает уроков в день
- во сколько уроки кончаются
- сколько времени **длится** (lasts) обеденная **перемена** (break)

8 а Теперь Катя рассказывает Майклу о своей школе.
Прослушайте их разговор и ответьте на вопросы.

1. Где находилась Катина школа?
2. Сколько в её школе этажей?
3. Что находилось на каждом этаже?
4. Чего в её школе не было?
5. Во сколько лет дети идут в школу?
6. Какой последний **класс** (form)?
7. В каких классах бывают экзамены?
8. Сколько уроков бывает в день?
9. Опишите школьную **форму** (uniform).
10. В котором часу начинаются и кончаются занятия в школе?

8 б Как вы уже знаете/узнаете у Майкла есть сестра Энн, которая учится/поучится в школе и изучает/изучит русский язык. Она уже давно просила/попросила Майкла писать/написать ей о русской школе. **Наконец** (at last), когда Катя рассказывала/рассказала ему о своей школе, он решал/решил просить/попросить Катю, чтобы она писала/написала о своей школе его сестре Энн. Катя с удовольствием писала/написала это письмо по-русски.

Напишите письмо Кати сестре Майкла и опишите Катину школу.

9 *Сначала обсудите со студентами вашей группы, а потом напишите* **сочинение** *(essay), в котором обсудите эти вопросы:*

1. В каких школах лучше всего учиться и почему?
2. Какие предметы самые важные, интересные, скучные?
3. Как вы думаете, в школе нужно носить **форму** (uniform) и почему?
4. Как вы хотели бы улучшить **образование** (education) в своей стране?

10 На следующий день Катя звонит своей подруге.
Прослушайте их разговор и ответьте на вопросы.

1. Куда и почему Катя со своей подругой хотят пойти?
2. Какой фильм они хотят посмотреть?
3. Что Надя делает утром?
4. Напишите, во сколько начинаются сеансы:

1................... 2................... 3................... 4................... 5...................
5. На какой сеанс девушки решили пойти?......

11 Через полчаса Катя опять звонит/позвонит своей подруге, потому что она **передумала** (changed her mind) и уже не хочет/захочет идти в кино. Они опять планируют/запланируют, как проводить/провести завтрашний день. Но на этот раз это не так просто делать/сделать, потому что у Нади уже есть другие планы на завтра.

Выберите слова из каждой рамки и составьте предложения, как в примере.

Пример: Катя: Что ты будешь делать в 12 часов?
       Надя: Буду писать письмо подруге.
       Катя: А потом?
       Надя: Когда напишу письмо, пойду на почту.

12.00	**писать письмо**	**идти на почту**
12.45	смотреть телевизор	идти гулять
13.15	читать журнал	отдыхать
14.10	обедать	спать
14.40	печатать статью	проверять ошибки
15.10	звонить друзьям	слушать радио
16.15	делать покупки	пить чай
18.30	играть на гитаре	танцевать

296

12 Теперь Надя задаёт/задаст вопросы Кате. Она хочет/захочет знать/узнать, что Катя будет делать/сделать завтра. Ничего интересного у Кати не планировано/запланировано. Вот её распорядок дня на завтра.

Проставьте время её занятий, составьте и напишите диалог Кати с Надей.

.....	вставать/встать	чистить/почистить зубы
.....	завтракать/позавтракать	пылесосить/пропылесосить пол
.....	готовить/приготовить обед	мыть/помыть посуду
.....	делать/сделать покупки	накрывать/накрыть на стол
.....	обедать/пообедать	убирать/убрать со стола
.....	отдыхать/отдохнуть	ужинать/поужинать
.....	читать/прочитать	идти/пойти спать

13 а Катя звонит Наде.

Прослушайте их разговор и заполните таблицу.

Расписание занятий

день:	
время:	занятие:

13 б *Ролевая игра. Представьте себе, что вы учитесь с Катей в одной группе.*
Составьте расписание занятий на вторник, среду, четверг и пятницу и разыграйте по ролям разговор по телефону с Катей. Продиктуйте ей расписание этих занятий, а потом проверьте, что она всё правильно записала. В рамке внизу список возможных занятий.

фонетика ● языкознание ● история зарубежной литературы латынь ● поэзия ● журналистика ● русская литература

14   *Прочитайте текст и ответьте на вопросы.*

Традиционно, школьный <u>учебный год</u> в России начинается 1 сентября. Первый раз в первый <u>класс</u> приходят дети, которым <u>исполнилось</u> 6-7 лет. Последний класс одиннадцатый. В <u>конце</u> восьмого и одиннадцатого классов бывают экзамены. В одиннадцатом классе <u>выпускные</u> экзамены по всем предметам, после них бывает выпускной <u>бал</u>.

Те, кто хочет <u>продолжать</u> <u>обучение</u> в институте или университете, <u>должны</u> <u>сдавать</u> <u>вступительные</u> экзамены.

academic year

form
are
end

leavers

ball

continue   education
must   sit
entrance

Обычный учебный день в школе начинается в 8.30 утра и заканчивается в 2-3 часа. <u>Как правило</u>, в начальной школе (с первого по четвёртый класс) или, как их ещё называют, в младших классах, бывает по 4 урока в день, а у старшеклассников по 7-8 уроков в день. С пятого класса начинается <u>средняя</u> школа. Каждый урок <u>длится</u> 45 минут, а <u>перемены</u> длятся 5-10 минут. В середине учебного дня бывает большая перемена, которая длится 20 минут, и школьники могут <u>перекусить</u> в школьной столовой.

as a
rule

middle
lasts break

have a snack

Школьный учебный год <u>разбит</u> на четыре <u>четверти</u>. Первая четверть кончается 1-2 ноября. Осенние <u>каникулы</u> длятся неделю. Потом начинается вторая четверть, которая заканчивается в конце декабря. Зимние каникулы начинаются 25-27 декабря и длятся десять дней. Третья четверть заканчивается 23-25 марта, затем весенние каникулы и, наконец, последняя четверть заканчивается в конце мая. Летние каникулы самые длинные, они длятся всё лето - три месяца!

divided
terms
holidays

1. Во сколько лет дети в России начинают ходить в школу?
2. Когда начинается учебный год?
3. Сколько каникул в году бывает у школьников в России?
4. В каком классе бывают экзамены по всем предметам?
5. В котором часу начинаются занятия в школе?
6. Сколько лет дети учатся в школе?
7. Сколько уроков в день бывает у учеников?
8. Сколько длится каждый урок?
9. Сколько времени длятся перемены?
10. Когда каникулы начинаются и когда кончаются?
11. Какие каникулы самые длинные, и сколько времени они длятся?
12. Где школьники могут отдыхать летом?
13. Что должны делать ученики, которые кончили школу и хотят продолжать обучение.

15 *Опишите свой обычный рабочий/школьный день.*

- В котором часу вы встаёте, завтракаете, идёте на работу или в школу?
- Сколько времени у вас идёт на **доро́гу** (travel), и как вы **добира́стесь** (to get there) на работу/в школу?
- Где и в котором часу вы обедаете?
- Когда бывают и сколько длятся ваши **переры́вы** (breaks) или перемены?
- Чем вы занимаетесь на работе или какие у вас бывают уроки?
- Что вам нравится и не нравится в вашей работе/школе? Какие школьные предметы вы любите/не любите и почему?
- В котором часу вы приходите домой с работы или из школы?
- У вас бывает домашнее задание/работа? Сколько времени вы на это тратите?
- Как вы отдыхаете дома?
- В котором часу вы обычно ложитесь спать?

Компьютер

Москва, центр. Старинная и современная архитектура...

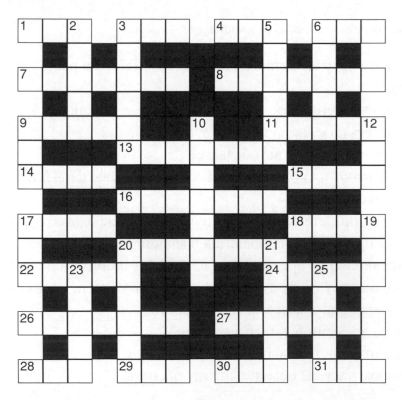

Компьютер

По горизонтали:

1. Подмосковный ... красив во все времена года.
3. На завтрак Катя любит пить яблочный ... .
4. Самая верхняя часть лица называется ... .
6. Катя хочет поехать за границу, чтобы посмотреть на ... .
7. Как вы ..., почему Шура Чернов едет в Москву?
8. Каждый вторник Катя ходит на ... по русской поэзии.
9. Катя и Олег не ..., кто такой мистер Блэк.
11. Когда документ ..., Катя печатает его на принтере.
13. У Кати в пенале есть всё: ручки, карандаши, ластик и ... .
14. Катя мечтает о том, когда будет ... и она поедет отдыхать.
15. Кругосветное путешествие! Об ... Олег мечтал в детстве.
16. ..., которую нашла Катя, была адресована Майклу.
17. Катя: Я с ... не пойду в кино.
18. Кате ... много читать, чтобы хорошо сдать летние экзамены.
20. У Кати самый любимый ... в школе был русский язык.
22. Катя не помнит ... телефона своей подруги.
24. Кате надо купить новую ... . Эта стала старая и не пишет.
26. В компьютерной комнате университета очень ... атмосфера.
27. Здесь нет тетрадей. Надо посмотреть в других ... магазина.
28. Майклу нравится кафе "Луна", потому что там хорошая ... .
29. Майкл на пять ... старше Кати.
30. ...-то знает новый адрес Анны Николаевны.
31. В анкете надо написать ... и фамилию.

По вертикали:

2. ..., которую Катя потеряла в Рыбинске, была новая.
3. Майкл ... на встречу с Катей, а она опоздала.
5. Чистая ... лежит на столе в компьютерной комнате.
6. Майкл ждал Катю двадцать пять ... .
10. Кроме ручки, Кате ещё нужны новые ... .
12. Что ... надо?
17. Где продуктовый магазин?   ... там.
19. Катя опоздала. ... просит Майкла извинить её за опоздание.
20. Майкл ... на встречу с Катей в четыре часа, как договорились.
21. ... сказать, Чернов англичанин или русский.
23. Кате нужна ..., чтобы послать письмо в Англию.
25. Сейчас редко носят ..., чаще носят колготки.

Встреча

ERRATA:

Page Ex. Line Read:

Page	Ex.	Line	Read:

4   11   Supplement (**not** Suplement)

11   14   People**'s** (**not** Peoples')

26   6

						актёр
						коммунист

27   12

						Ирландия
						Испания

             9   Шеннон (**not** Шенон)

38   8   8   Почему ... спрашиваете?

42   15a   1   Michael is **not** on the recording

65   5   9/10

важное	гражданство
любимые	техника

70   18   6   Да, **но** сегодня мы не работаем.

75   10   8   **вы** (**not** я)

        13   9   Михаил (**not** Махаил)

82   8a   2   to_Michael

86   15   exercise 16 (**not** 15)

95   9   4   Воронеж (**not** Волгоград)

PTO

ERRATA cont.

118		33	продавец (**not** прадавец)
128	16	1	asks (**not** was asks)
132	24	6	советские (**not** советскин)
142	14	17	**six** words (**not** seven)
230	4	1	составьте (**not** составвьте)
231	5	8	кому-то (should **not** be there)
234	14	12	мороженое (**not** мороженное)
249	12	10	кататься на **лыжах**
251	16	6	проснутся (**not** проснуться)
274	3		wrong picture, **should be** →

Куда?   наверх?

вниз

287	4	19	машину (**not** манину)
327		34	70**4** (**not** 705)
384	song	2 right	чёрт (**not** чётр)
385	poem	17	shining (**not** shinning)
		30	**fields** (**not** feilds), for (**not** fow)
		31	thickly (**not** thinkly)

туалет

В квартире Олега Петровича звонит телефон.

Олег: Я слушаю.

Майкл: Олег Петрович, здравствуйте. Можно попросить к телефону Катю?

Олег: Кати нет, она вышла на **минутку**.

Майкл: Куда она пошла?

Олег: В **булочную** за хлебом.

Майкл: Она давно ушла?

Олег: Минут десять назад.

Майкл: Когда она придёт?

Олег: Я думаю минут через пять.

Майкл: Вы не **могли** бы ей сказать, что я за ней заеду через полчаса.

Олег: Конечно. Вы поедете в аэропорт на такси или на метро?

Майкл: Мы поедем на машине, которую я взял **напрокат** на неделю.

Олег: Подождите **секунду**, я думаю Катя уже пришла. Да, вот она входит. *(Кате)* Это Майкл.

В аэропорту Майкл с Катей встречают Шуру Чернова.

Катя: Миша, опиши своего Шуру Чернова.

Майкл: Он очень **симпатичный**, в очках, невысокий, **худой**, **волосы седые**.

Катя: А я **представляла себе** его **совсем не** так. Я думала, что он **толстый**, **лысый** с **бородой** и **усами**. Значит, он больше **похож** на англичанина, чем на русского?

Майкл: Трудно сказать.

Катя: Посмотри, это он идёт?

Майкл: Конечно, он.

Катя: Я его **сразу** узнала по твоему описанию.

*Майкл **везёт** Шуру из аэропорта в гостиницу.*

Шура: Я не представлял, что Москва такая красивая! Улицы такие **прямые**, широкие и **длинные**!

Майкл: Сегодня вам надо отдыхать, а завтра мы с Катей покатаем вас по Москве, покажем достопримечательности. Анна

Встреча   урок № 20

Николаевна ждёт нас в гости послезавтра.

Шура: У нас будет завтра время заехать в Большой Ивановский **переулок**, посмотреть на дом?

Майкл: Ну, конечно. Но только переулок **переименовали** в улицу Забелина.

Шура: Ах, да **вспомнил**, ты мне это уже говорил. Голова у меня стала старая и глупая, всё **забываю**, ничего не могу запомнить.

мину́та	minute	борода́	beard
бу́лочная	bakery	ус/усы́	moustache
мочь	(see Notes)	похо́ж/а/ы	looks like
напрока́т	hire	сра́зу	at once
секу́нда	second	везти́	to take (by means of transport)
симпати́чный	nice		
худо́й	thin/slim	прямо́й	straight
во́лосы	hair	дли́нный	long
седо́й	grey hair	переу́лок	side street
представля́ть себе́	to imagine	переименова́ть	rename
совсе́м не	not in the least	вспо́мнить	to recollect
то́лстый	fat	забыва́ть	to forget
лы́сый	bald		

Notes:

1. **мочь** - can, could, to be able to

  E.g.: У меня болит рука, я не могу писать
    My hand hurts, I can't write

    Вы не могли бы сказать ей...
    Could you tell her...

Present tense:

я могу́   ты мо́жешь   он мо́жет   мы мо́жем   вы мо́жете   они мо́гут

Past Imperfective: мог   могла́   могло́   могли́
Future Imperfective: **not used**
Past Perfective: смог   смогла́   смогло́   смогли́
Future Perfective: я смогу́   ты смо́жешь   он смо́жет etc.

2. Diminutive: мину́тка/мину́та see page 322 for explanation.
       also see page 104 [3]

305

урок № 20   Встреча

Грамматика

VERBS of MOTION. You have come across the following verbs of motion:
идти, ходить, ехать (пойти, поехать, переехать)

- All verbs of motion have a pair of verbs to describe the same action:
идти/ходить - to walk, to go on foot
ехать/ездить - to go by means of transport (see page 151, [4])

> E.g.: Я иду в магазин   I am going to the shop
> Я еду на Волгу   I am going to Volga

- The first group of verbs: идти/ехать describes motion in a definite direction, taking place at a given time and therefore we will call them Determinate verbs.

> E.g.: Сегодня вечером я иду в кино.   I am going to the cinema tonight.
> Куда ты едешь отдыхать летом?   Where are you going for holiday this summer?

- The second group of verbs: ходить/ездить describes repetitive, habitual actions, without reference to any particular direction and we will call them Indeterminate verbs. Words like: часто, обычно, всегда, иногда, никогда, каждый день, по субботам etc. are used with Indeterminate verbs of motion.

> E.g.: Майкл часто ходит в кино   Michael often goes to the pictures
> Я люблю ездить на машине   I like driving (generally speaking)

Exception:

Indeterminate verbs in the Past tense can describe a completed round trip with reference to a specific direction

> E.g.: Вчера Катя ходила в кино.   Yesterday Katya went to the pictures. (Implies: she is back now)
>
> Летом Майкл ездил в Париж.   In summer Michael went to Paris.

- Conj.: идти see page 151, [4]   бежать II (я бегу, ты бежишь)
ходить II (я хожу, ты ходишь)   бегать I (я бегаю, ты бегаешь)
ехать I (я еду, ты едешь)   лететь II (я лечу, ты летишь)
ездить II (я езжу, ты ездишь)   летать I (я летаю, ты летаешь)

- Past tense is formed the usual way.

Exception:

идти: шёл шло шла шли

> E.g.: Мы шли домой и пели.   As we walked home we sang.

Встреча

● Future tense: пойти/поехать (see lesson 11/4)

пойти: я пойду   ты пойдёшь   они пойдут
поехать: я поеду   ты поедешь   они поедут

ходить/ездить is used with the verb быть - to be

E.g.: Завтра я пойду в кино — I'll go to the pictures tomorrow

Я буду часто ходить в кино — I will often go to the pictures.

● Idiomatic usage:

часы
экзамены } идут

дождь
фильм } идёт
поезд

● Prefixed verbs of motion. Prefixes add different meanings to verbs and they are used with certain prepositions.

preposition

в	войти/входить	to go/ come in	в	+ Accusative
	въехать/въезжать	to enter		
	E.g.: он входит в дом		he is coming into the house	

вы	выйти/выходить	to go/ come out	из	+ Genitive
	выехать/выезжать	to leave		
	E.g.: мы выйдем из дома в семь		we will leave the house at 7	

за	зайти/заходить	to pop into	в	+ Accusative
	заехать/заезжать		к	+ Dative
	E.g.. я зайду к вам в шесть часов		I will pop in to see you at 6	

пере	перейти/переходить	to cross	через	+ Accusative
	переехать/переезжать		в/на	+ Accusative
	E.g.: вам надо перейти через улицу		you need to cross the street	

под	подойти/подходить	to approach	к	+ Dative
	подъехать/подъезжать			
	E.g.: он подходит к нам		he is approaching us	

при	прийти/приходить	to arrive	в/на	+ Accusative
	приехать/приезжать			
	E.g.: обычно он приходит рано		usually he arrives early	

про	пройти/проходить	to go through to	в	+ Accusative
	проехать/проезжать	to pass by	мимо	+ Genitive
	E.g.: мы проезжаем мимо его дома		we are passing by his house	

у	уйти/уходить	to leave	из	+ Genitive
	уехать/уезжать			
	E.g.: он уходит в пять часов		he is leaving at five	

REMEMBER: **ВХОД** - entrance   **ВЫ́ХОД** - exit

1 *Прослушайте диалоги и ответьте на вопросы.*

1. Почему Майкл звонит Олегу Петровичу?
2. Куда ушла Катя?
3. Куда Катя и Майкл собираются поехать?
4. Как они туда поедут?
5. Что Катя и Майкл делают в аэропорту?
6. Как Катя представляла себе Шуру Чернова?
7. Почему Катя сразу узнала Шуру Чернова?
8. Нравится Шуре Чернову или не нравится Москва? Почему?
9. Какие у Майкла с Катей планы на завтра и послезавтра?
10. Куда и почему хочет поехать Шура Чернов?

2 По дороге в аэропорт Катя рассказала Майклу о том, как ей не повезло сегодня утром.

Прочитайте её монолог, переведите его, ответьте на вопросы и подчеркните все verbs of motion.

День начался очень рано. Я вышла из дома в семь часов утра и первым делом хотела зайти в аптеку за лекарством, но аптека была закрыта на ремонт. Потом я поехала в университет и в автобусе вспомнила, что мы с Надей договорились встретиться у её дома в восемь часов. Я вышла из автобуса и пешком пошла к её дому. Когда я проходила мимо газетного киоска, я вспомнила, что забыла дома учебник английского языка. Я села в автобус и поехала домой за учебником. На встречу с Надей я, конечно, опоздала. Надя ждала меня около часа. Когда мы подъезжали к университету, начался дождь, а зонтик я забыла взять с собой. Хорошо, что у Нади был зонтик. Когда мы с ней переходили улицу, мне показалось, что кто-то старается открыть мою сумку. Я остановилась, чтобы посмотреть, но никого не увидела. Никто, кроме нас с Надей, улицу не переходил, и я решила, что мне просто **показалось** (seemed). Когда мы пришли на лекцию, я увидела, что кошелька в сумке нет. Мне стало так плохо, что я ушла с лекции и поехала домой.

1. В котором часу начался Катин рабочий день?
2. Расскажите о том, как ей не повезло и что с ней случилось сегодня утром.

3   Майкл рассказал о том, что он делал сегодня утром.

Прочитайте его монолог, переведите и выберите нужное слово.

До завтрака я ходил/шёл в бассейн. Сразу после завтрака я ходил/шёл гулять по городу. Я всегда стараюсь ходить/идти после еды. Когда я ходил/шёл по бульвару, мне показалось, что я видел Олега Петровича, который ходил/шёл к станции метро. Он меня не видел. Это плохо, потому что я хотел ему напомнить, что вечером мы ходим/идём на концерт. Ты не забыла, что ты ходишь/идёшь сегодня на концерт вместе с нами?

4   Когда Катя и Майкл приехали в аэропорт, они увидели, что информационное табло не работает. Они подошли к бюро информации, чтобы узнать, когда прилетает **самолёт** (plane) Шуры Чернова.

Прослушайте запись, заполните таблицу и ответьте на вопрос внизу.

	ВЫЛЕТ	ПРИЛЁТ
Копенгаген	SK737	
Бомбей		1:10
Париж		AF2244
Берлин	LH3297	
Тель Авив	15:30	
Вашингтон		11:15
Нью Йорк		DL030
Прага		21:20
Лондон	17:45	

Самолёт, в котором летит Шура Чернов, опаздывает на час. Это значит, что Катс с Майклом надо ждать **целый** (the whole) час этот самолёт. Вы уже знаете, во сколько прилетает этот самолёт. В котором часу Катя и Майкл приехали в аэропорт?

<table>
<tr><td>урок № 20</td><td colspan="2"># Встреча</td></tr>
</table>

5 а  Чтобы **убить** (kill) время, Катя и Майкл играют в свою любимую игру "**Отгадай** (guess), кто это!"

Прослушайте запись и отгадайте, кого описывают Майкл и Катя.

5 б *Коммуникативная игра. По очереди опишите* **внешность** *(appearance) известных людей из списка внизу.*

- Мерлин Монро
- Кто это?
- Мария Кюри
- Агата Кристи
- Чарли Чаплин
- Пётр Чайковский
- Маргарет Тэтчер
- принц Чарльз
- Елизавета Винзор
- Дмитрий Шостакович
- генерал деГоль
- Чарльз Диккенс
- Юрий Гагарин
- Сергей Рахманинов
- Ивлин Во
- Вильям Шекспир
- Уинстон Черчиль
- Антон Чехов
- Анастасия Романова
- Александр Пушкин
- Карл Маркс
- Лев Толстой
- Мухамед Али
- Фёдор Достоевский

6 Кате **надоело** (fed up) играть в эту игру, и она хочет пить. Она решила походить по аэропорту и посмотреть, где что находится. Её маршрут начинается с "места встречи" и **обозначен** (marked) стрелками. *Напишите в форме рассказа, где она была, что видела и что там делала.*

АЭРОПОРТ ШЕРЕМЕТЬЕВО	ТЕРМИНАЛ -2	ЗАЛ ПРИЛЁТА
ЛИФТ		МЕДИЦИНСКАЯ ПОМОЩЬ
БУФЕТ	ЭСКАЛАТОР	АПТЕКА
ТУАЛЕТ	МЕСТО ВСТРЕЧИ	ПОЧТА
КИОСК		КАМЕРА ХРАНЕНИЯ
ТЕЛЕФОН		ПРОКАТ АВТОМАШИН
МАГАЗИН		ОБМЕН ВАЛЮТЫ
ИНФОРМАЦИЯ		БАНК
ТАКСИ	ВЫХОД ВХОД	АВТОБУСНАЯ ОСТАНОВКА

7   Когда Катя гуляла по аэропорту, она увидела **объявле́ние** (announcement).

Прочитайте это объявление и переведите его.

Разыскивается:

Павел Иванович Канашкин
45 лет.
Внешность: рост 173 см,
волосы тёмные, лицо круглое,
глаза карие.
Особые приметы: правая рука
короче левой. На левом плече
татуировка.

8   Майкл уже увидел это объявление. Он **внима́тельно** (attentively) рассматривает народ, потому что думает, что банди́т, может быть, находится сейчас здесь, и он его узнает.

Коммуникативная игра. Посмотрите на картинку аэропорта в начале этого урока (страницы 302-303) и по очереди опишите каждого человека на этой картинке. Студентам вашей группы надо отгадать, кого вы описываете.

9   *Опишите внешность Кати, Майкла, Олега Пертовича, Шуры Чернова и одного/одной из студентов/студенток вашей группы.*

10   В это время Шура летит на самолёте британской авиакомпании в Москву.

Прослушайте четыре объявления во время его полёта и заполните таблицу.

	высота полёта	
1	**ско́рость** (speed) полёта	
	время в пути	
2	во время полёта нельзя ...	
3	когда **поса́дка** (touch down)?	
4	t° в Москве	

11 Катя и Майкл всё ещё ждут в аэропорту, когда прилетит самолёт Шуры из Лондона.

Прослушайте запись и ответьте на вопросы.

1. Опишите человека, на которого Катя **обрати́ла внима́ние** (paid attention to).
2. Почему она обратила на него внимание?
3. Опишите человека, на которого Майкл обратил внимание.
4. Почему он обратил на него внимание?
5. Какое объявление услышали Катя и Майкл?
6. Как **реаги́руют** (react) на это объявление Катя и Майкл?
7. Какой номер рейса самолёта, на котором прилетел Шура?

12 *Ролевая игра. Разыграйте по ролям сцену (scene) встречи Шуры Чернова с Катей и Майклом.*

● все здороваются ● Катя и Шура знакомятся ●

● Майкл и Шура **обме́ниваются** (exchange) новостями ●

● Шура спрашивает о своём московском доме ●

● Майкл рассказывает о том, что он уже сделал ●

● все планируют завтрашний день ●

13 В машине Шура рассказывает Майклу о делах его сестры Энн, которая в этом году заканчивает школу и будет **поступа́ть** (enroll) в университет.

Прочитайте, выберите правильное слово и переведите его рассказ.

Вместе с друзьями она ездит/едет в университеты, которые предлагают ей места. Завтра она ездит/едет в Оксфордский университет, потому что там будет день открытых дверей. Если университет ей понравится, она будет ездить/ехать туда два раза в месяц на курсы русского языка. В прошлом месяце она ездила/ехала в Эссекс. А через неделю она ездит/едет в Кембридж. Кроме этого она уже ездила/ехала в Эдинбург и Бристоль. Вот такие у неё дела. Она девушка серьёзная.

Майкл, почему мы так медленно ездим/едем. Нам ещё далеко ездить/ехать до гостиницы?

14   По дороге из аэропорта Майкл звонит Олегу Петровичу по своему мобильному телефону, чтобы сказать, что они с Катей опаздывают на концерт.

Прочитайте его разговор, выберите и вставьте правильные слова из рамки внизу, переведите и ответьте на вопросы.

Самолёт .... только в пять часов, поэтому мы .... из аэропорта в шесть часов. К сожалению, сейчас **час пик** (rush hour), мы .... очень медленно, и до гостиницы .... только через час. Если мы в гостиницу .... через час, будет уже семь часов, а мне надо ещё .... за билетами в свою гостиницу. На это .... ещё полчаса. Вы нас не ждите, ... на концерт без нас, а мы .... к **антракту** (break). Домой я вас с Катей .... на машине.

> выехали ● заехать ● доедем ● едем ● идите
> отвезу ● подойдём ● приедем ● прилетел ● уйдёт

1. Почему Майкл звонит Олегу Петровичу?
2. Как вы думаете, в котором часу начинается концерт? Почему вы так думаете?
3. Почему Майкл с Катей опаздывают на концерт?
4. Где Майкл оставил билеты на концерт?
5. Как Катя и Олег Петрович поедут домой с концерта?
6. В вашем городе/деревне бывает час пик? В котором часу это бывает?

15   Майкл **привёз** (drove) Шуру Чернова в гостиницу.

Ролевая игра. Разыграйте по ролям разговор Шуры Чернова с дежурным администратором.

Шура Чернов
● хочет номер с видом на Красную площадь
● спрашивает:
  ● на каком этаже его номер
  ● где буфет, ресторан, бар
  ● где заказать билеты в театр
  ● где обменять деньги
  ● как позвонить в Англию

Дежурный администратор
● отвечает на просьбу
● просит заполнить анкету
● отвечает на все вопросы

16   Шура привёз Майклу письма из Лондона. Вот конец одного из этих писем.

Прочитайте его, переведите, представьте себе, что вы Майкл, и ответьте на это письмо.

> В прошлый вторник звонил Питер, спрашивал, когда ты приедешь. Он сказал, что давно не получал от тебя писем. Напиши мне, пожалуйста, как у тебя дела. Ты же знаешь, мне всё интересно. Где ты сейчас живёшь? Как у тебя дела с работой? Опиши дом Шуры и встречу с ним.
> Как себя чувствует Олег Петрович после поездки по Волге?
> Когда ты собираешься вернуться в Лондон?
> Аня передаёт тебе привет.
> Крепко тебя целую,
>   мама.

17   Сегодня утром Катя получила письмо от подруги. В конверте, кроме письма, была ещё фотография, которую вы видите внизу. По дороге на концерт она показывает её Майклу. *Прослушайте её комментарий и напишите имя каждого из её друзей под фотографией.*

По горизонтали:

1. Олег Петрович хорошо видит, даже читает без ... .
4. Вы ... сегодня вечером в театр?
6. Я ... за вами в пять часов вечера. Договорились?
7. Самый хороший ... бывает в феврале.
9. Самолёт из Лондона опаздывает на сорок ... минут.
11. Не ... любят рассказывать о своих планах на будущее.
12. Катя учила английский ... в школе.
13. Давай ... Шуре Москву.
14. Катя примерила старые джинсы, но они были ей ... .
15. На ... Олег Петрович всегда ест суп и хлеб с маслом.
16. Майкл купил ... мамы русскую шаль.
17. Обычно ... любят кататься на машине.
18. ... комнаты Олега выходит на улицу.
20. Когда человек хочет есть, он думает о ... .
22. Москва - многомиллионный ... .
23. Катя думала, что Шура Чернов толстый, лысый и с ... .

По вертикали:

1. У английской фирмы в Москве есть свой ... .
2. Майкл ... Шуру из аэропорта на машине, которую он взял напрокат.
3. Как вы ... себе улицы Москвы? Они широкие или не очень?
4. Сегодня вечером я ... в театр со своей женой.
5. У вас ... брат или сестра?
8. Майклу не кажутся ... рассказы Кати о её друзьях.
9. На этот вопрос нет ... ответа.
17. У Майкла в Лондоне есть хороший ..., которого зовут Питер.
19. Перед поездкой в Москву Шура купил новые ... .
20. Катя не думала, что Шура так ... и невысок.
21. Этим летом я ... на юг отдыхать.

урок № 21 Наследница

*Через день в гостях у Анны Николаевны за столом сидят, кроме Анны Николаевны, Александр Борисович Чернов, Олег Петрович, Майкл и Катя. Все пьют чай и **разговаривают**.*

Анна: Хотите ещё чая?

Катя: Нет, спасибо. Анна Николаевна, вы хотели показать нам альбом с фотографиями и рассказать о своей семье.

Анна: Конечно, **садитесь** вот **сюда**, на диван. Шура, тебе **удобно** сидеть в этом кресле? А вы, Олег Петрович, садитесь в это кресло, **поближе** к лампе, здесь вам будет удобнее.

Олег: Спасибо, Анна Николаевна, не беспокойтесь, пожалуйста.

Катя: Какой старый альбом! Можно сказать, древний!

Анна: Да, альбом, действительно очень старый. Это мои дедушка с бабушкой: Черновы Алексей Андреевич и Марина Владимировна - **блондинка**, высокого **роста**. Дедушка тоже был высокий и **носил** бороду и усы.

Шура: Аня, я тоже могу показать фотографии **родственников**. Смотри, какие фотографии я **привёз** тебе. Мне интересно, узнаёшь ли ты кого-нибудь?

Катя: Как интересно!

Анна: Конечно, узнаю. Это твои родители дядя Боря и тётя Ира.

Шура: А этих детей узнаёшь?

Анна: На кого они похожи?

Олег: Не может быть! Откуда у вас эта фотография? У моей сестры была точно такая же. Катюша, ты видела эту фотографию раньше?

Катя: Конечно. Точно такую же фотографию я видела в альбоме, который **принадлежал** моей бабушке.

Олег: Где этот альбом?

Катя: Я не знаю. Миша, ты почему весь вечер сидишь **молча**?

Майкл: Я думаю, вот чудеса! Кто эти дети? Как их зовут?

Шура: Аня, неужели ты не узнала свою маму? Посмотри получше.

Анна: Катюша, **передай** мне, пожалуйста, вон те очки. В этих очках я хуже вижу. Ну, конечно, теперь я узнаю. Это твой отец и моя мама - брат и сестра. Здесь они совсем

Наследница урок № 21

маленькие. У меня нет этой фотографии.

Майкл: Я вам сделаю **копию**, это очень просто. **Остаётся загадкой**, как **оказалась** такая же фотография у Олега Петровича.

Олег: Это не **единственная** загадка. Я не понимаю, почему у меня оказалась картина, на которой изображён дом Черновых.

Катя: Во всём этом надо **разобраться**! Мы с Мишей разберёмся!

разгова́ривать	to converse	мо́лча	silently
сади́ться	to sit down	переда́ть	to pass
сюда́	over here	ма́ленький	small
удо́бно	comfortably	ко́пия	copy
побли́же	closer	остава́ться	to remain
блонди́н/ка	blond/e	зага́дка	riddle/mystery
рост	height	оказа́ться	to turn out
носи́ть	to wear	еди́нственный	the only one
ро́дственник	relative	разбира́ться/	to sort out
привезти́	to bring	разобра́ться	
принадлежа́ть	to belong		

Грамматика

GERUND is an indeclinable form of the verb which most of the time has the English equivalent in '-ing'

> E.g.: чита**я**   read**ing**

● Formation:

> ● Most gerunds are formed by adding -**я** (-**а** after **ж, ч, ш, щ**) to the present tense stem of the verb.

> E.g.: гуля**я**   walk-**ing**

> ● Gerunds formed from reflexive verbs retain the reflexive particle.

> E.g.: встреча**ясь**   meeting

● Usage: gerund replaces a clause of time and denotes an action simultaneous to the action of the main verb. Compare:

> E.g.: Он читает, **сидя** в кресле.   He reads sitting in an armchair.
> Когда он читает, он сидит в   When he reads, he sits in an кресле.   armchair.

● **Useful expressions:**

> уходя гасите свет   on leaving switch off the light
> слушать молча   to listen silently

Наследница

1 *Прослушайте диалоги и ответьте на вопросы.*

1. Что Анна Николаевна хотела показать и рассказать?
2. Где сидят Шура и Олег Петрович?
3. Как Катя описывает альбом Анны Николаевны?
4. Опишите Алексея Андреевича Чернова.
5. Что Шура привёз Анне Николаевне из Лондона?
6. Почему Олег Петрович говорит: "Не может быть!"?
7. Почему Анна Николаевна не видит, кто на фотографии?
8. О какой загадке говорит Майкл?
9. О какой загадке говорит Олег Петрович?
10. В чём Катя хочет разобраться?

2 *Ролевая игра. Разыграйте по ролям встречу Шуры и Анны Николаевны. Шура начинает разговор.*

Шура	**Анна Николаевна**
• рад встрече	• рада встрече
• задаёт вопросы А. Н. о её жизни	• рассказывает о своей жизни
• рассказывает о том, где и как он живёт	• хочет знать, где и как Шура живёт
• рассказывает, почему не женился	• рассказывает, почему не вышла замуж
	• рассказывает, где жила раньше

3 Катя звонит своей подруге.

Прослушайте их разговор и ответьте на вопросы.

1. Что Катя хочет рассказать своей подруге?
2. Опишите внешность Анны Николаевны.
3. Где Анна Николаевна живёт?
4. Опишите комнату Анны Николаевны.
5. Что **удивляет** (surprises) Катю и её подругу?

4 а Шура едет на экскурсию по Кремлю.

Прослушайте объяснения экскурсовода, запишите информацию о Кремле и расскажите всё, что вы запомнили о Кремле.

4 б *Представьте себе, что вы экскурсовод. Проведите экскурсию по своему городу или деревне и расскажите гостям обо всех достопримечательностях вашего города или деревни.*

5 Вот несколько билетов в те места, которые **посетил** (visited)
Шура в Москве.

- *Посмотрите на эти билеты и скажите:*
  - *куда эти билеты?*
  - *сколько они стоят?*
- *Составьте подробный рассказ о том, где Шура был и что видел.
  В котором часу он там был?*
- *Составьте распорядок его дня с утра до вечера (проставьте часы и
  минуты).*

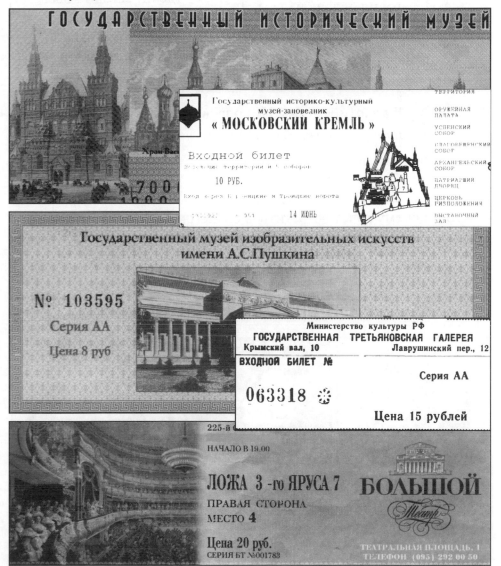

6   *Ролевая игра.* Шура звонит Анне Николаевне.

Разыграйте по ролям их разговор. Шура первый начинает разговор.

Шура

- здоровается
- спрашивает, как А.Н. себя чувствует сегодня
- спрашивает о том, что А.Н. сегодня делала и какие у неё планы на вечер
- отвечает на вопросы А.Н.

Анна Николаевна

- здоровается
- отвечает на вопрос
- отвечает на вопросы Шуры, и спрашивает его:
  - где он сегодня был
  - что видел
  - что ему понравилось и не понравилось и почему

7 В квартире Анны Николаевны звонит телефон.

Прослушайте телефонный разговор и ответьте на вопросы.

1. Кто и почему звонит Анне Николаевне?
2. Как Анна Николаевна чувствует себя?
3. Что Анна Николаевна предлагает?
4. Кто и почему хочет встретиться с Олегом Петровичем?
5. Кого и почему Анна Николаевна хочет увидеть?

8   Вот фотографии из альбома Кати.

Опишите внешность каждого изображённого на этих фотографиях и скажите, сколько им здесь лет.

Виктор

Ольга

Елена

я →

9 *Прослушайте телефонный разговор и заполните пропущенные места в семейном древе Беловых-Черновых. Напишите отчества и фамилии каждого члена этой большой семьи.*

Черновы - Беловы (семейное древо)

10 ***Ролевая игра.*** *Разыграйте по ролям разговор Шуры и Анны Николаевны с Олегом Петровичем.*

Информация о родственниках на страницах 106 (упр.2), 267 (упр.16).

Шура и Анна Николаевна
● спрашивают о родственниках, которых они никогда не видели. Им всё интересно!

Олег Петрович
● показывает всем семейное древо, которое напечатала Катя
● рассказывает о родственниках: **возраст** (age), работа, интересы, образование, описывает их внешность

11 Всё хорошо, что хорошо кончается, поэтому все очень рады.

Закончите предложения.

Шура рад, потому что ....

Анна Николаевна рада, потому что ....
....

Олег рад, потому что ....

Катя рада, потому что ....

Майкл рад, потому что ....

Grammar Reference

GRAMMATICAL TERMS

accusative case (see case)

adjective is a word which describes people, animals, objects, events, emotions etc. Adjectives answer the questions which? what sort? *(beautiful, ugly etc)*. Russian adjectives decline.

adverb is a word describing action *(she sings well)*

animate are living beings: people, animals, birds etc.

articles 'a' and 'the' - Russian doesn't have them

aspect of verbs indicates whether the action denoted by the verb is complete or incomplete

cardinal numerals *(one, two, three, hundred etc.)*

case is the pattern in which nouns, pronouns and adjectives change their endings according to their function in the sentence. There are 6 cases in Russian.

- **nominative** case is the one you will find in the dictionary. The subject of a sentence is always in the nominative case.
- **genitive** case (see page 327)
- **dative** case (see page 329)
- **accusative** case (see page 329)
- **instrumental** case (see page 331)
- **prepositional** case (see page 332)

consonant is a letter other than a vowel

collective numerals *(двое, трое, четверо, пятеро etc.)* They decline *(на двоих, троих, четверых etc. = for two, for three, for four etc.)*

comparative degree of adjectives *(better, taller etc.)*

conjugation is the pattern in which verbs change their endings. There are two conjugations in Russian (I&II)

conjunction is a word or group of words like: и-*and*, но-*but*, потому что-*because* which serve to connect words, or sentences

dative case (see case)

direct object (see object)

declension - formation of the cases of a noun, pronoun or adjective by the addition of different endings to the stem. *(билет, билет-а, билет-у, билет-ом, билет-е)*

demonstrative pronouns: *this, that, those etc.*

determinate verbs of motion are the verbs which describe motion in a definite, or determinate direction, taking place at a given time and can be replaced by the expression 'to be on one's way' *(he was going to the bank/ he was on his way to the bank)*

diminutive is the form of noun which denotes smallness or youth or affection or more endearing than usual *(Bill - Billy, handkerchief - hanky)*

feminine nouns end in -а, -я, -ь *(гитара, профессия, ночь)* Some of the nouns denoting males: *мужчина, папа, дядя, дедушка, коллега* are feminine nouns

genitive case (see case)

gender is a grammatical term indicating grammatical differences in nouns, pronouns and adjectives. There are three genders in Russian: feminine, masculine and neuter.

idiom is an expression which when translated literally doesn't make sense *(it rains cats and dogs)*

imperative mood of a verb expresses command, giving orders, instructions *(do, don't sing, meet Mr Smith)*

imperfective aspect of a verb is used to denote an unfinished or repetitive or habitual action

inanimate are **not** living beings: objects, things. Plants are also classed as inanimate

indeterminate verbs of motion are those which denote repetitive, habitual action in no one particular direction

indirect object (see object)

infinitive of a verb is the basic form of the verb which does not specify person, number or tense *(to do, to eat)*

Grammar Reference

instrumental case (see case)

interrogative pronouns: who? where? what?

irregular words are the ones that do not follow the rules, common to the group of words to which they belong *(get-got-gotten; child-children)*

masculine nouns are the ones which end in a consonant, -й, -ь *(багаж, музей, день)*

modal verbs express obligation, necessity, possibility or potential *(нужно, надо, можно, нельзя)*

mood is a special form of verbs expressing certainty, contingency, possibility, or command

motion (verbs of) These are the verbs which describe movement *(go, fly, run etc.)*

negative pronoun *(nobody, nowhere etc.)*

neuter nouns end in -о, -е, -и *(вино, кафе, такси)*

nominative case (see case)

nouns are words which denote objects (things), people, animals etc.

numeral is a grammatical term meaning number

object can be direct and indirect. **Direct object** of a sentence is a thing or a person receiving or affected by an action performed by the subject directly *(I read a book)*. **Indirect object** is a thing or person receiving or affected by an action performed by the subject indirectly *(I read a book to my son)*

ordinal numerals are the ones which are used to put things in order *(first, second..., fifteenth, twenty third etc.)*

particle is a minor part of speech which has no meaning of its own and which is inserted into the sentence or added to the word to give an additional meaning *(бы, же, ли etc.)*

perfective aspect of a verb is used to denote a completed, finished action.

person: there are six all together. First person singular: *я - I*, first person plural: *мы - we*, second person singular: *ты - you*, second person plural:
вы - you, third person singular: *он - he, она*

- *she*, third person plural: *они - they*

personal pronouns: *I, you, he, she, it, we, they*

plural implies more that one

possessive pronouns describe nouns, so they decline like adjectives *(my, his, our etc.)*

prefix is a particle which is added to the beggining of the word to give it an additional or altogether different meaning *(unusable indecent)*

preposition is a word like: *in, on, to, from etc.*

prepositional case (see case)

past tense describes action which took place in the past *(I was ill, he worked)*

present tense describes action which takes place in the present, now *(I am ill, he works)*

pronoun is a word replacing another word *(This is a student. He is nice)* There are different pronouns, depending on which word they replace.

reflexive verbs - verbs where the action affects the person performing that action *(I wash myself)*

sentence is a group of interrelated words which conveys a complete thought

singular indicates only one object or a thing or a person *(one table, a girl)*

stress is an emphasis provided by the relative loudness of a vowel in the given word. In Russian stress is unpredictable, so it is indicated by this sign ′ in the vocabulary

subject of a sentence is the main person or a thing or an object which performs the action *(Mary sings, they are good)*

superlative degree of an adjective *(best, worst etc.)*

suffix is a particle which is added to a word to give it an additional or altogether different meaning *(lovable, homeless)*

tense of a verb can be present, past and future

verb is a word which expresses an action, existence or a condition *(to work, to be, must)*

vowel Russian has 10 vowels: **а-я, о-ё, ы-и, э-е, у-ю** the rest of the letters are consonants

Grammar Reference

NOUN

Nouns are the words which denote objects (things), people, animals, plants etc.

Russian nouns have changing endings to indicate their grammatical function in the sentence. E.g.: subject, direct object, indirect object etc.

GENDER

Russian nouns have 3 genders: masculine, neuter and feminine. As a rule you can tell the gender of a noun by looking at its ending.

Endings:	Masculine	Neuter	Feminine
	consonant, -й, -ь	**-о, -е**	**-а, -я, -ь**
E.g.:	сто-л	окн-о	книг-а
	музе-й	мор-е	Англи-я
	словар-ь		тетрад-ь

NB masculine and neuter are grouped together as their case endings are often identical.

Both masculine and feminine nouns can end in **-ь**
Unfortunately in these cases you have to look up the gender in a dictionary and try to memorise it
The words: **мужчина, папа, дядя, дедушка** are **feminine** nouns as their endings suggest (we mean the grammatical term 'gender' not sex of course!) The pronouns used instead of these nouns and adjectives which describe them are masculine.

E.g.: дайте кофе люби**мому** мужчи**не**

EXCEPTIONS
There are always exceptions in Russian!

кофе, is still considered a **masculine** noun. It used to be кофий the word that followed the rule. Then in the XIX century it became more fashionable to pronounce it the French way кофе but it retained its masculine gender. There is a movement now in Russia to get the word кофе the neuter gender in line with its ending.

The words: **имя, время, такси, виски, меню** are **neuter** nouns

---

Non-Russian names end similarly to Russian names, that is male names in consonant, and female in -a will change as Russian names.

E.g.: Дайте Джон**у** и Диан**е** кофе. Give John and Diana coffee.

But female names ending in a consonant or any letter other than 'a' will not change the endings, neither will the male names ending in a vowel.

E.g.: Дайте Джуд**и** и Джерем**и** виски. Give Judy and Jeremy whisky.

Grammar Reference

PLURAL OF NOUNS

Endings:	Masculine	Neuter	Feminine
	add	**replace ending with**	**replace ending with**
	hard **-ы**	hard **-a**	hard **-ы**
	soft **-и**	soft **-я**	soft **-и**

E.g.:	стол стол-**ы**	окно́ о́кн-**a**	гита́ра гита́р-**ы**
	музе́й музе́-**и**	мо́ре мор-**я**	кни́га кни́г-**и**
	слова́рь словар-**и́**		тетра́дь тетра́д-**и**

-и after **г, к, ж, ш, ч, щ, ц**
-и instead of -**й**
-и instead of -**ь**

NOTE: be aware of shifting stress!

EXCEPTIONS

Nouns (of foreign origin) which never change their endings: **кино, метро, такси, пальто, пиапипо, виски, радио меню, интервью, бюро, кафе, кофе**

Nouns existing in plural only: **лю́ди, де́ти, де́ньги, кани́кулы, брю́ки, очки́, часы́**

Nouns which change their endings differently:

masculine: á is always stressed   глаз/глаза́   па́спорт/паспорта́
ве́чер/вечера́   дом/дома́   по́сзд/посзда́
го́род/города́   лес/леса́

                              fleeting vowels: оте́ц/отцы́   *neuter:*
                                                                            вре́мя/времена́
англича́нин/англича́не   ро́т/рты   и́мя/имена́
граждани́н/гра́ждане   де́нь/дни   у́хо/у́ши

feminine: *masculine and neuter ending in* -ья
мать/ма́тери   брат/бра́тья   де́рево/дере́вья
дочь/до́чери   стул/сту́лья
сестра́/сёстры   сын/сыновья́   *odd ones:* ку́рица/ку́ры
                                                                            челове́к/лю́ди

CASES

Unlike English there is no strict word order in Russian. Here is an English sentence:
                              Give a dog some food.   Дайте собаке еду.
If you change the word order: Give some food a dog   it changes the sentence.
Do the same with Russian: Дайте еду собаке   it doesn't change anything
because the endings show the connections between the words.

Grammar Reference

The reason why Russian can be so flexible is that noun endings make clear the part each noun plays in the sentence.

The patterns in which nouns change their endings are called **CASES.** There are six cases (patterns) in Russian. In this grammar reference they are given in the order accepted in Russia.

Nominative	**N**
Genitive	**G**
Dative	**D**
Accusative	**A**
Instrumental	**I**
Prepositional	**P**

A noun can be the **subject** of a sentence. A subject is a person or a thing that perfoms an action.

E.g.: Катя читает книгу Лизе.   Katya reads a book to Liza.

In this example **Катя** is the **subject**

A noun can be the **direct object** of a sentence. A direct object is a thing or a person which receives an action performed by the subject.

E.g.: Катя читает книгу Лизе.   Katya reads a book to Liza.

In this example **книга** is the **direct object**

A noun can be an **indirect object**. An indirect object is a thing or a person to whom something is given, told, shown etc.

E.g.: Катя читает книгу Лизе.   Katya reads a book to Liza.

In this example **Лиза** is an **indirect object**

NOMINATIVE CASE   (кто? что?)

This is the one you find in the dictionary.

Endings:	Masculine	Neuter	Feminine	Plural
	consonant, -й, -ь	**-о, -е**	**-а, -я, -ь**	**-ы, -и**
E.g.:	стол	окн-**о**	книг-**а**	книг-**и**
	музе**й**	мор-**е**	Англи-**я**	стол-**ы**
	словар-**ь**		тетрад-**ь**	

For more details on endings   see page 324 singular
                          see page 325 plural

Usage:

● To denote the subject of a sentence

E.g.: <u>Олег</u> читает.   Oleg reads/is reading.

Grammar Reference

- To denote or describe a person or a thing:

> E.g.: Это <u>турист</u>.   This is a tourist.
> Вот <u>сувениры</u>   Here are the souvenirs.
> <u>Катя</u> - студентка   Katya is a student.
> <u>Гардиан</u> - интересная газета.   Guardian is an interesting newspaper.

- To denote an object in somebody's possession:

> E.g.: У меня есть <u>дом</u>.   I have a house *liter.: by me there is a house*
> У Майкла есть <u>сестра</u>.   Michael has a sister
> В Москве есть <u>музеи</u>, <u>парки</u>, <u>театры</u>, <u>библиотеки</u>.
> There are museums, parks, theatres, libraries in Moscow.

GENITIVE CASE (кого? чего?)

Endings:	Masculine	Neuter	Feminine
	hard/soft	*hard/soft*	*hard/soft*
singular	-а -я	-а -я	-ы -и
plural	**-ов -ев**	**lose ending -ей**	**lose ending -ей**
E.g.:	sing. план-**а**	sing. окн-**а**	sing. вод-**ы**
	музе-**я**	пол-**я**	книг-**и**
	pl. план-**ов**	pl. окон	pl. книг
	музе-**ев**	пол-**ей**	тетрад-**ей**

Usage:

Without prepositions

- denoting possession or wherever English requires 'of'.

> E.g.:   план <u>Лондона</u>   a plan of London
> книги <u>студентов</u>   students' books

- indicating non-possession or absence, used with '**нет**'

> E.g.:   нет <u>работы</u> и <u>денег</u>   no work or money

- expressing wishes in the following expressions:

желать	спокойной <u>ночи</u>	good night
	приятного <u>аппетита</u>	bon appétit
	всего <u>хорошего</u>	all the best
	<u>успеха</u> и <u>здоровья</u>	success and health
	счастливого <u>Нового Года</u> и <u>Рождества</u>	happy New Year and Christmas

- use of genitive singular:

a) with numbers: 2, 3, 4 or if a compound number ends with these numbers: 182, 863, 705

> E.g.:   два <u>килограмма</u>   two kilograms
> три <u>конверта</u> и четыре <u>марки</u>   three envelopes and four stamps
> 584 <u>ученика</u> из них 293 <u>девочки</u>   584 pupils 293 of them girls

b) to indicate a.m./p.m.

> E.g.:   семь часов <u>утра/вечера</u>   7 o'clock in the morning/evening
> час <u>ночи/дня</u>   1 o'clock at night/day

Grammar Reference

- use of genitive plural:

  a) to indicate quantity with words: **сколько, столько, несколько, много, мало, немного**

E.g.: Сколько вам <u>хлеба</u>?	How much bread do you want?
Столько <u>цветов</u>!	So many flowers!
много <u>мужчин</u> и мало <u>женщин</u>	a lot of men and a few women

  b) with **numbers 5 and upwords**:

E.g.: 600 <u>учеников</u> из них 389 <u>девочек</u>	600 pupils 389 of them girls

  c) ЧЕЛОВЕК is used, in the plural only, in the genitive case with numbers in all other cases in the plural use ЛЮДИ

E.g.: Сколько <u>человек</u>? 500 <u>человек</u>	How many people? 500 people
Много <u>людей</u>.	A lot of people.

With prepositions:

без	(without)	без <u>окон</u>, без <u>дверей</u>	without windows or doors
		чай без <u>молока</u>, <u>сахара</u> и <u>лимона</u>	tea without milk, sugar or lemon
		без <u>удовольствия</u>	without pleasure
		без <u>пяти</u> час	five to one (o'clock)
вокруг	(around)	путешествовать вокруг <u>света</u>	to travel around the world
для	(for)	шоколад для <u>девочек</u>	chocolate for girls
до	(to, up to)	до <u>станции</u> метро далеко	the metro station is far from here
	(till)	до <u>свидания</u>	good bye (till we meet again)
		до <u>завтра</u>/до <u>вечера</u>	till tomorrow/evening
	(before)	гулять до <u>завтрака</u>	to have a stroll before breakfast
из	(from)	она из <u>Москвы</u>	she is from Moscow
		выйти из <u>дома</u>	to leave the house
	(out of)	новости из <u>газеты</u>	press news
около	(near)	встретиться около <u>театра</u>	to meet by the theatre
	approximation	около <u>пяти</u> часов	about five o'clock
от	(from)	Лондон далеко от <u>Москвы</u>	London is far from Moscow
		письмо от <u>брата</u>	letter from the brother
		лекарство от <u>гриппа</u>	medicine for flu
после	(after)	после <u>работы</u>	after work
с	(from)	магазин открыт с <u>утра</u>	the shop opens in the morning
		с <u>севера</u> на юг	from North to South
		взять книгу со <u>стола</u>	to take a book from the table
		с <u>пятницы</u> на субботу	from Friday to Saturday
		Сколько с <u>меня</u>?	How much do I owe you?
у	(by)	стоять у <u>окна</u>	to stand by the window
		Кто у <u>телефона</u>?	Who's on the phone?
		у <u>девочки</u> болит нога	the girl's leg hurts
	possession	у <u>Олега</u> есть работа	Oleg has a job
		у <u>Кати</u> температура	Katya has a high temperature

Grammar Reference

DATIVE CASE (кому? чему?)

Endings:

	Masculine/Neuter	Feminine	Plural
hard	-у	-е	-ам
soft	-ю	-и	-ям
E.g.:	дайте <u>Олегу</u> кофе	дайте <u>Кате</u>	письмо <u>подругам</u>
	идти по <u>полю</u>		говорить <u>друзьям</u>

Usage:

Without prepositions

- general categories of Giving, Telling, Showing, with the following verbs: **говорить, давать, звонить, отвечать, объяснять, писать, показывать, помогать, посылать, приносить** (indirect object)

E.g.:	помогать <u>сестре</u> и <u>брату</u>	to help the brother and the sister
	писать письмо <u>отцу</u>	to write a letter to father

- cxprcssing state of mood, physical state, used with adverbs

E.g.:	<u>девушке</u> смешно	the girl is amused
	<u>мальчику</u> холодно	the boy is cold

- in impersonal expressions with the following words: **пора, надо, нужно, можно, нельзя, хочется, нравится**

E.g.:	<u>туристам</u> надо осмотреть город	the tourists must see the city sights

- expressing age:

E.g.:	<u>дедушке</u> 100 лет	grandad is 100 years old

With prepositions

к	(to)	идти к <u>врачу</u>	to go to the doctor
	(towards)	как пройти к <u>стадиону</u>?	how do I get to the stadium?
	(by/for)	сделать работу к <u>среде</u>	to do the work by Wednesday
по	(round)	ходить по <u>магазинам</u>	to do the shopping
	(along)	идти по <u>улице</u>	to walk along the street
	(on)	говорить по <u>телефону</u>	to talk on the phone
		читать по <u>средам</u>	to read on Wednesdays
		книга по <u>истории</u>	a book on history

ACCUSATIVE CASE (кого? что?)

Endings:

	Masculine	Neuter	Feminine	Plural
inanimate	**cons. -й -ь**	-о -е	-у, -ю, -ь	-ы, -и
animate	**-а -я** as Genitive			**lose ending (f) -ов (m)**

EXCEPTION: **домо́й**

329

Grammar Reference

NOTE: The Accusative case of animate nouns masculine singular and masculine and femimine plural has the same endings as the Genitive case.

E.g.: любить <u>футбол</u>, <u>футболиста</u>, <u>спортсменов</u> и <u>спортсменок</u>
to love football, the footballer, sportsmen and sportswomen

Usage:

Without a preposition

● To denote the direct object of a sentence:

E.g.: читать <u>журнал</u> и <u>газету</u>   to read a magazine and a newspaper

With a preposition

● denoting movement towards a place, with prepositions '**в**' and '**на**'

на	(to)	идти на <u>работу</u> и в <u>театр</u>	to go to work and to the theatre
в	(to)	ехать в <u>Москву</u> и на <u>север</u>	to go to Moscow and to the North

● denoting action:

на	(to)	приглашать на <u>оперу</u>, на <u>балет</u>	to invite to an opera, ballet
	(at)	смотреть на <u>реку</u> и на <u>мост</u>	to look at the river and bridge
в	(into)	садиться на <u>стул</u>/в <u>кресло</u>/на <u>диван</u>	to sit on a chair/armchair/sofa

● other uses:

на	(to)	отвечать на <u>вопрос</u> и на <u>письмо</u>	to answer the question and letter
	(for)	рыба на <u>завтрак</u> и на <u>закуску</u>	fish for breakfast and for starters
		билеты на <u>оперу</u> и на <u>концерт</u>	tickets to an opera and concert
		деньги на <u>машину</u> и на <u>дом</u>	money for a car and a house
	with expression	накрывать на <u>стол</u>	

● expressing time:

в	(at)	в <u>пять</u> часов	at five o'clock
	(on)	в <u>среду</u>	on Wednesday
		в <u>этот день</u>	on this day
		на <u>другой день</u>	the next day

● playing sport:

E.g.: играть в <u>футбол</u>   to play football

● with preposition '**за**' denoting motion:

за		садиться за <u>стол</u>	to sit down at the table
	(for)	любить за <u>красоту</u>	to love someone for their beauty
	(to)	За <u>ваше здоровье</u>!	To your health!
	with expression	Спасибо. Не <u>за что</u>.	Thank you. Not at all.

● with preposition '**через**' denoting time and motion:

через	(in)	через <u>год</u>	in a year
		через <u>неделю</u>	in a week
	(across)	идти через <u>улицу</u>	to cross the street

Grammar Reference

INSTRUMENTAL CASE (кем? чем?)

Endings:	Masculine/Neuter	Feminine	Plural
hard	-ом	-ой	-ами
soft	-ем -ём	-ей -ю -ей	-ями
E.g.:	с Олегом	с Катей	с друзьями

Usage:

Without prepositions

● denoting the instrument with which an action is carried out (or an instrument or a force implied)

    E.g.: писать <u>карандашом</u> и <u>ручкой</u>   to write with a pencil and pen

● denoting the time of the day:

    E.g.: <u>утром</u>/<u>вечером</u>, <u>днём</u>, <u>ночью</u> in the morning/evening, during the day, at night

● denoting the time of the year:

    E.g.: <u>зимой</u>, <u>весной</u>, <u>летом</u>, <u>осенью</u>   in winter, spring, summmer, autumn

● to travel by means of transport:

    E.g.: ехать <u>автобусом</u> и <u>машиной</u>   to travel by bus and car

● with certain verbs: **заниматься итересоваться**

    E.g.: заниматься <u>музыкой</u> и <u>спортом</u>   to play music and to do sport

With prepositions

● expressing congratulations

с	(with)	С <u>днём</u> рождения!	Happy birthday!
		С <u>Новым</u> <u>Годом</u>!	Happy New Year!
		С <u>Рождеством</u>!	Merry Christmas!
	(with)	чай с <u>молоком</u>	tea with milk
		с <u>удовольствием</u>	with pleasure
		Что с <u>тобой</u>?	What's wrong with you?
за	(behind)	за <u>домом</u>	behind the house
	(for)	пойти за <u>хлебом</u>	to go to get some bread
	(at)	сидеть за <u>столом</u>	to sit at the table
перед	(in front of)	перед <u>домом</u>	in front of the house
	(before)	перед <u>обедом</u>	before lunch
над	(above)	лампа над <u>столом</u>	a lamp above the table
	(at)	смеяться над <u>шуткой</u>	to laugh at a joke
под	(under)	сумка под <u>столом</u>	a handbag is under the table
между	(between)	банк находится между <u>почтой</u> и <u>магазином</u>	
		the bank is between the post office and the shop	

331

Grammar Reference

PREPOSITIONAL CASE (о ком? о чём? где?)

Endings:	Masculine/Neuter	Feminine	Plural
hard	-е	-е	-ах
soft	-е	-и	-ях
E.g.:	об Олеге	о Кате	о друзьях

EXCEPTION: (где?) до́ма

Some masculine nouns in the locative meaning (denoting location and answering the question 'где?') in the Prepositional case have the ending **-у**

Compare: она думала о бале	she thought about the ball
он был на балу	he was at the ball

Some of these nouns: **аэропорт, бал, берег, глаз, год, лес, лёд, нос, пол, порт, пруд, рот, сад, снег, угол, час, шкаф**

E.g.:	в этом <u>году</u>	this year

Usage:

This case is always used with prepositions

о	(about)	говорить о спорте и о любви	to talk about sport and love
в	(in)	работать в банке	to work in a bank
		в килограмме тысяча граммов	there are 1000 gramms in a kilogram
		он в очках	he wears glasses
		в семье 5 человек	there are 5 people in the family
● time expressions		в марте, в этом году	in March, this year
на	(in)	на севере	in the North
	(at)	на концерте, на стадионе	at the concert, at the stadium
	(on)	на столе	on the table
	(by)	ехать на автобусе	to go by bus
● playing musical instrument		играть на гитаре	to play the guitar
● time expressions		на этой неделе	this week

GETTING THERE/BEING THERE

To express the notion of **getting there** use the **Accusative** case.

куда?
where to?

To express the notion of **being there** use the **Prepositional** case.

где?
where?

Grammar Reference

SUMMARY of NOUN DECLENSION

FEMININE NOUNS

Singular

	hard	spelling rule	soft sign -ь	-ия	odd
N.	газет-а	книг-а	тетрад-ь	станц-ия	мат-ь
G.	газет-ы	книг-и	тетрад-и	станци-и	мат-ери
D.	газет-е	книг-е	тетрад-и	станци-и	мат-ери
A.	газет-у	книг-у	тетрад-ь	станци-ю	мат-ь
I.	газет-ой	книг-ой	тетрад-ью	станци-ей	мат-ерью
P.	(о) газет-е	(о) книг-е	(о) тетрад-и	(о) станци-и	(о) матер-и

Plural

N.	газет-ы	книг-и	тетрад-и	станц-ии	матер-и
G.	газет	книг	тетрад-ей	станци-й	матер-ей
D.	газет-ам	книг-ам	тетрад-ям	станци-ям	матер-ям
A.	газет-ы	книг-и	тетрад-и	станци-и	матер-ей
I.	газет-ами	книг-ами	тетрад-ями	станци-ями	матер-ями
P.	(о) газет-ах	(о) книг-ах	(о) тетрад-ях	(о) станци-ях	(о) матер-ях

MASCULINE NOUNS

Singular

	hard	soft	soft sign -ь	hard animate	
N.	стол	музей	день	брат	друг
G.	стол-а	музе-я	дн-я	брат-а	друг-а
D.	стол-у	музе-ю	дн-ю	брат-у	друг-у
A.	стол	музей	день	брат-а	друг-а
I.	стол-ом	музе-ем	дн-ём	брат-ом	друг-ом
P.	(о) стол-е	(о) музе-е	(о) дн-е	(о) брат-е	(о) друг-е

Plural ... odd

N.	стол-ы	музе-и	дн-и	брать-я	этаж-и
G.	стол-ов	музе-ев	дн-ей	брать-ев	этаж-ей
D.	стол-ам	музе-ям	дн-ям	брать-ям	этаж-ам
A.	стол-ы	музе-и	дн-и	брать-ев	этаж-и
I.	стол-ами	музе-ями	дн-ями	брать-ями	этаж-ами
P.	(о) стол-ах	(о) музе-ях	(о) дн-ях	(о) брать-ях	(о) этаж-ах

NEUTER NOUNS

Singular ... Plural

N.	окн-о	пол-е	им-я	окн-а	пол-я	им-ена
G.	окн-а	пол-я	им-ени	окон	пол-ей	им-ён
D.	окн-у	пол-ю	им-ени	окн-ам	пол-ям	им-енам
A.	окн-о	пол-е	им-я	окн-а	пол-я	им-ена
I.	окн-ом	пол-ем	им-енем	окн-ами	пол-ями	им-енами
P.	(об) окн-е	(о) пол-е	(об) им-ени	(об) окн-ах	(о) пол-ях	(об) им-енах

Grammar Reference

PRONOUN

PERSONAL PRONOUNS

Personal pronouns are words which replace nouns (I, you, he etc.) so they have the same characteristics as nouns: gender, number and case.

	First person		Second person		Third person		
	Singular	Plural	Singular	Plural	Singular		Plural
N.	я	мы	ты	вы	он/оно	она	они
G.	меня	нас	тебя	вас	н/его	н/её	н/их
D.	мне	нам	тебе	вам	н/ему	н/ей	н/им
A.	меня	нас	тебя	вас	н/его	н/её	н/их
I	мной	нами	тобой	вами	н/им	н/ей	н/ими
P.	(обо) мне	(о) нас	(о) тебе	(о) вас	(о) нём	(о) ней	(о) них

'н' is added to the personal pronoun after a preposition:

E.g.: **его** сегодня нет у **него** нет времени
he is not here today he has no time

POSSESSIVE PRONOUNS

Possessive pronouns are words which describe nouns (my, his, our etc.) so like adjectives they have to agree with the nouns they describe in gender, number and case.

	my			our		
	m/n	f	pl.	m/n	f	pl.
N.	мой/моё	мо-**я**	мо-**и**	наш/наш-**е**	наш-а	наш-**и**
G.	мо-**его**	мо-**ей**	мо-**их**	наш-**его**	наш-**ей**	наш-**их**
D.	мо-**ему**	мо-**ей**	мо-**им**	наш-**ему**	наш-**ей**	наш-**им**
A.	мой/моё	мо-**ю**	мо-**и**	наш/наш-**е**	наш-**у**	наш-**и**
I.	мо-**им**	мо-**ей**	мо-**ими**	наш-**им**	наш-**ей**	наш-**ими**
P.	(о) мо-**ём**	(о) мо-**ей**	(о) мо-**их**	(о) наш-**ем**	(о) наш-**ей**	(о) наш-**их**

* animate (living beings) Accusative have the same endings as the Genitive case.

E.g.: я люблю мой дом и моего брата I love my house and my brother

	your (singular)			your (plural)		
	m/n	f	pl.	m/n	f	pl.
N.	твой/твоё	твоя	тво-**и**	ваш/ваше	ваша	ваш-**и**
G.	тво-**его**	тво-**ей**	тво-**их**	ваш-**его**	ваш-**ей**	ваш-**их**
D.	тво-**ему**	тво-**ей**	тво-**им**	ваш-**ему**	ваш-**ей**	ваш-**им**
A.	твой/твоё	тво-**ю**	тво-**и**	ваш/ваше	ваш-**у**	ваш-**и**
I	тво-**им**	тво-**ей**	тво-**ими**	ваш-**им**	ваш-**ей**	ваш-**ими**
P.	(о) тво-**ём**	(о) тво-**ей**	(о) тво-**их**	(о) ваш-**ем**	(о) ваш-**ей**	(о) ваш-**их**

его (m/n) - his **её** (f) - her **их** (pl.) - their **the same in all cases**

Grammar Reference

The possessive pronoun **свой/своя** is used instead of мой/твой/ваш etc. when it refers to the subject of a sentence, describes the direct object and can be replaced by the expression 'my own'

E.g.: я люблю <u>своего</u> учителя   I like my teacher

он любит <u>своего</u> учителяhe   he likes his teacher

but   я люблю его учителя   I like his teacher

However, pronoun 'свой' cannot refer to the subject of another sentence

E.g.: Он поехал на своей машине на юг и через неделю его машина сломалась.   He drove his car to the South and in a week his car broke down.

	m/n	f	pl.	Reflexive '-self'	Reciprocal 'one another'
N.	сво-й/сво-ё	сво-я	сво-и	себ-я	-
G.	сво-его	сво-ей	сво-их	себ-я	друг друг-а
D.	сво-ему	сво-ей	сво-им	себ-е	друг друг-у
A.	сво-й/сво-ё	сво-ю	сво-и	себ-я	друг друг-а
I.	сво-им	сво-ей	сво-ими	с<u>о</u>б-ой	друг с друг-ом
P.	сво-ём	сво-ей	сво-их	о себ-е	друг о друг-е

DEMONSTRATIVE PRONOUNS

Demonstrative pronouns (this, that) are similar to possessive pronouns, so they have to agree with the noun they describe in gender, number and case.

E.g.: в этом году this year   на той неделе last week

	m/n	f	pl.	m/n	f	pl.
N.	эт-от/эт-о	эт-а	эт-и	т-от/т-о	т-а	т-е
G.	от ого	от ой	от их	т ого́	т ой	т ех
D.	эт-ому	эт-ой	эт-им	т-ому́	т-ой	т-ем
A.	эт-от/эт-о	эт-у	эт-и	т-от/т-о	т-у	т-е
I	эт-им	эт-ой	эт-ими	т-ем	т-ой	т-е́ми
P.	об эт-ом	об эт-ой	об эт-их	о т-ом	о т-ой	о т-ех

NEGATIVE and INTERROGATIVE PRONOUNS

Negative pronouns are the same for all genders and numbers!

	Negative		Interrogative		m/n	f	pl
N.	никто́	ничто́	кто?	что?	чей/чьё	чья	чьи
G.	никого́	ничего́	кого?	чего?	чьего́	чьей	чьих
D.	никому́	ничему́	кому́?	чему́?	чьему́	чьей	чьим
A.	никого́	ничто́	кого?	что?	чей/чьё	чья	чьи
I	никем	ничем	кем?	чем?	чьим	чьей	чьи́ми
P.	ни о ко́м	ни о чём	о ком?	о чём?	о чьём	о чьей	о чьих

Stress: 'ни' is NEVER stressed

When negative pronouns are used with prepositions, the preposition is put between particle 'ни' and the pronoun

E.g.: он <u>ни</u> с <u>кем</u> <u>не</u> разговаривает   he doesn't speak to anybody

When negative pronouns are used with verbs the particle 'не ' is also used before the verb (double negative)

Grammar Reference

DEFINITE PRONOUN (весь - all)

	m/n	f	pl
N.	весь/всё	вся	все
G.	вс-**его**	вс-**ей**	вс-**ех**
D.	вс-**ему**	вс-**ей**	вс-**ем**
A.	весь/всё	вс-**ю**	все
I	вс-**ем**	вс-**ей**	вс-**еми**
P.	обо вс-**ём**	обо вс-**ей**	обо вс-**ех**

INDEFINITE PRONOUNS

Spelling:

Indefinite pronouns are formed with the help of the particles -**то**, -**нибудь** with interrogative pronouns (see also adverbs) and are hyphenated.

The interrogative pronoun part is declined, but the particles remain unchanged

The particles are placed after the pronoun. When used with prepositions, the preposition is used as normal (before the indefinite pronouns)

> E.e.: они о чём-то разговаривали
> they were talking about something
> дайте мне какую-нибудь книгу
> give me any book

Usage:

Particle '-то' indicates that the person, or object spoken about is not known.

> E.g.: кто-то вошёл, когда он и чём-то говорил
> somebody came when he was talking about something
> (we do not know 'who' or 'what')

Particle '-нибудь, implies someone or something indefinite.

> E.g.: кто-нибудь должен написать письмо
> somebody has to write a letter
> (one of us or one of them)

Stress:

'не' is ALWAYS stressed

Grammar Reference

ADJECTIVE

Adjectives are words which describe objects, things, events, emotions, people etc. (nouns and pronouns) they answer the questions: **какой? какое? какая? какие?**

Endings:	Masculine	Neuter	Feminine	Plural
hard	**-ый -ой**	**-ое**	**-ая**	**-ые**
soft	**-ий**	**-ее**	**-яя**	**-ие**

E.g.:
новый музей   новое кафе   новая сумка   новые журналы
синий телефон синее платье синяя сумка   синие дома

NOTE: ending **-ой** is always stressed

HARD DECLENSION

	masculine/neuter	feminine	plural
N.	красн-**ый**/красн-**ое**	красн-**ая**	красн-**ые**
G.	красн-**ого**	красн-**ой**	красн-**ых**
D.	красн-**ому**	красн-**ой**	красн-**ым**
A.	красн-**ый***/красн-**ое**	красн-**ую**	красн-**ые**
I.	красн-**ым**	красн-**ой**	красн-**ыми**
P.	красн-**ом**	красн-**ой**	красн-**ых**

* animate adjectives masculine (just like nouns) have Genitive endings in the Accusative case.

E.g.: я люблю нов**ый** дом и нов**ого** друга

SOFT DECLENSION

The number of adjectives belonging to the soft declension is small. Here are some of them worth remembering:

			masculine/neuter	feminine	plural
верхний upper	**осенний**	N.	син-**ий**/син-**ее**	син-**яя**	син-**ие**
весенний spring	autumn	G.	син-**его**	син-**юю**	син-**ие**
вечерний evening	**поздний** late	D.	син-**ему**	син-**ей**	син-**их**
вчерашний	**последний** last	A.	син-**ий***/син-**ее**	син-**ей**	син-**их**
yesterday's	**ранний** early	I.	син-**им**	син-**ей**	син-**ими**
дальний distant	**сегодняшний**	P.	син-**ем**	син-**ей**	син-**их**
древний ancient	today's				
домашний domestic	**синий** blue	N.	трет-**ий**/трет-**ье**	трет-**ья**	трет-**ьи**
завтрашний	**средний** middle	G.	трет-**ьего**	трет-**ьей**	трет-**ьих**
tomorrow's	**третий** third	D.	треть-**ему**	трет-**ьей**	трет-**ьим**
зимний winter	**утренний**	A.	трет-**ий***/трет-**ье***	трет-**ью**	трет-**ьих**
искренний sincere	morning	I.	трет-**ьим**	трет-**ьей**	трет-**ьими**
летний summer		P.	трет-**ьем**	трет-**ьей**	

337

Grammar Reference

MIXED DECLENSION

	masculine/neuter	feminine	plural
N.	хорош-**ий**/хорош-**ее**	хорош-**ая**	хорош-**ие**
G.	хорош-**его**	хорош-**ей**	хорош-**их**
D.	хорош-**ему**	хорош-**ей**	хорош-**им**
A.	хорош-**ий***/хорош-**ее**	хорош-**ую**	хорош-**ие***
I.	хорош-**им**	хорош-**ей**	хорош-**ими**
P.	о хорош-**ем**	о хорош-**ей**	о хорош-**их**
N.	русск-**ий**/русск-**ое**	русск-**ая**	русск-**ие**
G.	русск-**ого**	русск-**ой**	русск-**их**
D.	русск-**ому**	русск-**ой**	русск-**им**
A.	русск-**ий***/русск-**ое**	русск-**ую**	русск-**ие***
I.	русск-**им**	русск-**ой**	русск-**ими**
P.	о русск-**ом**	о русск-**ой**	о русск-**их**
N.	больш-**ой**/больш-**ое**	больш-**ая**	больш-**ие**
G.	больш-**ого**	больш-**ой**	больш-**их**
D.	больш-**ому**	больш-**ой**	больш-**им**
A.	больш-**ой***/больш-**ое**	больш-**ую**	больш-**ие***
I.	больш-**им**	больш-**ой**	больш-**ими**
P.	о больш-**ом**	о больш-**ой**	о больш-**их**

Adjectives agree with the nouns they are describing in gender, number and case:

E.g.: в кафе нет ни фруктов**ого** салата, ни минеральн**ой** воды, ни шоколадн**ых** конфет

EXCEPTION:

1. feminine nouns: **мужчина, папа, дядя, дедушка** are used with masculine adjectives

   E.g.: красивый мужчина

2. with numbers 2, 3, 4 and masculine nouns in the Nominative and the Accusative (inanimate) cases adjectives do not agree in number:

E.g.: N	N	G pl.	G sing.	
вот	четыре	больших	чемодана	} doesn't
	два	хороших	студента	agree in number

E.g.: A	A	G pl.	G sing.	
я вижу	четыре	больших	чемодана	

			G pl.	
	двух	хороших	студентов	**agrees in number**

3. with numbers 2, 3, 4 in the Accusative case feminine animate nouns and adjectives have Genitive plural endings

E.g.: A	A	A pl.	A pl.
я вижу	четыре	большие	сумки

		G pl.	
	*двух	хороших	студенток

Grammar Reference

Some adjectives are used as nouns: **больной, ванная, гостиная, дежурная, знакомый, мороженое, столовая, шампанское.** These nouns have the endings of an adjective.

> E.g.: Обед будет в столовой у моего нового знакомого.
> The lunch will take place in my new acquaintance's dining room.

SHORT FORM ADJECTIVES

Compare: You have a tall brother (long form adjective) У тебя высокий брат
Your brother is tall   (short form adjective) Твой брат - высок

Short form adjectives agree with the noun only in gender and number.
To form short form adjectives you just take the ending away and...

Endings:	Masculine	Neuter	Feminine	Plural
add	-	-о	**-а**	**-ы (-и)**
E.g.:	высок	высоко	высока	высоки

Spelling: If a masculine short form adjective has two consonants at the end, insert a vowel (-о, -е, -ё)

> **E.g.:**   интересный - интересен

Not all long form adjectives have a short form.

EXCEPTION:

большой	велик велико велика велики
маленький	мал мало мала малы

The most commonly used short form adjectives:

открыт	магазин открыт	the shop is open
закрыт	аптека закрыта	the chemist's shop is closed
болен/больна	вы больны	you are ill
рад (has no long form)	они рады	they are glad
готов	обед готов	dinner is ready
похож	она похожа на мать	she looks like her mother
будьте добры	будьте добры	be so kind
будьте здоровы	Будьте здоровы!	God bless you!
прав	вы правы	you are right
согласен	она согласна	she agreed/agrees

COMPARATIVE DEGREE

When you want to compare something you use either the comparative (E.g.: newer, more interesting) or superlative form (E.g.: newest, most interesting) of adjectives. There are two comparative forms of an adjective: simple and compound.

The **SIMPLE FORM** does not change in gender, number or case. It is formed by taking the ending away and adding **-ee**, **-e**

> **E.g.:**   интересный - интереснее

Grammar Reference

близкий	close	ближе	низкий	short	ниже
высокий	tall	выше	плохой	bad	хуже
дешёвый	cheap	дешевле	поздний	late	позже
дорогой	expensive	дороже	ранний	early	раньше
молодой	young	моложе	хороший	good	лучше
маленький	small	меньше	широкий	wide	шире

COMPOUND FORM

is formed by adding words **более** - more, **менее** - less to long form adjectives. The words 'более' and 'менее' do not change, but the adjectives change their endings to agree with the noun in gender, number and case.

> E.g.: я люблю более весёлую музыку   I like more cheerful music

When comparing, either put the word you are making the comparison with in the Genitive case or use the word **чем** - than

> E.g.: Москва больше Киева
> Москва больше, чем Киев   Moscow is bigger than Kiev

SUPERLATIVE DEGREE

The superlative degree is used to express the highest degree of quality or quantity and has two forms. Both forms agree with the noun they describe in gender, number and case.

SIMPLE FORM

is formed by taking away the normal ending and adding **-ший -ейший -айший**

> **E.g.:**   интересн**ый** - интересн**ейший**

Commonly used superlative adjectives: **лучший худший младший старший**

COMPOUND FORM

is more commonly used and formed by adding the adjective
самый/самое/самая/самые

> **E.g.:**   он сам**ый** интересн**ый** человек
> сам**ая** красив**ая** девушка

Commonly used superlative adjectives: **лучший худший младший старший**

Grammar Reference

ADVERB

An adverb is a word which describes an action (verbs) or manner.
Adverbs DO NOT change their endings
Adverbs answer the questions: как? сколько? когда?

Many adverbs which describe the manner in which an action (verb) is performed can be formed from adjectives by removing the ending and adding -o

    E.g.:   хоро́ший - хорошо́

            Он хороший пианист.   He is a good pianist.

            Он хорошо играет.   He plays well.

Note the change of stress: this frequently happens.

		formed from the adjectives:
More adverbs:	плохо	плохой
	приятно	приятный
	отлично	отличный
	поздно	поздний

Note the use of many such adverbs to represent full sentences in the present tense.

    E.g.: Поздно.   It is late.

         Хорошо, что ты пришёл.   It's good that you've come.

Other adverbs:	как?	больше всего, вдвоём, втроём, вместе, вслух, кстати, лучше всех, очень, пешком, слишком, ужс
Adverbs of place:	где?	внизу, здесь, наверху, сзади, слева, справа, там
	куда?	вниз, вверх/наверх, направо, налево, отсюда, оттуда, сюда, туда
Adverbs of time:	когда?	всегда, вчера, завтра, наконец, однажды, потом, сегодня, сейчас, теперь, тогда
Adverbs of Degree or Quantity:	сколько? сколько раз?	много, мало, дважды, трижды, однажды
Adverbs formed with the particle 'по'	как?	по-русски по-английски по-моему по-вашему по-своему
Formed with particle в/во		во-первых во-вторых в-третьих
Ending in -ски		теоретически фактически
Negative adverbs:		некуда, неоткуда
Some more common adverbs:		действительно, конечно, наверное, обычно, особенно, точно

Grammar Reference

PREPOSITIONS

Prepositions are the helping words, they can have more than one meaning and are used with nouns/pronouns. Most prepositions have their following noun in one specific case. Some may have two cases, according to their meaning.

без	without	genitive
в/во	in, into	accusative
в/во	to, at	prepositional
вместо	instead of	genitive
во время	during	genitive
для	for	genitive
до	as far as, until, before	genitive
за	behind, for	instrumental
за	to	accusative
из	from, out of	genitive
к	to, towards	dative
кроме	besides, except, apart from	genitive
между	between	instrumental
мимо	past	genitive
на	to, onto	accusative
на	at, on	prepositional
над	over, above	instrumental
о/об/обо	about	prepositional
от	from	genitive
около	near, approximately	genitive
перед	in front of	instrumental
по	along, according to, on	dative
под	under	instrumental
после	after	genitive
при	in the presence of	instrumental
про	about	accusative
с/со	with	instrumental
с/со	from, since	genitive
у	by	genitive
через	in, across, through	accusative

NOTE: Unfortunately, there is no rule telling you which names of places use 'в', and which 'на'. 'в' is used more often. Learn the following list of those nouns which take 'на'

бал	ball	концерт	concert	спектакль	theatre play
балет	ballet	курс	university year	стадион	stadium
берег	river bank	лекция	lecture	станция	station
вечер	party (here)	опера	opera	улица	street
вокзал	railway station	площадь	square	урок	lesson
восток	east	почта	post office	фабрика	factory
выставка	exhibition	работа	work/office	факультет	faculty
дача	country house	рынок	market	экзамен	exam
завод	factory	север	north	экскурсия	excursion
запад	west	собрание	meeting	юг	south

342

Grammar Reference

VERB

The INFINITIVE

of the verb is the 'undisturbed' form which you will find in a dictionary

E.g.: to work, to know, to love

Most of the time Russian infinitives have the ending **-ть**

EXCEPTIONS:	идти ● везти ● найти ● лечь ● мочь

Usage of the Infinitive:

1. When two verbs are used together in a sentence, the first one changes its ending (conjugates) and the second one is in the infinitive just as in English.

E.g.: он любит читать — he likes to read

2. With short form adjectives.

E.g.: он готов работать весь день — he is prepared to work all day long

3. With adverbs,

E.g.: хорошо отдыхать — it's good to rest

4. With negative adverbs and negative pronouns

E.g.: негде спать — there is nowhere to sleep
некому сказать — there is no one to tell

5. With modal verbs надо нужно можно нельзя

E.g.: мне надо работать — we must work
ему нельзя курить — he is not allowed to smoke

IMPERATIVE MOOD

of the verb is formed by replacing the ending -**ть** or -**ти** with:

singular	plural
-й after a vowel **-и** after a consonant	**-йте** after a vowel **-ите** after a consonant

E.g.: да**й** мне телефон (sing.) — give me a telephone
ид**и** в кино — go to the pictures
да**йте** мне телефон (plural) — give me a telephone
ид**ите** в кино — go to the pictures

The singular form is used with people addressed as '**ты**'
The plural form is used with people addressed as '**вы**'

Irregularities in the formation of the Imperative mood of some verbs:

быть	будь/те	пить	пей/те
есть	ешь/те	писать	пиши/те
ждать	жди/те	поставить	поставь/те
курить	кури/те	сказать	скажи/те
петь	пой/те	смотреть	смотри/те

Note: the expression 'Будь/те здоров/ы!' is used in response to someone sneezing

Grammar Reference

TENSE

There are **five tenses** in Russian: one present, two Past (Imperfective and Perfective) tenses, two Future (Imperfective and Perfective) tenses.

PRESENT TENSE

In the Present tense the verb endings change according to person and number. The pattern of this change is called 'conjugation'. There are two conjugations in Russian.

CONJUGATION I   (the key sign is the letter '**е**')

To conjugate a verb take away the ending -ть or -ти and replace it with the following endings:

чита-**ть**		вез-**ти**	
я чита-**ю**	мы чита-**ем**	вез-**у**	вез-**ём**
ты чита-**ешь**	вы чита-**ете**	вез-**ёшь**	вез-**ёте**
он чита-**ет**	они чита-**ют**	вез-**ёт**	вез-**ут**

Irregularities in verbs belonging to conjugation I (only three forms are given, because it is easy to work out the rest).

быть	я бу́ду	ты бу́дешь	они бу́дут	иска́ть	я ищу́	ты и́щешь	они и́щут
дава́ть	я даю́	ты даёшь	они даю́т	мочь	я могу́	ты мо́жешь	они мо́гут
е́хать	я е́ду	ты е́дешь	они е́дут	петь	я пою́	ты поёшь	они пою́т
ждать	я жду	ты ждёшь	они ждут	пить	я пью	ты пьёшь	они пьют
жить	я живу́	ты живёшь	они живу́т	писа́ть	я пишу́	ты пи́шешь	они пи́шут
идти́	я иду́	ты идёшь	они иду́т	уме́ть	я уме́ю	ты уме́ешь	они уме́ют

In verbs with the suffix -**ова**, -**ева** in the infinitive, the suffix is replaced by -**у** in the Present tense when the verb is conjugated

E.g.: рекоменд-**ова́**-ть   я рекоменд-**у́**-ю
танц-**ева́**-ть   ты танц -**у́**-ешь

CONJUGATION II   (the key sign is the letter '**и**')

я говор-**ю́**	нош-**у́**	мы говор-**и́м**	но́с-**им**
ты говор-**и́шь**	но́с-**ишь**	вы говор-**и́те**	но́с-**ите**
он говор-**и́т**	но́с-**ит**	они говор-**я́т**	но́с-**ят**

Irregularities in verbs belonging to conjugation II

Note that some verbs have a mutation in the first person. And sometimes the stress shifts.

ви́деть	я ви́-**ж**-у	ты ви́**дишь**	люби́ть	я люб-**л**-ю́	ты люб-**ишь**
води́ть	я во-**ж**-у́	ты во́**дишь**	проси́ть	я прош-**у́**	ты про́с-**ишь**
вози́ть	я во-**ж**-у́	ты во́**зишь**	пылесо́сить	я пылесо́-**ш**-у	ты пылесо́с-**ишь**
гото́вить	я гото́в-**л**-ю	ты гото́в-**ишь**	сиде́ть	я си-**ж**-у́	ты сид-**и́шь**
е́здить	я е́з-**ж**-у	ты е́зд-**ишь**	спать	я сп-**л**-ю	ты сп-**ишь**
лежа́ть	я ле-**ж**-у́	ты лежи́шь	ста́вить	я ста́в-**л**-ю	ты ста́в-**ишь**
лете́ть	я ле-**ч**-у́	ты лети́шь	ходи́ть	я хо-**ж**-у́	ты хо́ди-**шь**

IRREGULAR VERBS

Verbs which combine elements of both conjugations

бежа́ть	я бегу́	ты бежи́шь	он бежи́т	мы бежи́м	вы бежи́те	они бегу́т
дава́ть	я даю́	ты даёшь	он даёт	мы даём	вы даёте	они даю́т
есть (to eat)	я ем	ты ешь	он есть	мы еди́м	вы еди́те	они едя́т
хоте́ть	я хочу́	ты хо́чешь	он хо́чет	мы хоти́м	вы хоти́те	они хотя́т

344

Grammar Reference

THERE IS or THERE ARE

do not exist in Russian. To translate or construct a sentence which in English contains
these constructions start your sentence with the place and then proceed as usual.

E.g.: There are lots of tourists in the town	В городе много туристов
There are no tickets	Билетов нет
Is there a bank in this street?	На этой улице есть банк?

The verb 'to be' is used in the Past and Future tenses

E.g.: There was a bank in the town	В городе был банк
There will be lots of tourists there	Там будет много туристов
There were/will be no tickets	Билетов не было/будет

IMPERSONAL EXPRESSIONS

English modal verbs: can, must, should etc. are represented in Russian by impersonal
expressions: **надо, нужно, можно, нельзя** These do not conjugate and are used
with the Dative case.

E.g.: мне надо работать	I need to work
ему нужно читать	he must read
им можно слушать	they can listen

EXCEPTION:

нужен (m) нужна (f) нужно (n) нужны (pl)

When used with nouns this verb has to agree in gender and number with the object that is needed

---

E.g.: мне нужны билеты, ему нужна виза, им нужен паспорт
I need tickets, he needs a visa, they need a passport

REFLEXIVE

verbs have particles -ся, -сь (after vowels) which are added to the normal verb endings.

E.g.: одевать-**ся** я одева-**ю-сь**

Usage of Reflexive verbs. Compare: я одеваю сестру I am dressing my sister
я одеваю-**сь** I am getting dressed

1. When an action expressed by the verb is directed back to the subject and implies 'oneself'

E.g.: он одева-**ет-ся** he is getting dressed (himself)

2. When an action involves two or more agents, is mutual and implies 'one another' or 'each other'

E.g.: мы встреча-**ем-ся** we are meeting (each other)

3. Idiomatically used with the Dative case: нравиться кажется случаться/случиться

E.g.: вы мне нрав-**ите-сь** I like you *liter.:* 'you please me'

4. Less intensive/categorical emotion is expressed

E.g.: мне хоч-**ет-ся** I would like

Grammar Reference

PAST TENSE

In the Past tense, verb endings change according to gender and number. The infinitive ending -**ть** is replaced by:

masculine	neuter	feminine	plural
-л	-ло	-ла	-ли

E.g.: я/он чита-**л**   I/he read
           солнце свети-**ло**   the sun was shining
           я/она зна-**ла**   I/she knew
           мы/вы/они работа-**ли**   we/you/they worked

Reflexive verbs have the usual Past tense endings followed by reflexive particle.

E.g.: я/ты/он занима-**л-ся** спортом   I/you/he did sport
           мама интересова-**ла-сь** музыкой Mum was interested in music

EXCEPTIONS:

		masculine	neuter	feminine	plural
везти	to convey	вёз	везло	везла	везли
идти	to go/walk	шёл	шло	шла	шли
лечь	to lie down	лёг	легло	легла	легли
мочь	to be able to	мог	могло	могла	могли
найти	to find	нашёл	нашло	нашла	нашли
провести	to spend	провёл	провело	провела	провели

Verb **быть** - to be in the Past tense

masculine	neuter	feminine	plural
был	**было**	**была**	**были**

E.g.: он был в кино   he has been to the pictures
           кафе было плохое   the cafe was bad
           она была больна   she was ill
           где вы были?   where have you been?

'**To have**' in the Past tense is expressed by the verb -быть in the Past tense form which agrees in gender and number with the object in possession.

E.g.: у туристов была виза   the tourists had a visa
           у брата были билеты   brother had tickets
           там книги были   there were books there

To express **non-possession or absence** in the Past tense, replace 'нет' with '**не было**', retaining the Genitive case.

E.g.: у туристов **не было** визы   the tourists had no visa
           у брата **не было** билетов   my brother had no tickets
           там **не было** книг   there were no books there

346

Grammar Reference

CONDITIONAL MOOD

is formed by the **Past tense** of the verb followed by the particle '**бы**'.

> E.g.: он смотрел бы футбол весь день,   he would watch/ would have watched
> если бы у него было время   football all day if he had time.

'**Если бы**' is used to convey '**if**'

> E.g.: если бы он любил её, он   if he loved her, he would marry her
> женился бы на ней

FUTURE TENSE

There are two (Imperfective and Perfective) future tenses in Russian.
Also see aspects of verbs page 348

● Verb **быть -** to be is used in the Future tense
  я буд-**у**   ты буд-**ешь**   он/она буд-**ет**   мы буд-**ем**   вы буд-**ете**   они буд-**ут**

> E.g.: он будет в кино   he will be at the cinema
> где вы будете?   where are you going to be?

● '**To have**' in the Future tense is expressed by the verb -**быть** in the Future tense form
which agrees in person and number with the object in possession.

> E.g.: у туристов буд**ет** виз**а**   the tourists will have a visa
> у брата буд**ут** билет**ы**   my brother will have tickets

● To express **non-possession or absence** in the Future tense, replace 'нет' with '**не
будет**', retaining the Genitive case.

> E.g.: у туристов **не будет** виз**ы**   the tourists will not have a visa
> у брата **не будет** билет**ов**   my brother will not have tickets

IMPERFECTIVE FUTURE

The Future tense of the verb -**быть** is used to form the Imperfective Future, with the
infinitive of the verb describing the action.

> E.g.: я буду смотреть телевизор   I will watch TV
> он будет читать весь день   he will be reading all day long

PERFECTIVE FUTURE

is expressed by the Present tense form of a Perfective verb.
See aspects of verbs page 348

> E.g.: я **посмотрю** этот фильм   I will see the film (through)
> он **прочитает** эту книгу   he will finish reading this book

Grammar Reference

ASPECTS

of verbs. Most Russian verbs have two aspects: Imperfective and Perfective. And this is the order in which the pairs of verbs are given in the vocabulary.

E.g.: решáть/решúть (I/P) I -Imperfective, P -Perfective

IMPERFECTIVE

aspect describes action which is incomplete, in progress, continues, is repetitive.
Imperfective verbs have three tenses:

Past	Present	Future
он читáл	он читáет	он бýдет читáть
he read/was reading	he reads/is reading	he will read/will be reading

Some Russian verbs have only Imperfective form.

завúсеть	to depend
находúться	to be situated
принадлежáть	to belong
стóить	to cost
учáствовать	to participate

PERFECTIVE

aspect describes a single action which is completed, therefore it can have no Present tense. Perfective verbs have two tenses: future and past.
The Future tense has Present tense endings.

Past	Present	Future
он прочитáл		он прочитáет
he has/had read		he will read (through)

Perfective verbs are formed:

● by adding a prefix to an Imperfective verb

E.g.: дéлать (I) - **с**дéлать (P)   игрáть - **по**игрáть
вúдеть - **у**вúдеть   писáть - **на**писáть
болéть - **за**болéть   ждать - **подо**ждáть

EXCEPTION:
покупáть (I) - купúть (P)

● by mutation inside the word

E.g.: решáть - решúть
забы**вá**ть - забы́ть

● completely different words

E.g.: говорúть - сказáть   (to say)
брать - взять   (to take)
класть - положúть   (to put/lay down)

Grammar Reference

VERBS of MOTION

Each verb of motion describing the same action has two Imperfective forms. For easy distinction we call them Determinate and Indeterminate.

идти́	I	ходи́ть II	(to go on foot/to walk)
е́хать	I	е́здить II	(to go by transport)
бежа́ть	II	бе́гать I	(to run)
лете́ть	II	лета́ть I	(to fly)
везти́	I	вози́ть II	(taking/carrying by transport)

DETERMINATE

verbs of motion describe motion in a definite direction, taking place at a given time.

E.g.:
Я иду в театр	I am on my way to the theatre
Куда ты едешь?	Where are you going?
Она бежит, потому что опаздывает	She runs because she is late.
Мы летим в Москву в 3 часа	We fly to Moscow at 3 o'clock
Они везут детей на юг	They are taking the children to the South

For conjugation of these verbs see page 344, Conjugation I and II
For the Past tense of these verbs see page 346
These verbs are rarely used in the Future tense.

INDETERMINATE

verbs of motion describe a repetitive, habitual action without reference to any particular direction or particular moment in time. Words like: **обы́чно** -usually, **ча́сто** - often, **всегда́** - always, **иногда́** -sometimes, **никогда́** -never, **ка́ждый день** -every day, **по суббо́там** -on Saturdays etc. are used with indeterminate verbs of motion.

E.g.:
Я хожу в театр по средам	I go to the theatre on Wednesdays
Куда ты ездишь отдыхать?	Where do you go on holiday?
Она бегает, чтобы похудеть	She runs in order to lose weight
Мы обычно летаем Аэрофлотом	We usually fly Aeroflot
Летом они во́зят детей на юг	In summer they take the children to the South

---

EXCEPTION:

Indeterminate verb in the Past tense describing a round trip *(there and back)* indicating direction or time or both.

E.g.: Летом я ездил в Москву. I went to Moscow in the summer.
(implying: I am already back)

For the conjugation of these verbs see pages 344, Conjugation II.
These verbs have regular Past tense endings. See page 346.
These verbs form the regular Future tense.

E.g.:
Я буду ходить в театр по средам	I'll go to the theatre on Wednesdays
Куда ты будешь ездить отдыхать?	Where will you go on holiday?
Она будст бсгать, чтобы похудсть	She'll run in order to lose weight
Мы будем летать Аэрофлотом	We'll fly Aeroflot
Летом они будут во́зить детей на юг	In summer they will take the children to the South

Grammar Reference

автобус • дождь • пароход • письмо • поезд • снег • фильм • экзамен **идёт**

часы **идут**

E.g.: По́езд идёт ме́дленно	The train is slow
Вчера́ шёл снег	It was snowing yesterday
За́втра бу́дет идти́ но́вый фильм	A new film will be on tomorrow

Habitual action: автобус • пароход • письмо • поезд **ходит**

часы **ходят**

E.g.: Э́ти поезда́ хо́дят ме́дленно	These trains are slow
Мои́ часы́ не хо́дят	My watch doesn't work

PREFIXED verbs of motion

Prefixes add new meanings to verbs of motion.

Prefixed Determinate verbs are Perfective

E.g.: Я вы́йду че́рез час	I will leave in an hour
Он уже́ ушёл	He has already left

Prefixed Indeterminate verbs are Imperfective

E.g.: Я уже́ выхожу́	I am already going/coming out
Он ухо́дит	He is leaving

EXCEPTION:
Prefix **-по** makes both Determinate and Indeterminate verbs Perfective

в (о) войти́/входи́ть   to go/come in/into   preposition **в**   + Accusative case

E.g.: Мы вошли́ в дом	We went into the house
Она́ вхо́дит в метро́	She is going into the Tube

вы вы́йти/выходи́ть   to go/come out   **из**   + Genitive case

E.g.: Мы вы́шли из до́ма	We got out of the house
Она́ выхо́дит из метро́	She is coming out of the Tube

за зайти́/заходи́ть   to pop into   **в** + Accusative   **к** + Dative

E.g.: Мы зашли́ в апте́ку	We popped into the chemist's shop
Она́ часто захо́дит ко мне	She often pops in to see me

пере перейти́/переходи́ть   to cross   **через**   + Accusative case

E.g.: Мы перешли́ у́лицу	We crossed the street
Она́ перехо́дит ре́ку	She is crossing the river

под подойти́/подходи́ть   to approach   **к**   + Dative case

E.g.: Мы подошли́ к до́му	We went into the house
Она́ подхо́дит к реке́	She is going into the Tube

при прийти́/приходи́ть   to arrive   **в, на**   + Accusative case

E.g.: Мы пришли́ на рабо́ту ра́но	We arrived at work early
Она́ прихо́дит обы́чно по́здно	She usually arrives late

про пройти́/проходи́ть to go through to/to pass   **мимо** + Genitive   **в** + Accusative

E.g.: Мы прошли́ в дом	We went through to the house
Она́ прохо́дит ми́мо апте́ки	She is passing the chemist's shop

у уйти́/уходи́ть   to leave   **из**   + Accusative case

E.g.: Мы ушли́ из до́ма ра́но	We left home early
Она́ ухо́дит из шко́лы	She is leaving school

Grammar Reference

NUMERALS

There are three types of numerals in Russian: cardinal, ordinal and collective.

● Cardinal numerals answer the question **'сколько?'** and describe the quantity of something.

● Ordinal numerals answer the question **'какой?'**, define the place of something in a collection of things and have adjectival endings.

● Collective numerals answer the questions **'кто?' 'что?'**, describe a number or collection of objects, people combined by the same action or situation.

	CARDINAL	ORDINAL	COLLECTIVE
1	один/однá/однó/однú	пéрвый/ая/ое/ые	двóе оба *m.* обе *f.*
2	два/две	вторóй*	трóе
3	три	трéтий/ья/ье/ьи	чéтверо
4	четы́ре	четвёртый	пя́теро
5	пять	пя́тый	шéстеро
6	шесть	шестóй	сéмеро
7	семь	седьмóй	**
8	вóсемь	восьмóй	
9	дéвять	девя́тый	
10	дéсять	деся́тый	
11	одúннадцать	одúннадцатый	
12	двенáдцать	двенáдцатый	
20	двáдцать	двадца́тый	
31	трúдцать один	трúдцать пéрвый	
42	сóрок два	сóрок вторóй	
100	сто	сóтый	
153	сто пятьдеся́т три	сто пятьдеся́т трéтий	
200	двéсти	двухсóтый	
500	пятьсóт	пятисóтый	
1 000	ты́сяча	тыся́чный	
1 997	ты́сяча девятьсóт девянóсто семь	ты́сяча девятьсóт девянóсто седьмóй	
2 000	две ты́сячи	двухты́сячный	
5 000	пять ты́сяч	пятиты́сячный	
100 000	сто ты́сяч	стоты́сячный	
200 000	двéсти ты́сяч	двухсотты́сячный	
1 000 000	миллиóн	миллиóнный	
2 000 000	два миллиóна	двýхмиллионный	
5 000 000	пять миллиóнов	пятúмиллионный	

одиннадцать
один-на-дцать
literaly: one on ten
дцать *what is left of* десять
две-на-дцать
and so on.

двадцать
два-дцать
literaly: two times ten

---

 * the rest of the ordinal numerals have the same endings as the ordinal 'пéрвый'
** the most common used collective numerals

Grammar Reference

CARDINAL NUMERALS

Cardinal numerals decline (change their endings according to the case), but they do not change according to gender and number.

EXCEPTIONS:			
musculine	neuter	feminine	plural
оди́н	одно́	одна́	одни́
два	два	две	

E.g.: мы одни́ — we are alone
оди́н биле́т, одно́ кафе́, одна́ ви́за — one ticket, one cafe, one visa
два биле́та, два кафе́, две ви́зы — two tickets, two cafes, two visas

DECLENSION OF CARDINAL NUMERALS

	singular	plural	musculine/neuter	feminine	plural	masc./fem.
N.	ноль	ноли́	один/одно́	одна́	одни́	два/две
G.	ноля́	ноле́й	одного́	одно́й	одни́х	двух
D.	нолю́	ноля́м	одному́	одно́й	одни́м	двум
A.	ноль	ноли́	оди́н*	одну́	одни́*	двух*
I.	ноле́м	ноля́ми	одни́м	одно́й	одни́ми	двумя́
P.	о ноле́	о ноля́х	об одно́м	об одно́й	об одни́х	о двух

N.	три	четы́ре	пять
G.	трёх	четырёх	пяти́
D.	трём	четырём	пяти́
A.	три*	четы́ре*	пять*
I.	тремя́	четырьмя́	пятью́
P.	о трёх	о четырёх	о пяти́

● Cardinal numerals **шесть, семь, во́семь, де́вять, де́сять, оди́ннадцать. трина́дцать, пятна́дцать, шестна́дцать, семна́дцать, восемна́дцать, девятна́дцать, два́дцать, три́дцать** decline like the cardinal numeral пять

N.	со́рок	пятьдеся́т	девяно́сто	сто
G.	сорока́	пяти́десяти	девяно́ста	ста
D.	сорока́	пяти́десяти	девяно́ста	ста
A.	со́рок	пятьдеся́т	девяно́сто	сто
I.	сорока́	пятью́десятью	девяно́ста	ста
P.	о сорока́	о пяти́десяти	о девяно́ста	о ста

● Cardinal numerals **шестьдеся́т, се́мьдесят, во́семьдесят** decline like the cardinal numeral **пятьдеся́т**

* used with inanimate nouns, and have the Genitive case endings with animate nouns

E.g.: я люблю **трёх** девушек и **три** оперы — I love three girls and three operas

Grammar Reference

N.	двéсти	трúста	четы́реста	пятьсóт
G.	двухсóт	трёхсóт	четырёхсот	пятисóт
D.	двухстáм	трёмстáм	четырёхстам	пятистáм
A.	двéсти	трúста	четы́реста	пятьсóт
I.	двумястáми	тремя́стáми	четырьмястáми	пятьюстáми
P.	о двухстáх	о трёхстáх	о четырёхстах	о пятистáх

- Cardinal numerals **шестьсóт, семьсóт, девятьсóт** decline like the cardinal numeral **пятьсóт**

N.	восемьсóт	ты́сяча	миллиóн
G.	восьмисóт	ты́сячи	миллиóна
D.	восьмистáм	ты́сячам	миллиóнам
A.	восемьсóт	ты́сячу	миллиóн
I.	восьмью́стами/восемьюстáми	ты́сячами	миллиóнами
P.	о восьмистáх	о ты́сячах	о миллиóнах

Fractions:

	feminine	feminine		masculine/feminine	
N.	треть	чéтверть	половúна	полторá	полторы́
G.	трéти	чéтверти	половúны	полýтора	
D.	трéти	чéтвери	половúне	полýтора	
A.	треть	чéтверть	половúну	полторá	полторы́
I.	трéтью	чéтвертью	половúной	полýтора	
P.	о трéти	о чéтверти	о половúне	о полýтора	

Usage:

- with numerals два, три, четыре in the Nominative case use nouns in the Genitive case singular.

  E.g.: два брата и три сестры   three brothers and three sisters

- with numerals два, три, четыре in the Nominative case use
  - masculine adjectives in the Genitive case plural
  - feminine adjectives in the Genitive case plural

      E.g.: четыре интересных журнала   four interesting magazines
      две большие сумки   two big handbags

- with numerals пять and upwards in the Nominative case use nouns and adjectives in the Genitive case plural

      E.g.: пять плохих студентов   five bad male students
      двадцать хороших студенток   twenty good female students

Compound numerals are ones which consist of more than one numeral.

      E.g.: сорок шесть   46

- with compound numerals the last numeral defines the use of the grammatical rule.

      E.g.: пятьсот триста один доллар   531 dollars
      сорок два доллара   42 dollars
      двадцать восемь долларов   28 dollars

Grammar Reference

- with numerals 'два' and upwards in all cases except the Nominative and the Accusative inanimate use adjectives and nouns in the plural.

E.g.: с тремя лучшими студентами	with three best students
он читает лекцию тридцати студентам	he lectures to 33 students

- in compound (consisting of more than one number) numerals each part declines

E.g.: Они были в восьми миллионах двадцати тысячах четырёхстах семидесяти городах.	They've been to 8 020 470 towns
Они проехали по двум миллионам семистам пятидесяти шести тысячам двухстам сорока трём деревням	They visited 2 756 243 villages

- to express approximation the noun is put before the numeral

E.g.: километра два	about two kilometers

- to start counting say: раз, два, три etc.

- to say how many times something happened say:

E.g.: один раз	once
два (три, четыре) ра́за	twice (three, four) times
пять (шесть, семь и т.д.) раз	five (six, seven, etc.) times
мно́го (не́сколько, ско́лько) раз	many (several, how many) times
не ра́з	not once
ни ра́зу не	never

ORDINAL NUMERALS

Ordinal numerals define the order in which people, things, events etc. are placed: first, twenty fifth etc.

Ordinal numerals have adjectival endings and behave like adjectives (agree with the noun they describe in gender, number and case)

E.g.: на седьмо́м этаже	on the seventh floor
в седьмо́й квартире	in flat number seven
к пе́рвому мая	by the first of May

DECLENSION OF ORDINAL NUMERALS

	masculine/neuter	feminine	plural	masculine/neuter	feminine	plural
N.	пе́рвый/пе́рвое	пе́рвая	пе́рвые	тре́тий/тре́тье	тре́тья	тре́тьи
G.	пе́рвого	пе́рвой	пе́рвых	тре́тьего	тре́тьей	тре́тьих
D.	пе́рвому	пе́рвой	пе́рвым	тре́тьему	тре́тьей	тре́тьим
A.	пе́рвый*/пе́рвое	пе́рвую	пе́рвые*	тре́тий*/тре́тье	тре́тью	тре́тьи
I.	пе́рвым	пе́рвой	пе́рвыми	тре́тьим	тре́тьей	тре́тьими
P.	о пе́рвом	о пе́рвой	о пе́рвых	о тре́тьем	о тре́тьей	о тре́тьих

- The rest of the ordinal numerals decline like the numeral **пе́рвый**

Grammar Reference

Usage:

- **Telling the dates.** When saying in which year something happened only the last part declines.

E.g.: В ка**ком** го**ду** вы поженились?	In which year (when) did you get married?
В тысяча девятьсот семьдесят треть**ем** году.	In 1973

- **Telling the date.** When saying on which day (date - число) something happened only the last part declines.

E.g.: Сегодня шестнадцатое апреля.	Today is the 16th of April
Какого числа вы родились?	When were you born?
Я родился двадцать шестого ноября	I was born on the 26th of November

- Some useful **compound nouns formed from numerals**:

E.g.: одностороннее движение	one way traffic
двухтысячный год	the year 2000
трёхкомнатная квартира	two-bedroom flat
пятиэтажный дом	five storey building
семизначный номер	seven digit number

- **Telling the time.**

Который час?	Сколько сейчас времени?		What is the time?
час	два часа	пять часов	половина второго

minutes TO the hour	minutes PAST the hour
5 minutes to the hour **without** 5 min. **the coming hour**	5 minutes past the hour 5 minutes **of the next hour**
3.55 без пяти (минут) четыре *literally means:* without five minutes four o'clock	3.05 пять минут четвёртого *literally means:* 5 min. of the fourth hour ... till 30 minutes past the hour

Grammar Reference

COLLECTIVE NUMERALS

Collective numerals denote a group of people or objects and are often used in proverbs, folklore and folk fairy tales

DECLENSION OF COLLECTIVE NUMERALS

	masculine/neuter	feminine		
N.	о́ба	о́бе	дво́е	че́тверо
G.	обо́их	обе́их	двои́х	четверы́х
D.	обо́им	обе́им	двои́м	четверы́м
A.	о́ба*	о́бе	дво́е*	че́тверо
I.	обо́ими	обе́ими	двои́ми	четверы́ми
P.	об обо́их	об обе́их	о двои́х	о четверы́х

Collective numerals denoting inanimate objects, which can only be used in plural, decline like ordinal numerals два, три, etc.

Collective numeral 'трое' declines like 'двое'

Collective numerals пя́теро, ше́стеро, се́меро decline like че́тверо

Usage:

● denoting persons

     E.g.: дво́е ма́льчиков   two boys

● denoting people or objects which can be used only in the plural

     E.g.: тро́е дете́й   three children
           че́тверо са́нок   four sledges

● can be used on their own (without a noun) to denote people:

     E.g.: их бы́ло пя́теро   there were five of them

WORD FORMATION

Russian is a very flexible, empathic and creative language. Different words can be derived from the same root. So one word can consist of a prefix, root, suffix and ending.

     E.g.: нахо́димся
          на-prefix, **ход**- root, **им**- ending, **ся**- reflexive particle

PREFIXES

Prefix is a part of the word which is at the beginning of the word. See page 350 for prefixed verbs of motion

     E.g.: ходить - **пере-**ходить   to walk - to cross

SUFFIXES

Suffix is a part of the word which follows the stem of the word.

     E.g.: студент-**к**-а   a female student

СЛОВА́РЬ   VOCABULARY

The number indicates the lesson in which this word appears for the first time.
A - stands for the alphabet.
The plural form of nouns is given when it is irregular or a vowel is inserted or the stress shifts. Letter 'ё' is always stressed.
* Words of foreign origin which never change their endings.

Abbreviations used in this vocabulary:

I	conjugation I	*imf.*	imperfective
II	conjugation II	*m.*	masculine
adj.	adjective	*n.*	neuter
adv.	adverb	*perf.*	perfective
dimin.	diminutive	*pl.*	plural
f.	feminine		

A

абсолю́тно 15 absolutely
а́вгуст 14 August
авиабиле́т 1 air ticket
авто́бус A bus
автома́т 4 automatic machine
автомоби́ль A *m.* automobile/car
австрали́сц/австрали́йка 4 Australian
Австра́лия 4 Australia
аге́нтство A agency
адвока́т 17 barrister, solicitor
администра́тор A manager
а́дрес/адреса́ A address/es
адресо́ванный 8 addressed
азиа́т 4 Asian
А́зия 4 Asia
актёр A actor
актри́са A actress
алкого́ль *m.* **15** alcohol
аллерги́я 15 allergy
алло́ 2 allo
алфави́т A alphabet
альбо́м 8 album
Аме́рика 1 America
америка́нец 4 American (man)
америка́нка 4 American (woman)
америка́нский 4 American
англи́йский 4 English

англича́нин 4 Englishman
англича́нка 4 English woman
А́нглия A England
анке́та 3 questionnaire, form
анса́мбль *m.* **A** ensemble
апельси́н 11 orange
аплоди́ровать 14 to applaud
аплодисме́нты 14 applause
апре́ль 9 April
апте́ка 12 chemist's shop
Арба́т 1 Arbat (a street in Moscow)
арба́тский 1 *adj.* from the Arbat
аргуме́нт A argument
аре́на 9 arena
аристокра́т/ка A aristocrat
арти́ст A artist/actor
Арха́нгельск 16 Archangel (town)
архите́ктор A architect
архитекту́ра 17 architecture
аспири́н A aspirin
ассорти́ *n.* **A** assortment
ассортиме́нт 3 assortment
А́страхань *f.* **12** Astrakhan (a town on the Volga delta)
а́тлас A atlas
атмосфе́ра 3 atmosphere
а́том A atom
аудиокассе́та 13 audio cassette
А́фрика 4 Africa

СЛОВАРЬ

африка́нец 4 African
ах во́т что! 4 Oh? I see!
аэро́бика A aerobics
аэропо́рт A airport
(в) аэропорту́ 16 *Prep. case (see grammar in lesson 16)*

Б

ба́бушка 7 grandmother
бага́ж A luggage
база́р A bazaar/market
балала́йка 3 balalaika
балери́на A ballerina
бале́т A ballet
балко́н A balcony
бана́н A banana
бана́новый 5 *adj.* banana
банк A bank
банке́т A banquet
банки́р A banker
бар A bar
барелье́ф 16 bas-relief
барме́н A barman
бато́н 8 loaf
бедро́/бёдра 15 hip/s
бежа́ть/бе́гать 20 to run
бе́жевый 10 beige
без 12 without
безрабо́тный 17 unemployed
Белфа́ст 1 Belfast
бе́лый 13 white
бельё 11 linen/underwear
бе́рег/берега́ 12 shore/s
Берли́н 20 Berlin
беспоко́иться 16 to worry
бесполе́зный 6 useless
беста́ктный 17 tactless
бефстро́ганов 5 beef Stroganoff
библиоте́ка 12 library
би́знес 1 business
бизнесме́н A businessmen
биле́т A ticket
бино́кль *m.* A binoculars
биоло́гия A biology
Бирминге́м 1 Birmingham

бифште́кс 5 beefsteak
блин/блины́ 11 pancake/s
блокно́т A writing pad
блонди́н/ка 21 blond
блу́зка 13 blouse
блю́до 11 dish, course
блю́дце 18 saucer
бога́тый 18 rich
Бо́же! 10 God!
боле́знь 15 illness
боле́льщик 9 a sports fan
боле́ть 9 to be ill
боли́т 15 hurts
болта́ть 15 to chat
боль *f.* 15 pain
больно́й/а́я 15 patient
больни́ца 12 hospital
бо́льно 15 it hurts
бо́льше 11 more
бо́льше всего́ 16 most of all
бо́льше нет 11 there is no more
большинство́ 10 majority
большо́й 7 big
бо́мба A bomb
Бомбей 20 Bombay
борода́/бо́роды 20 beard/s
борщ/борщи́ 5 beetroot soup
боти́нки 13 shoes
боя́ться 10 to be afraid
брат/бра́тья A brother
бре́нди* *n.* 3 brandy
Бри́столь *m.* 1 Bristol
Брита́ния 8 Britain
брита́нский 4 British
бровь *f.* 15 eyebrow
брошю́ра A brochure
брю́ки 13 trousers *(only pl.)*
бу́дет 11 will be
бу́дет ви́дно 11 we will see
бу́дешь знать 7 you will know
бу́дущее 9 future
буке́т 11 bouquet
бу́лочная 20 bakers'
бульдо́г A bulldog
бульо́н 9 broth

СЛОВАРЬ

бума́га 19 paper
буты́лка 5 bottle
буфе́т A snack bar
бухга́лтер 17 accountant
быва́ть 16 to be (*see grammar*)
бы 15 (*see grammar in lesson 17*)
был/а́/о/и 6 was
бы́стро 12 quickly
быть 4 to be
бюллете́нь *m.* **17** bulletin
бюро* A bureau
бюро́ нахо́док 10 lost property

В

в 2 in/at/to
ваго́н A carriage
вагоновожа́тый 17 bus conductor
ваго́н-рестора́н 8 buffet car
ва́жный 4 important
вали́ец 4 Welshman
вали́йка 4 Welsh woman
ва́нна 18 bath
ва́нная 18 bathroom
варе́нье 11 Russian runny jam
варёный 11 boiled
вариа́нт 18 version, option
вас 15 you *in Gen.case*
ваш/а/е/и 1 your, yours
Вашингто́н 1 Washington
вверх 10 up
вдру́г 17 suddenly
вегетериа́нец 14 vegetarian
ведь 17 *emphatic word, with no meaning of its own*
везти́ 20 *I* to carry, to bring (by means of transport)
век/века́ 12 century/ies
вели́к/а/о/и 13 big, great
вели́кий 3 great
Великобрита́ния Great Britain
вели́чественно 10 magnificently
велосипе́д 16 bicycle
вермише́ль *f.* **5** vermicelli
верну́ть/ся *perf.* **10** to return
верх 18 top

ве́село 14 *adv.* merry, jolly
весёлый 14 *adj.* merry, jolly
весна́/вёсны 9 spring/s
весь 17 the whole
ве́тер/ве́тры 16 wind/s
ве́чер/вечера́ 3 evening/s
вече́рний 8 *adj.* evening
ве́чером 3 in the evening
вещь *f.* **10** thing
взять 9 *imf.* to take *I* (я возьму́, ты возьмёшь)
взять напрока́т 9 to hire
вид 9 view, appearance, kind of
ви́део* A video
видеокассе́та 13 video cassette
ви́деть/уви́деть 10 to see
ви́дно (будет) 11 we'll see
ви́за A visa
виктори́на 16 quiz
ви́лка 18 fork
вина́ 19 (по вине́) fault (because of someone's fault)
винегре́т 5 Russian salad with beetroot
вино́/ви́на A wine/s
виолончели́ст 4 cellist
ви́русный 15 *adj.* virus
висе́ть 18 to hang
висо́к/виски́ 15 temple/s
ви́ски* *n.* **A** whisky
витами́н A vitamin
вку́сно 14 tasty
Владивосто́к 4 Vladivostok (a town in the far East of Russia)
Влади́мир 11 Vladimir (ancient Russian town)
вме́сте 8 together
вне́шность *f.* **20** appearance
вниз 10 down
внизу́ 18 down (below)
внима́тельно 18 attentively
внук 4 grandson
вну́чка 7 granddaughter
во вре́мя 7 during
вода́ 3 water *uncountable*
води́тель 17 driver

СЛОВАРЬ

водить 17 *II imf.* (я вожу, ты водишь)
perf. вести *I* (я веду, ты ведёшь) to
drive

водка A vodka

водохранилище 11 reservoir

возвращать/ся - вернуть/ся 12 to return

воздух 16 air

возраст 21 age

возьми/те 19 take *Imperative.*
Inf.: взять *perf. I* (я возьму, ты
возьмёшь)
Inf.: брать *imf. I* (я беру, ты берёшь)

войдите 15 come in *Imperative*

война/войны 7 war/s

войти 16 to come in

вокзал 8 railway station (terminal)

Волга A Volga (Russian river)

Волгоград 1 Volgograd (town)

волейбол A volleyball

волк 17 wolf

волосы 15 hair

вольно 8 freely

во-первых 18 first of all

вопрос 10 question

восемнадцать 7 eighteen

восемь 2 eight

восемьдесят 7 eighty

восемьсот 7 eight hundred

во сколько 8 at what time?

воскресенье 5 Sunday

восток 12 East

восьмой 10 eighth

вот 1 here (it is/you are)

впадать/впасть 8 fall in

вписывать/вписать 8 write in, insert

в погоне за 16 chasing

в порядке 8 in order/OK

врач/врачи 15 doctor/s

времена *pl.* 11 times

время *n.* 3 time

время года 15 season

все 5 all

всегда 6 always

(со) всеми 15 (with) everybody

всемирно/ый 4 world wide

всё 3 everything

всё равно 5 all the same

всех 4 *Genitive case of* все everybody

вслух *adv.* 17 aloud

вспоминать/вспомнить 20 to recollect

вставать/встать 11 to get up

встреча 20 meeting

встречаться/встретиться 12 to meet

(до) встречи 18 see you! (*liter:* till the
meeting)

вступительный 19 *adj.* entrance

всякий 17 any

второе 5 second, second course

второй 10 second

вторник 5 Tuesday

вход 10 entrance

в чём дело? 2 what's the matter?

вчера 6 yesterday

вы 1 you

выбор 13 choice

выбрасывать/выбросить 16 to throw
away (out)

выдающийся 4 outstanding

вызвать 15 *perf.* to call/to send for

вылет 20 airplane departure

выпускной 19 *adj.* graduating

высокий 15 tall/high

высотный дом 2 skyscraper

выступать/выступить 3 to perform

вытирать/вытереть пыль 11 to dust

выхлопной газ 16 exhaust fumes

выход 20 exit

выходить 18 go out/ to exit

выходной 12 day off

Г

гаванский 4 *adj.* Havanan

газета A newspaper

газетный киоск 9 newspaper kiosk

галерея 6 gallery

галстук 13 tie

гараж A garage

гарантировать 14 to guarantee

гарнир 5 garnish

где 1 where

СЛОВАРЬ

где́-то 16 somewhere
Герма́ния 4 Germany
геро́й A hero
гид 1 guide
гита́ра A guitar
гла́вный 12 main, major
гла́дить 11 to iron
глаз/глаза́ 15 eye/s
глу́пость *f.* 17 stupidity
говори́ть 4 to speak
год/года́ 2 year/s
голла́ндский 8 *adj.* Dutch
голова́/го́ловы 15 head/s
головна́я боль 15 headache
гололёд 16 black ice
голубо́й 13 pale/light blue
гоня́ться 9 to chase
гора́/го́ры 16 mountain/s
го́рло 15 throat
го́род/города́ 5 town/s
городско́й 8 *adj.* town
горожа́нин 9 town dweller
горя́чий 16 hot
гости́ная 18 living room
гости́ница 2 hotel
гость *m.* 4 guest
гото́в/а/о/ы 19 ready
гото́вить 11 to prepare, to cook
гра́бить 11 to rob
град 16 hail
гражда́нство 4 citizenship
грамм A gramme
грамма́тика 7 grammar
гра́мота 4 the three R's
гра́мотность *f.* 8 literacy
грани́ца 12 border
гриб/грибы́ 11 mushroom/s
грибно́й 11 *adj.* mushroom
гриль *m.* 11 grill
грипп 15 flu
гроб 15 coffin
гроза́ 16 thunderstorm
гром 16 thunder
гру́ппа A group
гуля́ть 11 to go for a walk, stroll

Д

да 1 yes
дава́й/те 3 let us
давно́ 6 long ago
да́же 15 even
да́й/те 5 give
далеко́ 9 far (away)
да нет! 10 certainly not!
дача 15 country house
два 2 two
два́дцать 7 twenty
двена́дцать 7 twelve
дверь *f.* 18 door
две́сти 7 two hundred
движе́ние 8 traffic
дво́е 14 two
двор/дворы́ 18 yard/s
двою́родный брат 8 cousin
двухме́стный 9 double room
де́вочка 14 girl
де́вушка 7 young lady
девяно́сто 7 ninety
девятна́дцать 7 nineteen
девя́тый 10 ninth
де́вять 2 nine
девятьсо́т 7 nine hundred
де́душка 7 grandfather
дежу́рная 15 woman on duty
де́йствие 12 action
действи́тельно *adv.* 16 really
де́йствовать 16 to act
дека́брь 14 December
деклара́ция 1 declaration
деко́р 3 decor
де́лать 2 to do
де́ло 2 business, matter
делово́й 8 business like
де́ло в то́м, что... 10 the thing is...
(в чём) де́ло? 10 what's the matter?
день *m.* дни *pl.* 5 day/s
де́ньги 8 money *only pl.*
день рожде́ния 14 birthday
депре́ссия 16 depression
дере́вня 6 village

361

СЛОВАРЬ

деревя́нный **15** wooden
десе́рт **A** dessert
де́сять **2** ten
деся́тый **10** tenth
де́ти **7** children *only pl.*
де́тская **12** nursery (room)
де́тский сад **11** kindergarten
де́тство **10** childhood
дешёвый **13** cheap
джин **A** gin
джи́нсы **13** jeans
дива́н **18** sofa
дие́та **A** diet
дипло́м **A** certificate of education
дире́ктор/директора́ **A** manager/s
диск **A** disk
диске́тка **A** floppy disk
дискоте́ка **A** discotheque
дли́нный **16** long
дли́ться **19** to last
для **3** for
дня/дней **6** day/s
до **12** until
добира́ться/добра́ться **19** to get to a place
добро́ пожа́ловать **9** welcome
до встре́чи **18** see you!
догова́риваться *imp.* договори́ться *perf.* **19** to agree on something
дождли́вый **16** *adj.* rainy
дождь **16** rain
до́ктор/доктора́ **A** doctor/s
докуме́нт **18** document
до́лго **8** for a long time
до́лжен *m.***19** должна́ *f.* должны́ *pl.* must
должно́ **8** must
до́ллар **A** dollar
дом/дома́ **2** house/s
домохозя́йка **17** housewife
дополни́тельный **13** additional
доро́га **7** road
дорого́й **6** expensive/dear
доро́жка **9** path
до свида́ния **8** good-bye
до ско́рого **14** see you soon

достига́ть/дости́чь **10** to reach
достопримеча́тельность **12** sights
дочь *f.* **7** (*pl.* до́чери) daughter/s
дре́вний **12** ancient
друго́й/ое/а́я/ие **6** other
друг/друзья́ **9** friend/s
дру́жный **14** friendly
ду́мать **2** to think *I*
дуть **16** to blow
дух **15** spirit
душ **18** shower (-bath)
душа́ **14** soul
дыша́ть **8** to breathe *II*
дя́дя **7** uncle

Е

Евро́па **4** Europe
европе́ец/европе́йцы **4** European (person/s)
европе́йский **4** *adj.* European
Еги́пет **16** Egypt
еги́петский **4** Egyptian
его́ **2** his
его́ зову́т **4** his name is
еда́ **8** food
еди́нственный **21** *adj.* the only one
(я) е́ду **5** I go
её **6** her
ежедне́вно **12** *adv.* every day
Екатеринбу́рг **16** Ekaterinburgh (town)
ему́ **7** to him
е́сли **4** if
есть **3** to have
есть **15** to eat *irregular verb, see grammar*
е́хать **5** to go (by transport)
ещё **6** also

Ж

жара́ **16** heat
жа́реный **11** fried
ждать **9** to wait *I* (я жду, ты ждёшь)
же **2** *emphatic word, with no meaning of its own*
жела́ть **8** to wish *I*
желе́* **5** jelly

СЛОВАРЬ

жёлтый 13 yellow
жена́/жёны 7 wife/wives
жени́ться 7 to get married (for a man)
жени́х 13 fiancé
же́нский 15 female, women's
же́нщина 6 woman
живопи́сный 10 picturesque
живо́т/животы́ 15 stomach/s
жизнь *f.* **7** life
жило́й 18 *adj.* living
жи́тель *m.* **11** inhabitant
жить 6 to live
журна́л A magazine
журнали́ст/ка A journalist
журнали́стика 17 journalism

З

за 5 for
за 14 to
заболе́ть 15 to get ill
забыва́ть/забы́ть 20 to forget
заверну́ть 17 *perf.* wrap up/turn
зави́сеть 14 to depend
за́втра 7 tomorrow
за́втрак 11 breakfast
за́втракать 11 to have breakfast
завя́зывать/ся *imp.* **завяза́ть/ся** *perf.* **12** here: starts
зага́дка 15 riddle
за грани́цу 16 abroad
загрязне́ние 16 pollution
задава́ть вопро́с 17 to ask a question
зада́ча 8 task
зака́зывать/заказа́ть 9 to order
зако́нченный 9 irredeemable
зака́нчиваться/зако́нчиться 7 to finish
закрыва́ть/ся *imp.* **закры́ть/ся** *perf.* **12** to close
закры́т/а/о/ы 13 closed
заку́ска 5 starters, hors-d'oeuvre
зал 4 hall
залива́ть/зали́ть 9 here: ice over
заме́дленно 16 slowed down
занаве́ска 18 curtain
занима́ться 9 to occupy oneself with

заня́тие 8 occupation
за́пад 12 West
за́падный 12 Western
за́пах 9 scent/smell
запи́ска 17 a note
запове́дник 16 nature reservoir
заполня́ть/запо́лнить 18 to fill in
запомина́ть/запо́мнить 7 to remind
запреща́ть/запрети́ть 16 prohibit
зараба́тывать/зарабо́тать 17 to earn
зара́нее beforehand
зарубе́жный 3 foreign
зарпла́та 17 wages
застава́ть/заста́ть 7 here: to get caught
засыпа́ть/засну́ть 12 to fall asleep
зато́ 15 but on the other hand
зау́чивать/заучи́ть 8 to learn (by heart)
захвати́ть в плен to capture
зачём 17 what for?
звать 4 to call
звон 14 chime
звони́ть 16 to ring/phone
звуча́ть 4 to sound
зда́ние 2 building
здесь 1 here
здоро́ваться 17 to say hello
здоро́вье 14 health
здра́вствуй/те 2 hello
зелёный 13 green
зе́ркало 18 mirror
зима́/зи́мы 9 winter/s
змея́/зме́и 12 snake/s
знак 8 sign
знако́миться 11 to get acquainted
знако́мый 5 acquaintance
знать/узна́ть 2 to know
зна́чит 7 it means
золотни́к 13 a grain of gold
зо́на A zone
зо́нтик 10 umbrella
зоопа́рк A zoo
зри́тель *m.* **3** spectator
зуб 15 tooth

И

СЛОВАРЬ

и 1 and
игра́/и́гры 8 play/s
игра́ть 3 to play
игрово́й 4 *adj.* play
игру́шка 18 toy
идеа́л A ideal
идеали́ст 1 idealist
иди́/те 11 go *imperative mood*
идио́т A idiot
идти́ 10 to go (by foot), to walk
из 6 from, out of
изве́стный 3 well known, famous
извини́/те 2 sorry
из-за 7 here: due to
изображён/а/о/ы 18 depicted
изуча́ть/изучи́ть 17 to study
икра́ 5 caviar
и́ли 4 or
име́ть 12 to have
и́мя/имена́ *n.* 4 name/s (Christian)
инжене́р A engineer
иногда́ 14 sometimes
иностра́нный 8 foreign
институ́т A institute
инструме́нт A instrument
интервью́* *n.* A interview
интере́с A interest
интере́сно 5 interesting
интере́сный 8 interesting
интересова́ть/ся 14 to get interested in
Интерне́т A internet
интерье́р A interior
информацио́нный 8 informative
информа́ция A information
Ирку́тск 16 Irkutsk (town)
Ирла́ндия 4 Ireland
ирла́ндец 4 Irishman
ирла́ндка 4 Irish woman
ирла́ндский 4 Irish
иска́ть 5 to search, look for
испа́нец 4 Spaniard
испа́нка 4 Spanish woman
Испа́ния 1 Spain
испа́нский 4 Spanish
испо́льзованный 13 used

исправля́ть 19 to correct
иску́сство 13 art
исто́рия A history
Ита́лия 1 Italy
италья́нец 4 Italian man
италья́нка 4 Italian woman
италья́нский 4 Italian
их 7 them
иска́ть 5 (я ищу́, ты и́щешь) to seek, search, look for
ию́ль *m.* 14 July
ию́нь *m.* 14 June

Й
Йо́рк A York

К
к 4 to
кабине́т A office, study
Кавка́з 11 Caucasus
ка́ждый 8 every
ка́жется 5 it seems
Каза́нь *f.* 12 Kazan (town)
как 3 how/as
кака́о* A cocoa
как бу́дто 17 as if
как вас зову́т 4 what is your name?
как говори́тся 6 as they say
как дела́? 2 how are things?
како́й/ая/ое/ие 4 what sort/kind
как пи́шется 19 as it's written
как поётся 8 as they sing
как пра́вило 19 as a rule
как пройти́ к 12 how to get to
календа́рь *m.* A календари́ *pl.* calendar/s
калькуля́тор A calculator
ка́мера хране́ния 9 left luggage office
ками́н 18 fireplace
Кана́да 1 Canada
кани́кулы 19 school holiday
капита́н A captain
капу́ста 11 cabbage
каранда́ш/карандаши́ 19 pencil/s
ка́рие глаза́ 20 brown (hazel) eyes
карп 5 carp (fish)
ка́рта 4 map

СЛОВАРЬ

карти́на **12** picture
карто́фель *m.* (карто́шка) **11** potato
ка́рточка **16** card
кассе́та **A** cassette
касси́р **8** cashier
кастрю́ля **18** saucepan
катастро́фа **A** catastrophe
ката́ться **16** to ride
като́к/катки́ **9** skating rink/s
като́лик **A** Catholic
кафе́* **A** cafe
ка́шель *m.* **15** ка́шли *pl.* cough
квадра́т **8** square
квадра́тный метр **18** square meter
кварти́ра **12** flat
(с) кем **17** (with) whom
Кент **4** Kent
Ки́ев **16** Kiev (capital city of Ukraine)
килогра́мм **8** kilogramme
киломе́тр **16** kilometer
Ки́мры **16** Kimri (town)
кино́* **A** cinema
кинотеа́тр **6** cinema (building)
кио́ск **A** kiosk
киоскёр **19** kiosk minder
кита́йский **4** Chinese
класс **A/19** class, form
кла́ссика **13** classics
класси́ческий **4** classical
клие́нт **14** client
клуб **4** club
ключ/ключи́ **10** key/s
к нам **9** to us
кни́га **7** book
княжна́ **11** princess
князь/князья́ **12** prince/s
ковбо́й **4** cowboy
ковёр **18** carpet
ко́врик **18** rug
когда́ **4** when
кого́ **17** who *in Genitive case*
ко́жаный **10** leather
кока-ко́ла **5** Coca-Cola
кокте́йль *m.* **5** cocktail
колбаса́/колба́сы **8** sausage/s

колго́тки **13** tights *only pl.*
коле́но **15** *knee*
коли́чество **18** quantity
колле́га **A** colleague
ко́лледж **9** college
ко́локол/колокола́ **14** bell/s
командиро́вка **16** business trip
комбини́ровать **13** to combine
коме́дия **A** comedy
коме́та **A** comet
коммерса́нт **4** merchant
комме́рция **A** commerce
коммуни́ст **A** communist
ко́мната **9** room
ко мне́ **8** to me
комо́д **18** large chest of drawers
компа́кт-диск **13** compact disk
компа́ния **14** company
компози́тор **A** composer
компо́т **A** compote, stewed fruit
кому́ **7** to whom
компью́тер **A** computer
комфо́рт **A** comfort
комфорта́бельный **9** comfortable
конве́рт **13** envelope
конди́терская **8** confectioner's, cake
    shop
коне́чно **3** of course
коне́ц/концы́ **13** end/s
конта́кт **A** contact
контине́нт **A** continent
контро́ль *m.* **A** control
конфе́та **8** sweet, lolly
конфере́нция **A** conference
конце́рт **A** concert
конча́ться/ко́нчиться **10** to finish
конья́к/коньяки́ **5** cognac/s
Копенга́ген **20** Copenhagen
ко́пия **21** copy
коридо́р **A** corridor
кори́чневый **13** brown
коро́бка **8** box
коро́ткий **16** short
коро́че **20** shorter
корь *f.* **17** measles

СЛОВАРЬ

косме́тика 10 make-up
космона́вт A cosmonaut
Кострома́ 12 Kostroma (town)
костю́м A costume, suit
кот/коты́ A cat/s (male)
котле́та 5 burger
кото́рый 4 which
ко́фе* A coffee
ко́фта 13 cardigan
кошелёк/кошельки́ 10 purse/s
ко́шка 13 cat (female)
краб A crab
краси́вый 3 beautiful
краси́тель *m.* **13** dye
кра́сить 13 to dye
Краснода́р 16 Krasnodar (town)
кра́сный 13 red
Кра́сный Крест 17 Red Cross
кра́шенный 14 dyed
креди́т A credit
кре́сло 18 armchair
кримина́льный 8 criminal
кри́тика A criticism
крова́ть *f.* **9** bed
кровь *f.* **12** blood
кро́ме 13 besides
кроссво́рд 5 crossword
круг/круги́ 14 ring/s
кру́глый 20 round
кругосве́тный 16 round-the-world
кружо́к/кружки́ 19 circle/s
Крым 11 Crimea
к сожале́нию 6 unfortunately
кто 2 who
кто тако́й 2 who is that
куда́ 5 where to
куда́-нибудь 16 to somewhere
кузе́н 7 cousin (male)
кузи́на A cousin (female)
кулинари́я A cookery
культу́ра A culture
культу́рный 15 cultural
купа́льный костю́м 16 swimming costume
купе́* 8 compartment

купе́йный 8 *adj.* compartment
купи́ть 8 to buy
купле́т 9 verse (of a song)
кури́ть 4 to smoke
ку́рица 11 chicken
курс A course
ку́ртка 13 anorak
ку́хня 18 kitchen

Л

лабора́нт 17 laboratory assistant
ла́герь *m.* **19** camp
ла́мпа A lamp
ла́стик 19 rubber
латы́нь 19 Latin
леге́нда A legend
легко́ 11 easy
лёгкий light
лежа́ть 15 to lie down
лека́рство 15 medicine
ле́кция A lecture
лес/леса́ 8 forest/s, wood/s
лесопа́рк 18 forest-park
ле́стница 17 stairs **ле́сенка** *diminutive*
лет 7 year (*see grammar*)
лете́ть/лета́ть 20 to fly
ле́тний 17 *adj.* summer
ле́то 9 summer
лётчик 17 pilot
лече́ние 15 treatment
лечи́ться 12 to undergo treatment
лечь *perf.* **16** to lie down *I* (я ля́гу, ты ля́жешь)
ликвиди́ровать 14 to liquidate/eliminate
лимо́н A lemon
лимона́д A lemonade
лине́йка 19 ruler
ли́ния 12 line
литерату́ра 5 literature
литерату́рный 5 literary
лифт A lift
лицо́/ли́ца 15 face/s
ли́чный 10 personal
лоб/лбы 15 forehead/s
ло́жка 18 spoon

СЛОВАРЬ

локоть 15 elbow
Лондон A London
лотерейный билет 2 lottery ticket
лото* A bingo
лучше 14 better
лучший 9 the best
лыжи 9 skis
лысый 20 bald
любимый 4 favourite
любить 4 to love
любой 16 any
люди 17 people
люкс A luxury

М

магазин 8 shop
Мадрид 1 Madrid
май 14 May
майка 13 T-shirt
майонéз 11 mayonnaise
майский14 adj. May
макароны 5 pasta, macaroni
мал/á/ó/ы́ 13 too small
маленький 12 small
малиновый 13 crimson
мало 9 adv. little, few
мальчик 9 boy **мальчишка** diminutive
мама A Mum
манекенщица 17 model
Манчестер 1 Manchester
марка 13 stamp
марксист 1 Marxist
маринад 11 marinade
маринованный 11 marinaded
март 14 March
маршрут 16 route
маршрутный 10 adj. route
масло 8 butter, oil uncountable
массаж A massage
масштаб 16 scale
математик A mathematician
материалист/ка A materialist
матрёшка 13 Russian doll
матрос 17 sailor
матч A match

мать f. **7** mother (**матери** pl.& Genitive case sing.)
машина 3 car
мебель f. (always sing.) **18** furniture
медицинская помощь f. **20** first aid
медленно 19 slowly
медсестра 17 nurse
между 10 between
Мексика 11 Mexico
менеджер A manager
меньше 14 less
меню* n. A menu
меня зовут 4 my name is
менять 18 to change
местный 6 local
место/места 16 place/s
месяц 14 month
металл 16 metal
метель 16 snowstorm
методика A method
метро* A Underground
мечта 9 dream
мечтать 16 to dream
микрофон A microphone
Милан 1 Milan
миллионер/ша A millionaire
милиция 10 militia
милиционер 10 militiaman (policeman)
минеральная вода 3 mineral water
министр A minister
минус 2 minus
минута 16 minute
мир 17 world, peace
мистер 4 Mister
митинг A meeting
мне всё равно 5 I don't care
мне сказали 6 I was told
многие другие 3 many others
много 3 a lot
мной (со) 10 (with) me
модем 4 modem
моё n. 3 my
может быть 4 may be
можно 5 one may (do or have smth.)
мой pl. **3** my

СЛОВАРЬ

мой *m.* **1** my
мо́лния 16 lightning
молоде́ц/молодцы́ 19 well done
молодо́й 7 young
моло́же 14 younger
молодёжь *f.* **9** youth
молоко́ 8 milk *uncountable*
моло́чный 8 *adj.* milk
мо́лча 21 *adv.* in silence
монито́р 4 monitor
мо́ре/моря́ 10 sea/s
моро́женое 5 ice cream
моро́з 16 frost
морози́льник 18 deep-freeze
Москва́ A Moscow
москви́ч/ка/и 9 Moscovite
моско́вский 8 *adj.* Moscow
мочь 8 be able to
моя́ *f.* **1** my
мра́мор 16 marble
мудрене́е 11 wiser
му́дрый 11 wise
муж/мужья́ 7 husband/s
мужско́й 13 men's
мужчи́на 7 man
музе́й A museum
му́зыка A music
музыка́льный 4 *adj.* music
музыка́нт A musician
Му́рманск 16 Murmansk (town)
му́сор 16 rubbish
мусс 11 mousse
мы 1 we
мыть посу́ду 11 to do the washing up
мышь *f.* **12** mouse **мы́шка** *diminutive*
мясно́й 8 *adj.* meat
мя́со 11 meat

Н

на 2 on, at
наблюда́ть 5 to watch, observe
наблюде́ние 15 observation
набо́р 19 a set of smth
наве́рное *adv.* **17** probably
наве́рх 18 up

над 9 above
на́до 6 need to, must
надое́сть 20 to be fed up with smth
    мне/ему́ надое́ло I am/he is fed up
наза́д 19 back (wards)
назва́ние 12 name *for inanimate objects*
назна́чить 15 to appoint
(как) называ́ется 3 what is it called?
называ́ть/ся *imp.* **назва́ть/ся** *perf.* **7**
    to call
найти́ 6 to find
наконе́ц 19 *adv.* at last
накрыва́ть/накры́ть на стол 11 to lay
    the table
нале́во 12 to the left
нам 9 to us *Dative case*
наоборо́т 15 on the contrary
нас 3 us *in Genitive case*
напи́сано 11 written
написа́ть 7 to write down
напи́ток/напи́тки 3 drink/s
напомина́ть/напо́мнить 19 to remind
напра́во 12 to the right
наприме́р 4 for example
напрока́т 20 for hire
напро́тив 12 opposite
нарко́з 15 anaesthetic
наро́д 16 people
наро́дный 8 *adj.* people
насле́дник 5 heir
насле́дница 5 heiress
насле́дство 19 inheritance
насмеши́ть 19 to make people laugh
на́сморк 15 cold/runny nose
настоя́щий 11 real
на трои́х 14 for three
научи́ться 2 to learn
находи́ть/найти́ 6 to find
находи́ться 2 to be situated
нача́ло 10 beginning
начина́ть/ся *imp.* **нача́ть/ся** *perf.* **7**
    to begin
на́ша 9 our, ours
нашёл/нашла́/нашли́ 6 found
не 1 not

СЛОВАРЬ

небольшой 10 not big, small
невеста 7 fiancée
невозможно 7 impossible
негде 18 nowhere
недавно 8 not long ago
недалеко от 3 not far from
неделя 8 week
нежилой *adj.* **11** uninhabited
некоторый 14 some
нельзя 9 not allowed
немного 8 not much
ненавидеть to hate
неплохо 8 not bad
непохожий 12 unlike
нервничать 10 to be nervous
несмотря на (то, что) 19 in spite of
нет 1 no
неужели 18 really?
нефть *f.* **10** crude oil
ни..., ни 6 neither, ... nor
Нижний Новгород 12 Nizhnij Novgorod
   (town)
нигде 12 nowhere
никак 9 no way
никогда 15 never
никто не 11 nobody
ничего 13 nothing
но 3 but
Новая Зеландия 16 New Zealand
новость *f.* **8** news
новый 2 new
нога/ноги 9 foot/feet, leg/s
нож/ножи 18 knife/s
ноль/ноли *m.* **2** nil/s, zero/s
номер/номера 5 number/s
нормальный 15 normal
нос/носы 15 nose/s
носить 21 to wear *II* (**я ношу, ты
   носишь**)
носовой платок 10 handkerchief
носок/носки 13 sock/s
ночь *f.* **16** night
ноябрь *m.* **14** November
нравиться 12 to like
нужно 13 to need

О

о 6 about
обе *f.* **17** both **оба** *m./n.*
обед 11 dinner, lunch
обедать 17 to have dinner, lunch
обида 9 offence, insult
облако 16 cloud
обмен 18 exchange
обменять 13 to exchange
О Боже! 10 Oh, God!
образование 17 education
обратить внимание 20 to pay attention
обрывок бумаги 16 scrap of paper
обслуживание 9 service
обувь *f.* **13** footwear
обучение 19 education
общий 7 general
объект А object
объяснять 11 to explain
обычно 9 usually
об этом 7 about this
объявление 16 announcement
овощ 8 vegetable
овощной 11 *adj.* vegetable
огород 18 vegetable garden
огурец/огурцы 11 cucumber/s
одеваться 12 to get dressed
одежда 13 clothes *uncountable*
один *m.***2 одна** *f.***одно** *n.* **одни** *pl.* one
одиннадцать 7 eleven
однажды 11 once upon a time
одновременно 6 simultaneously
однокомнатная квартира 18 bedsit
одноместный номер 9 single hotel room
оказаться 21 to turn out to be
окно/окна 18 window/s
около 12 near
окрашивать/окрасить 13 to paint
окружающая среда 16 environment
октябрь *m.* **14** October
он 1 he
они 1 they
опаздывать/опоздать 18 to be late
опасность 16 danger

СЛОВАРЬ

о́пера **A** opera
опи́сывать/описа́ть **10** to describe
оптими́ст/ка **A** optimist
опя́ть **9** again
ора́нжевый **13** orange (colour)
организо́ван/а/о/ы **19** organised
организо́вывать/организова́ть **14** to organise
орке́стр **A** orchestra
оригина́л **6** original
оса́дки **16** precipitation
освещённый **9** lit
о́сень *f.* **9** autumn
осма́тривать/осмотре́ть **6** to look round
осно́вывать/основа́ть **12** to establish
основно́й **13** major
осо́бенно *adv.* **14** especially
особня́к **18** mansion
осо́бый **14** special
остава́ться/оста́ться **21** to stay behind
оставля́ть/оста́вить **10** to leave behind
остально́й **19** the rest of
остана́вливаться/останови́ться **13** to stay (somewhere)
остано́вка **18** stop
от **12** from
отве́т **10** answer
отвеча́ть/отве́тить **8** to answer
отга́дывать/отгада́ть **20** to guess
отде́л **8** department
о́тдых **16** rest
отдыха́ть/отдохну́ть **9** to rest, to holiday, to relax
оте́ц/отцы́ **7** father/s
открыва́ть/ся - откры́ть/ся **12** to open
откры́т/а/о/ы **19** opened/open
откры́тка **3** postcard
отку́да **13** where from?
отли́чно **8** exellent
отноше́ние **12** relation
отправля́ться/отпра́виться **12** to depart
отправле́ние **12** departure
о́тпуск/отпуска́ **10** leave/s from work, holiday/s
отравле́ние **15** poisoning
отравля́ться/отрави́ться **15** to be poisoned
отреза́ть/отре́зать **15** to cut off
отсю́да **11** from here
отходи́ть **8** to leave
отхо́ды **16** (industrial) waste
о́тчество **4** patronimic
о́тчим **13** stepfather
о́фис **A** office
охра́на **16** protection
о́чень **2** very
очки́ **10** spectacles *only pl.*
ошиба́ться/ошиби́ться **12** to make a mistake
оши́бка **19** mistake

П

паке́т **A** packet
па́лец/па́льцы **15** finger/s
пальто́* **12** coat
панора́ма **A** panorama
па́па **A** Dad
па́пка **19** folder
пара́д **8** parade
парашю́т **A** parachute
Пари́ж **A** Paris
парк **A** park
парикма́хер/ша **17** barber, hairdresser
парохо́д **10** boat
па́спорт/паспорта́ **A** passport/s
па́спортный **9** *adj.* passport
пассажи́р **A** passenger
пассажи́рский **8** *adj.* passenger
Па́сха **13** Easter
патриоти́зм **A** patriotism
патру́ль *m.* патрули́ *pl.* **8** patrol
па́уза **A** pause
певе́ц/певцы́ **17** singer/s певи́ца *f.*
педагоги́ческий **17** pedagogical
пельме́ни **5** Siberian ravioli
пена́л **19** pencil case
пеницилли́н **15** penicillin
пе́пси-ко́ла **5** Pepsi-Cola
пе́нсия **17** pension
пе́рвое **5** first course
пе́рвый **7** first

СЛОВАРЬ

перевози́ть/перевезти́ 10 to transport
перегру́женный 16 overloaded
пе́ред 9 in front of/before
передава́ть/переда́ть 8 to pass
переда́ча 11 programme
переду́мывать/переду́мать 19 to change
   one's mind
переезжа́ть/перее́хать 6 to move house
переимено́вывать/переименова́ть 10 to
   rename
перекуси́ть 19 to have a snack
переме́на 19 (school) break
переу́лок 20 side street
пери́од 17 period
персо́на 9 person
персона́льный 1 personal
перча́тка 13 glove
пе́сня 6 song
пессими́ст/ка A pessimist
Петербу́рг 11 St.Petersburg
печа́льный 14 sad
печа́тать 19 to type
пешко́м 9 *adv.* on foot
пиани́ст A pianist
пиани́но* 4 piano
пивно́й бар 9 pub
пи́во 3 beer *uncountable*
пиджа́к/пиджаки́ 13 blazer/s
пижа́ма A pyjamas
пикни́к A picnic
пило́т A pilot
пирами́да 4 pyramid
пиро́г/пироги́ 11 pie/s
пиро́жное 14 small cake
писа́ть/написа́ть 7 to write
писа́тель *m.* 10 writer
пи́сьменный стол 18 desk
письмо́/пи́сьма 7 letter/s
пить 7 to drink
пи́цца 5 pizza
(как) пи́шется 19 how do you spell?
пла́ванье 16 swimming
пла́вать/попла́вать 11 to swim
план A plan
пла́тье 13 dress

плащ/плащи́ 13 raincoat/s
племя́нник 7 nephew
племя́нница 7 niece
плечо́/пле́чи 15 shoulder/s
плита́ 18 stove, cooker
пло́хо 2 bad
пло́щадь *f.* 3 square
плыть 10 to swim
плюс A plus
пляж 14 beach
по 7 along/on
по-англи́йски 4 in English
по́вар 17 cook
повезло́ lucky мне/ему́ повезло́ I am/
   he is lucky
поверну́ть *perf.* 12 to turn
по вине́ 19 due to somebody's fault
погиба́ть/поги́бнуть 7 to perish
пого́да 6 weather
под 9 under
пода́рок/пода́рки 14 present/s
подборо́док 15 chin
подмоско́вный 16 *adj.* Moscow region
подро́бно 18 in detail
подру́га 17 female friend
поду́шка 18 pillow; cushion
подхо́дит 13 approaches, suits
по́езд/поезда́ 5 train/s
пое́здка 6 journey
пое́хать 10 to go
пожа́луйста 1 please
пожа́рник 17 fireman
пожела́ние 14 wish
по́здно 7 *adv.* late
поздрави́тельный 12 congratulatory
поздравля́ть/поздра́вить 14 to congratulate
познако́миться 11 *perf.* to get acquainted
по-испа́нски 4 in Spanish
по-италья́нски 4 in Italian
пойдём 11 we will go
пойти́ 11 to go (see grammar)
пока́ 3 till/ see you
покажи́те 13 *imperative* show
пока́зываться/показа́ться 20 to seem/to

СЛОВАРЬ

turn out to be

покупа́тель *m.* **12** покупа́тельница *f.*
a buyer

покупа́ть/купи́ть **13** to buy

поку́пка **13** a buy/purchase

пол **18** floor

по́лдень *m.* **18** midday

по́ле/поля́ **8** field/s

полёт **17** flight

ползти́ **12** to crawl

поли́тик **A** politician

поли́тика **13** politics

по́лка (кни́жная) **18** shelf (book)

полкило́ (полкилогра́мма) **8** half a kilo

по́лночь *f.* **14** midnight

по́лный **8** full, whole

полови́на **12** half

получа́ть/получи́ть **8** to get, receive

полчаса́ half an hour

помидо́р **11** tomato

по́мнить **7** to remember

помога́ть/помо́чь **6** to help

помоги́те **6** help

по-мо́ему **7** I think, in my opinion

понеде́льник **5** Monday

по-неме́цки **4** in German

понима́ть/поня́ть **4** to understand

поп-гру́ппа **A** pop group

поп-му́зыка **4** pop music

по профе́ссии **4** by profession

популя́рный **9** popular

пора́ **17** it's time

пора́ньше **16** earlier

порт **A** port

портни́ха **17** tailor

портье́* *m.* **9** porter

по-ру́сски **4** in Russian

поря́док **14** order

посвяща́ть/посвяти́ть **7** to devote

посети́ть *perf.* **21** to visit

по́сле **11** after

после́дний **10** last

посло́вица **5** saying

послу́шать **11** to listen

посмотре́ть **5** to have a look

поспеши́ть **19** to hurry

пост/посты́ **14** fasting, lent

поста́вить **12** to put/stand

посте́ль *f.* **14** bedding

постоя́нный **4** constant

постро́енный **12** built

поступа́ть/поступи́ть **7** to enroll

посу́да **18** crockery

посыла́ть/посла́ть **9** to send

поте́рянный **11** lost

потеря́ть **10** to lose

потоло́к **18** ceiling

пото́м **12** then

потому́ что **3** because

по-францу́зски **4** in French

похо́ж/а/о/и **14** look alike

почему́ **2** why

по́чта **12** post (office)

почтальо́н **17** postman

почти́ **12** almost

поэ́т **A** poet

поэ́тому **2** that is why

пра́вда **5** truth

пра́вильно **4** correct

правосла́вный **14** Orthodox

пра́здник **14** celebration

пра́здновать **14** to celebrate

превраща́ть/ся - преврати́ть/ся **16** to
turn into smth.

преда́ние **12** legend

предлага́ть/предложи́ть **14** to offer, suggest

предложе́ние sentence, offer, suggestion

предме́т **19** subject

предпочита́ть/предпоче́сть **3** to prefer

представля́ть/предста́вить (себе́) **20** to
imagine

предше́ствовать **14** precede

президе́нт **A** president

прекра́сный **17** beautiful

премье́ра **8** premiere

преподава́тель *m.* **17**
преподава́тельница teacher

пре́сса **13** press

прибы́тие **12** arrival

СЛОВАРЬ

привéт 20 hi
приводи́ть/привести́ 12 here: to lead to
пригласи́тельный 4 inviting
приглаша́ть/пригласи́ть 2 to invite
приглашéние 5 invitation
приготóвленный 14 prepared/cooked
приéхать 6 to come/arrive
прилёт 20 flight arrival
приложéние 8 supplement
примéр 11 example
примéрить 12 to try on
примéта 20 feature
принадлежа́ть 18 to belong
приноси́ть/принести́ 7 to bring
при́нтер 4 printer
принц A prince
припéв 8 refrain
приро́да 16 nature
присыла́ть/присла́ть 18 to send
приходи́ть 8 to come/to arrive
причёсывать/ся- причеса́ть/ся 11 to comb one's hair
прия́тный 3 pleasant
проблéма A problem
провéрка 19 check up
проверя́ть/провéрить 16 to check
проводи́ть/провести́ 6 to spend
проводни́ца 9 train conductor
провожа́ть/проводи́ть 14 to see smb. off
програ́мма A programme/TV channel
прогу́лка 12 stroll, walk
продава́ть/прода́ть 13 sell
продавéц/продавщи́ца 8 salesman/sales-woman **продавцы́** pl.
продолжа́ть/ся-продо́лжить/ся 14 to continue
продолжи́тельность 16 duration
проду́кт A (food) product
проезжа́ть/проéхать 10 to pass through
про́за A prose
произведéние 7 (creative) work
произво́дство 16 production
происходи́ть/произойти́ 9 to come from
прока́т автомаши́н 20 car hire
проси́ть/попроси́ть 15 to ask for smth.

проста́вить 19 to put
прости́ть perf. **19** to forgive
про́сто 4 simple/simply
просту́да 15 cold (illness)
просыпа́ться/просну́ться 12 to wake up
протека́ть/протéчь 10 to flow
протяжённость 10 length
профéссия A profession
профéссор A professor
прохла́дный 16 cool
прошéдшее 11 past
про́шлый 20 past
проща́ть/прости́ть 19 to forgive
пря́мо 12 straight ahead
прямо́й 20 straight
пу́динг 5 pudding
путеводи́тель m. **12** guide book
путешéствие 16 journey
путешéствовать 16 to travel
пусто́й 8 empty
пылесо́сить 11 vacuum cleaning
пюрé* 5 mash
пятна́дцать 7 fifteen
пя́тница 5 Friday
пя́тый 10 fifth
пять 2 five
пя́теро 14 five people, fivesome
пятьдеся́т 7 fifty
пятьсо́т 7 five hundred

Р

рабо́та 5 work
рабо́тать 2 to work
рабо́тник 14 worker
рабо́чий 17 labourer
(всё) равно́ 8 all the same
рад/а/ы 17 glad
ра́дио* A radio
раз 10 once
разбира́ться/разобра́ться 21 to sort out
разби́т 19 here: divided
разбуди́ть perf. **12** to wake smbd. up
ра́зве 13 really?
разверну́ть 17 perf. to unfold
разгова́ривать 21 to converse

СЛОВАРЬ

разгово́р 17 conversation
разгово́рный 8 colloquial
раздева́ться/разде́ться 11 to get undressed
разме́р 13 size
ра́зный 4 different
разруше́ние 16 devastation
разы́скивать/разыска́ть 17 to search
райо́н 12 region/area
ра́но 11 early
ра́ньше 14 earlier/before
расписа́ние 8 timetable
располо́жен/а/о/ы 9 situated
распоря́док (дня) 11 daily routine
расскажи́те 6 tell
расстоя́ние 16 distance
ре́дко 19 rarely
результа́т A result
рейс A flight
река́/ре́ки 8 river/s
рекла́ма 8 advertisement
рекомендова́ть 14 to recommend
религио́зный 14 religious
ремо́нт 18 repairs
репертуа́р 10 repertoire
рестора́н A restaurant
реша́ть/реши́ть 7 to decide
Ривье́ра 4 Riviera
рис 5 rice
ри́совый 5 adj. rice
роди́тели 7 parents
роди́ться 7 to be born
ро́дом из 16 to come from... originally
ро́дственник 7 relative
родно́й 8 dear
рожде́ние 14 birth
Рождество́ 14 Christmas
ро́зовый 13 pink
роль f. A role
рома́н 7 novel
Росси́я 4 Russia
рост 20 height
ро́стбиф 11 roast beef
рот/рты mouth/s
руба́шка 13 shirt

рубе́ж 8 border
рубль m. 8 rouble рубли́ pl.
рука́/ру́ки 15 hand/s, arm/s
руле́тка 4 roulette
ру́сский 2 Russian
Русь f. 4 old Russia
ру́чка 19 pen
ры́ба 5 fish
Ры́бинск 4 Rybinsk (town)
ры́бная ло́вля 9 fishing
ры́бный 5 adj. fish
ры́нок 13 market
рюкза́к/рюкзаки́ A rucksack/s
ря́дом 2 near/next to

С

с 4 with
сад/сады́ 18 garden/s
сади́ться/сесть 21 to sit down
саксофо́н A saxophone
сала́т A salad
са́ми 8 oneself
самолёт 17 plane
са́мый 3 the very
са́нки 14 sledge, toboggan only pl.
Санкт-Петербу́рг 16 St.Petersburg
сапо́г/сапоги́ 13 Wellington boot/s
Сара́тов 12 Saratov (town)
сарди́ны 5 sardines
са́уна A sauna
са́хар 9 sugar
с вас 8 from you, you owe me
све́жий 11 fresh
свети́ть 16 to shine
све́тлый 13 light
сви́тер/свитера́ A sweater/s
свобо́дный 4 free
свой 10 own
свя́занный 10 connected
сдава́ть (экза́мен) 19 to sit an exam
сдать (экза́мен) 19 to pass an exam
(о) себе́ 15 about oneself
се́вер 12 North
се́верный 16 adj. northern
сего́дня 3 today

СЛОВАРЬ

седо́й **20** grey hair
седьмо́й **18** seventh
сезо́н **9** season
сейча́с **6** now
секре́т **A** secret
секрета́рша **17** secretary
секрета́рь *m.* **A** secretary
секу́нда **20** second
се́меро **14** seven people
семизна́чный **8** seven digit
семина́р **19** seminar
семна́дцать **7** seventeen
семь **2** seven
се́мьдесят **7** seventy
семьсо́т **7** seven hundred
семья́/се́мьи *f.* **6** family/ies
сентя́брь *m.* **14** September
середи́на **18** middle
се́рый **13** grey
сестра́/сёстры **A** sister/s
се́ттер **4** setter (dog breed)
сиби́рский **5** Siberian
сига́ра **4** cigar
сигаре́та **A** cigarette
сиде́ть **17** to sit
симпати́чный **12** nice
симпто́м **15** symptom
си́ний **13** blue
скажи́те **3** tell
сказа́ть **4** to say
ска́зка **18** fairy tale
скарлати́на **15** scarlet fever
сковорода́/ско́вороды **18** frying-pan/s
ско́лько **6** how many, how much
ско́лько сто́ит **8** how much does it cost?
ско́ро **7** soon
скорость **20** speed
ско́рый **8** fast
ску́чно **9** boring
сле́ва **12** on the left
сле́дующий **14** next
слова́рь vocabulary
сло́во/слова́ **6** word/s
сло́жность *f.* **7** complication
слу́чай **11** event, incident

случа́ться/случи́ться **10** to happen
слу́шать **2** to listen
слы́шать/услы́шать to hear
смесь *f.* **13** mix
смешно́й **12** funny
смея́ться **6** to laugh
смотре́ть **6** to see/watch
снача́ла **6** first of all
снег **16** snow
с ней **17** with her
соба́ка **12** dog
собира́ть **16** to collect
собира́ться/собра́ться **12** to get ready
собо́р **12** cathedral
собы́тие **12** event
сове́тский **10** Soviet
совпада́ть/совпа́сть **14** to coincide
совреме́нный **3** modern
совсе́м не **20** not at all
содержа́ние contents
(к) сожале́нию **6** unfortunately
сок **11** juice
сокращённый **2** abbreviated
солда́т **17** soldier
со́лнце **16** sun
солнцестоя́ние **16** solstice
соль *f.* **10** salt *uncountable*
со мно́й **10** with me
сон/сны **9** sleep
соревнова́ться **9** to compete
со́рок **7** forty
соси́ска **11** sausage
составля́ть/соста́вить **16** to construct
соста́риться **7** to get old
со́ус **11** sauce
сохраня́ть/сохрани́ть **18** to save
спа́льня bedroom
спаса́ть **12** to save
спаси́бо **1** thank you
спать **11** to sleep
спеть *perf. of* **петь 6** to sing
специали́ст **7** specialist
специа́льность *f.* **A** speciality, profession
спина́/спи́ны **15** back (of the body)
спи́сок/спи́ски **8** list

СЛОВАРЬ

спокойный 10 quiet
спорить 17 to argue
спорт A sport виды спорта pl.
спортивный 4 sporty
спортсмéн/ка 4 sportsmen/woman
спрáвка 7 (биографическая) reference/information (biographical)
справляться/справиться 9 to cope
спрáвочное бюрó 7 information bureau
спрáшивать/спросить 2 to ask
срáвнивать/сравнить 16 to compare
срáзу 20 straight away
средá/срéды 5 Wednesday/s
срéдний 19 middle
с собóй 9 with oneself
стáвить/постáвить 18 to put, to stand
стадиóн A stadium
стáнция A station
старáться 16 to try
старинный 12 ancient
стáрый 2 old
стать 17 perf. to become
статья/статьи 17 article/s
стенá 18 wall
стирáльная машина 18 washing machine
стирáть 11 to do the washing
стихотворéние 7 poem
сто 7 hundred
стóить 8 to cost
стол/столы 9 table/s
столóвая 15 canteen
столóвая 18 dining-room
стоять 16 to stand
странá/стрáны 4 country/ies
страница page
стрáнно 9 strange
стресс A stress
стрóгий 14 strict
строитель 17 builder
строить 11 to build
студéнт/ка A student
стук 15 knock
стул/стýлья 10 chair/s
стюардéсса A stewardess
суббóта 5 Saturday

сувенир 3 souvenir
(с) удовóльствием 6 with pleasure
судохóдный 10 navigable
судьбá 16 destiny
Сýздаль f. 11 Suzdal (town)
сýмма 8 sum
сýмка 9 handbag
суп/супы A soup/s
супермáркет 8 supermarket
супрастин 15 Suprastin (medicine)
существовáть 12 to exist
счастливый 5 happy
счáстье 14 happiness
сын/сыновья 4 son/s
сыпь f. 15 rush
сыр/сыры 8 cheese/s
сюдá 8 here (see grammar)
сюрприз 16 surprise

Т

табáк A tobacco
таблéтка A tablet, pill
тайгá 9 taiga (a virgin forest in Siberia)
так 3 so
(и) так далее 18 and so on
такóй 8 such
такóй же 18 the same
(в) такóм слýчае 11 in that case
такси A taxi
таксист A taxi driver
тактичный 17 tactful
тáлия 15 waist
там 6 there
танцевáть 14 to dance
тарéлка 18 plate
татуирóвка 20 tattoo
твой 2 sing. your
твóрчество 7 creation/creative work
те 17 those
теáтр A theatre
театрáльный 9 theatrical
текст A text
телевизиóнный 8 adj. television
телевизор TV set
телегрáмма 4 telegram

376

СЛОВАРЬ

телегра́ф 9 telegraph
тележурна́л 9 TV magazine
телесериа́л 8 TV serial
телефо́н A telephone
телефо́нный 5 adj. telephone
те́ло/тела́ 15 body/ies
Тель-Авив 20 Tel Aviv
тёмный 10 dark
температу́ра A temperature
те́ннис A tennis
тепе́рь 4 now
теплее 14 warmer
тепло́ 16 warm
термина́л 20 terminal
терпели́во 18 patiently
терра́са A conservatory
терро́р A terror
те́сно 10 crowded
тетра́дь f.19 exercise book
тётя 7 aunt
те́хника A technique, technical equipment
те́хникум 17 technical school
тече́ние 10 current
типи́чный 15 typical
ти́хий 18 quiet
това́р 13 goods
тогда́ 5 then
то́же 1 also
ток-шо́у 8 talk show
то́лстый 20 fat
то́лько 4 only
то́лько что 11 just now
тома́тный 5 adj. tomato
то́ник 3 tonic
Торо́нто 1 Toronto
тоска́ 9 boredom
тост A toast (drink)
тот 6 that one
то́чно adv. 16 exactly
тошни́ть 15 to feel sick
траге́дия A tragedy
традицио́нный 3 traditional
тради́ция A tradition
трамва́й A tram
тра́нспорт A transport, ви́ды тра́нспорта

pl. means of transport
тра́нспортный 4 adj. transport
тренирова́ть/ся 13 to train
трениро́вка 14 training
тре́тий 10 third
три 2 three
три́дцать 7 thirty
три́ллер 8 thriller
трина́дцать 7 thirteen
три́ста 7 three hundred
тролле́йбус A trolleybus
троцки́ст/ка 1 Trotskyist
тру́дно 4 difficult
тру́дно сказа́ть 4 difficult to say
трусы́ 13 underpants only pl.
туале́т A toilet
туда́ 12 over there
тума́н 16 fog
ту́мбочка 18 small chest of drawers
тури́зм 4 tourism
тури́ст A tourist
туристи́ческий 1 adj. tourist
туркме́нский 10 Turkmenian
ту́фли 13 shoes
ту́ча 16 storm-cloud
ты 2 sing. you
ты́сяча 3 thousand
тяну́ть/ся 16 drag

У

у 13 by
убега́ть/убежа́ть 17 to run away
уби́йство 12 murder
убива́ть/убить 12 to murder
убира́ть со стола́ 11 to clear the table
убира́ть/ся/убра́ть/ся 14 to do the
  cleaning
убо́рная 18 toilet
уважа́емый 8 respected
у вас (есть) 3 do you have
увели́чивать/ся 16 to enlarge
уве́ренно 17 confidently
У́глич 12 Uglich (town)
угова́ривать/уговори́ть 17 to persuade
у́гол/углы́ 19 corner/s

СЛОВАРЬ

удиви́тельный 10 amazing
удивля́ть 21 to surprise
удо́бно *adv*. 21 comfortably
у́дочка 9 fishing rod
уезжа́ть/уе́хать 16 to go away/to leave
уже́ 10 already
у́жин 11 supper
у́жинать 11 to have supper
узна́вать/узна́ть 7 to find out/to recognise
у́лица 2 street, road
Улья́новск 12 Uliyanovsk (town)
у меня́ (есть) 3 I have
умира́ть/умере́ть 7 to die
уме́ть 17 to be able to do smth
у нас (есть) 3 we have
у него́ (есть) 4 he has
универса́м 12 department store
университе́т A university
уника́льный 12 unique
у них (есть) 12 they have
уничтоже́ние 16 destruction
упражне́ние 18 exercise
ура́ 16 hurray
уро́к 1 lesson
ус/ы́ 20 moustache/s
успе́х 7 success
устава́ть/уста́ть 12 to get tired
устра́ивать/устро́ить 19 to organise
у́тро 11 morning
уха́ 5 fish soup
у́хо/у́ши 15 ear/s
ухудша́ть/уху́дшить 16 to worsen
учёба 17 study
уче́бник 8 textbook
уче́бный год 19 an academic year
учени́к 11 schoolboy
учени́ца 11 schoolgirl
учёный 2 scientist
учи́тель/учителя́ 11 teacher/s
учи́тельница 17 teacher
учи́ться 2 to study
Уэ́льс 4 Wales
уэ́льский 4 Welsh

Ф

файл 19 file
факс A fax
факт A fact
факульте́т 17 faculty/ department at the university
фами́лия 1 surname
фа́нта 5 Fanta
февра́ль *m*. 14 February
фигу́ра A figure
фи́зика 19 physics
филологи́ческий 17 philological
фильм A film
фина́нсовый 17 financial
фи́ниш A finish
фиоле́товый 13 violet (colour)
фи́рма A firm
фле́йта 11 flute
флирт A flirting
флиртова́ть 14 to flirt
фоне́тика 19 phonetics
фонта́н A fountain
фо́рма 19 uniform
фо́то* A photo
фотоальбо́м 8 photo album
фотоаппара́т A camera
фотографи́ровать/сфотографи́ровать 14 to photograph
фотогра́фия 7 photograph
фотокорреспонде́нт 13 photo correspondent
Фра́нция 4 France
францу́женка 4 French woman
францу́з 4 Frenchman
францу́зский 4 French
фрукт A fruit
фрукто́вый 5 *adj*. fruit
футбо́л A football
футболи́ст A footballer

Х

хара́ктер A character
хи́мик A chemist
хлеб 8 bread
хо́бби 4 hobby
ход 14 turn (in a game)

СЛОВАРЬ

ходи́л **6** he went
ходи́ть **6** to go
ходи́ть по магази́нам **8** to go shopping
хокке́й **A** hockey
холл **A** hall
хо́лод **16** cold
холоди́льник **18** refrigerator
хо́лодно *adv.* **16** cold
хоро́ший **6** good
хорошо́ **1** *adv.* good
хоте́ть/захоте́ть **11** to want
Хрущёв **A** Khruschev
худо́жник **11** painter/artist
худо́й **20** thin/slim

Ц

царе́вич **12** prince
царь *m.* **12** tzar цари́ *pl.*
цвет/цвета́ **13** colour/s
цветно́й **19** coloured
целова́ться/поцелова́ться **14** to kiss
це́лый **20** the whole
цена́/це́ны **19** price/s
центр **A** centre
центра́льный **9** central
це́рковь *f.* **12** church
цита́та **16** quotation

Ч

чай **3** tea
ча́йник **18** teapot, kettle
час **5** hour
час пик **16** rush hour
ча́стный **17** private
ча́сто **4** often
часть **10** part
часы́ **8** clock/watch
ча́шка **18** cup
чего́-нибу́дь **15** something
чей/чья/чьё/чьи **16** whose
челове́к **13** person лю́ди pl.people
чем **14** than
чемпио́н **A** champion
четве́рг/четверги́ **5** Thursday/s
че́тверть *f.* **12** quarter
четвёртый **10** fourth

четы́ре **2** four
четы́реста **7** four hundred
четы́рнадцать **7** fourteen
(на) чём **3** on what?
че́рез **15** in/through
чёрный **5** black
число́/чи́сла **8** date/s
чи́стить/почи́стить **11** to clean
чи́стый **19** clean
(в) честь *f.* **14** in honour
чита́ть **3** to read
что **1** what/that
что́бы **8** in order to...
что́-то **4** something
чу́вствовать (себя́) **14** to feel
чуда́к/чудаки́ **9** eccentric/s
чуде́сно *adv.* **14** wonderful
чуде́сный **14** *adj.* wonderful
чу́до/чудеса́ **14** wonder/s
чуло́к/чулки́ **13** stocking/s

Ш

шаль *f.* **13** shawl
шампа́нское **A** champagne
шанс **17** chance
ша́пка **13** hat
шара́да **A** charade
шарлата́н **A** charlatan
шарф/шарфы́ **13** scarf/scarves
Шенно́н **1** Shannon
ше́стеро **14** six people
шестна́дцать **7** sixteen
шесто́й **10** sixth
шесть **2** six
шестьдеся́т **7** sixty
шестьсо́т **7** six hundred
ширина́ **10** width
широ́кий **9** wide
широта́ **16** latitude
шкаф/шкафы́ **18** wardrobe/s
шко́ла **8** school
шля́па **13** hat
шокола́д **A** chocolate
шотла́ндец **4** Scot

СЛОВАРЬ

Шотла́ндия 4 Scotland
шотла́ндка 4 Scots woman
шотла́ндский 4 Scottish
шо́у* 8 show
шпио́н 1 spy
шпио́нский 8 *adj.* spy
шу́ба 13 fur coat

Щ

щека́/щёки 15 cheek/s
щи cabbage soup

Э

эго́ист А egoist, selfish person
эквивале́нт А equivalent
экза́мен А examination
эколо́гия А ecology,enviroment
эконо́мика А economics
эконо́мист А economist
эконо́мить 16 to economize
эконо́мия 16 economy
экску́рсия А excursion
электрогита́ра 13 electric guitar
эмигра́нт А émigré
эмигри́ровать 14 to emigrate
энтузиа́зм А enthusiasm
эне́ргия А energy
энциклопе́дия 13 encyclopaedia
эскала́тор А escalator
эта́ж/этажи́ 10 storey/ies, floor/s
э́то 1 this is
э́тот/э́та/э́то/э́ти 15 this/these

Ю

ю́бка 13 skirt
юг 14 South
ю́жный 10 *adj.* southern
ю́мор А humour
юмористи́ческий 8 humorous
юриди́ческий 17 legal, juridical
юриспруде́нция 19 jurisprudence, law
юри́ст 17 lawyer

Я

я 1 I
я́блоко 11 apple

я́блочный 11 *adj.* apple
ядови́тый 12 poisonous
язы́к/языки́ 7 language/s, tongue/s
языкозна́ние 19 linguistics
яйцо́/я́йца egg/s
Яку́тск 16 Yakutsk (town)
Я́лта 14 Yalta (town)
янва́рь *m.* 14 January
Япо́ния 11 Japan
я́рко 9 brightly
Яросла́вль *m.* 8 Yaroslavl (town)

Every effort has been made to ensure that this publication is free of errors. However the publisher will be grateful to all readers who point out any mistakes found.

380